KB152170

Cushing's syndrome
Diagnosis and treatment

쿠싱증후군의 진단 및 치료

대한내분비학회

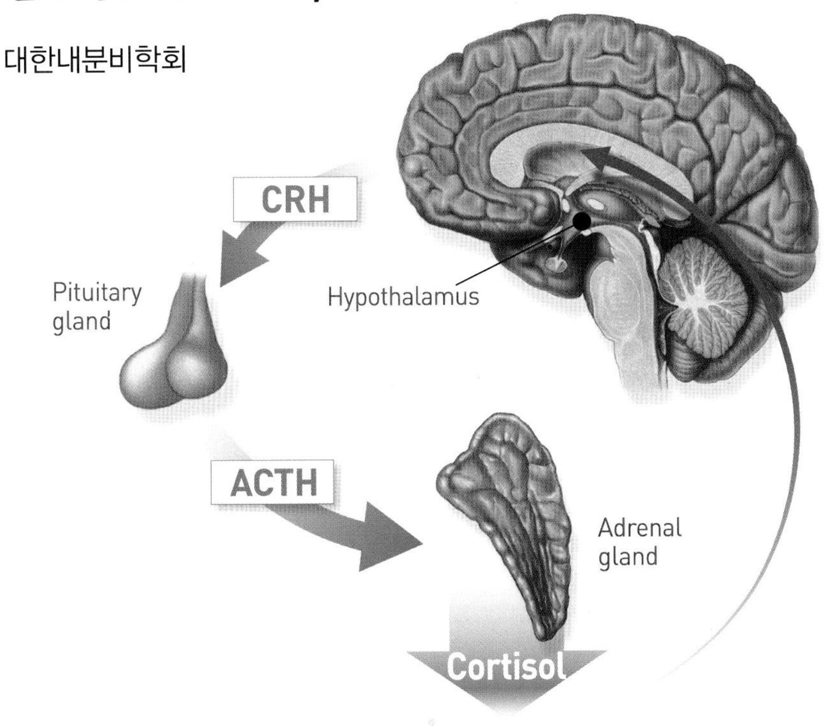

쿠싱증후군의 진단 및 치료

첫째판 1쇄 인쇄 | 2019년 10월 23일
첫째판 1쇄 발행 | 2019년 10월 30일

지 은 이 대한내분비학회
발 행 인 장주연
출판기획 김도성
편 집 안경희
편집디자인 조원배
표지디자인 김재욱
발 행 처 군자출판사(주)
등록 제4-139호(1991. 6. 24)
본사 (10881) **파주출판단지** 경기도 파주시 회동길 338(서패동 474-1)
전화 (031) 943-1888 팩스 (031) 955-9545
홈페이지 | www.koonja.co.kr

* 파본은 교환하여 드립니다.
* 검인은 저자와의 합의 하에 생략합니다.

ISBN 979-11-5955-498-8
정가 35,000원

쿠싱증후군의 진단 및 치료

발간의 말

한국 의학계에서 부신에 대한 연구나 질병을 다루는 부신학은 비교적 소외된 불모지 같은 영역으로 여겨져 왔었으나, 최근 새로운 연구 기법과 다양한 임상적 접근이 가능해지면서 내분비대사학의 중심장으로 등장하게 되었다. 특히 호르몬 질환의 백미라 할 수 있는 쿠싱증후군은 그 질병의 복잡성과 다양한 스펙트럼으로 진단과 치료 과정이 복잡하여, 스테로이드 호르몬 분석, 신경내분비학, 부신 관련 영상 기법 등이 총 망라되어 접근되어야 하며, 관련된 다양한 진료과와의 협진과 협업이 요구되는 질환이다. 이에 금번 대한내분비학회 부신연구회에서 쿠싱증후군 책의 발간은, 이 질환에 대한 양질의 정보를 제공하고 표준적 가이드라인을 제공할 수 있게 하여, 부신질환 진료와 연구에 여러가지로 중요한 지침서의 역할을 할 수 있을 것이다.

한국에서 부신과 관련된 문헌의 출간은 전무하다 시피한 현실이다. 금번 이 책의 집필을 위해서 대한내분비학회 산하 신경내분비연구회와 부신연구회가 협력하여 쿠싱증후군 전 분야를 망라하여 정수의 책을 발간하게 되었다. 본 책자가 향후 모든 의사들이 부신과 관련된, 특히 쿠싱증후군과 관련된 진료를 하거나 이에 관련된 연구를 할 때에, 손쉬운 지침서가 되고 좋은 참고 문헌이 되기를 기원한다. 특히 단순히 외국 논문이나 교과서에 실린 내용을 넘어서 한국인에서의 특성과 그간의 연구 자료를 포함시켰으니, 이 책을 읽는 관련 자들의 연구나 진료에 실용적으로 활용되기를 기대한다. 부신연구회는 향후 지속적인 연구와 모니터링을 수행하여, 부족한 점과 변화하는 내용을 지속적으로 보완해 나가야 할 것이다.

진료와 연구 등의 바쁜 일상 중에 쿠싱증후군 책의 발간에 많은 노력과 열정을 보여 준 부신연구회 회원들께 감사와 경의를 표한다.

2018년 12월 31일

내분비학회 이사장

김동선

인사말

부신 내분비고혈압 연구회와 신경내분비연구회가 공동으로 쿠싱증후군 책자를 발간할 수 있게 되어 매우 기쁘게 생각합니다.

부신 내분비고혈압 연구회에서 대표적인 내분비질환인 쿠싱증후군에 집중한 심포지엄을 진행하면서 쿠싱증후군은 마치 단일 질환처럼 인식되고 있으나 실제로는 매우 다양한 병태생리를 가진 질환들로 구성되어 있으며 이를 올바로 이해하기 위해서는 방대한 내분비 지식을 필요로 하며, 생명과학 분야의 경이로운 발전으로 향후 부신과 관련된 질환의 병태생리, 진단 및 치료 등에 엄청난 변화가 예견된다는 점을 인식하게 되었습니다. 심포지엄을 통해 얻어진 다양한 소중한 임상경험과 임상 및 기초 연구분야의 최신 지견을 내분비를 전공하거나 혹은 내분비질환에 관심이 있는 많은 분들과 공유하면 좋겠다는 의견이 모아져서 쿠싱증후군에 올곧이 집중한 책자를 제작하게 되었습니다. 생명과학 분야의 혁신적인 발전은 과거의 진료패턴에서 벗어나야만 하는 시대적 요청에 직면하고 있으며 쿠싱증후군 책자의 발간은 이러한 시대적 요청에 부응하고자 하는 우리 연구회의 작은 노력의 시작이라고 할 수 있겠습니다.

부신은 그 자체로 매우 중요한 내분비 기관이지만 부신에서 생성되고 분비되는 수 많은 호르몬은 신체의 대사 조절에 매우 중요한 역할을 하고 있을 뿐 아니라 내분비 기관의 마스터 키라고 할 수 있는 시상하부와 뇌하수체를 주축으로 하는 신경내분비 시스템과 밀접한 연관성을 가지고 있기에 신경내분비연구회와의 공동 집필은 필수적이라 하겠습니다. 넓은 아량으로 공동집필을 허락해 주시고 많은 배려를 아끼지 않으신 김성운 회장님과 여러 신경내분비연구회 위원님들께 진심으로 감사의 인사를 드립니다.

그간 책자 발간에 특히 수고해 주신 류옥현 총무님, 김상완 학술위원장님, 김정희 교수님, 최만호 박사님 및 집필에 참여하여 주신 모든 분들께 감사 드립니다. 특히 부신 내분비고혈압 연구회의 정신적인 지주가 되어 주신 존경하는 최영길 교수님과 부신 내분비고혈압 연구회 전회장이신 김성연 교수님을 모시고 본 책자를 발간하게 되어 매우 큰 영광이 아닐 수 없습니다.

쿠싱증후군 환자 진료와 연구에 작은 기여가 되면 좋겠다는 생각에서 이 책자의 발간에 대한 기대와 작은 흥분을 느끼게 됩니다. 이러한 마음이 독자 여러분들께도 전달되면 좋겠다는 생각을 감히 해 봅니다.

2018년 12월 31일

부신 내분비고혈압연구회 회장

유순집

집필진

편집위원

구철룡 연세의대 세브란스병원 내분비대사내과

김정희 서울의대 서울대학교병원 내분비대사내과

김효정 을지의대 을지병원 내분비내과

류옥현 한림의대 춘천성심병원 내분비대사내과

임정수 연세원주의대 세브란스기독병원 내분비대사내과

진상욱 경희의대 경희대학교병원 내분비대사내과

최만호 한국과학기술연구원 분자인식연구센터

집필진 (가나다 순)

강호철 전남의대 화순전남대병원 내분비대사내과

고관표 제주의대 제주대학교병원 내분비대사내과

고정민 울산의대 서울아산병원 내분비대사내과

구철룡 연세의대 세브란스병원 내분비대사내과

김경아 동국의대 일산병원 내분비대사내과

김규리 성균관의대 삼성서울병원 내분비대사내과

김미경 가톨릭의대 부천성모병원 내분비내과

김미경 계명의대 동산의료원 내분비내과

김병준 가천의대 길병원 내분비대사내과

김상수 부산의대 부산대학교병원 내분비내과

김상완 서울의대 서울특별시보라매병원 내분비대사내과

김신곤 고려의대 고대안암병원 내분비대사내과

김의현 연세의대 세브란스병원 신경외과

김재현 성균관의대 삼성서울병원 내분비대사내과

김정희 서울의대 서울대학교병원 내분비대사내과

김종호 부산의대 부산대학교병원 내분비내과

김혜수 가톨릭의대 대전성모병원 내분비내과
김효정 을지의대 을지병원 내분비내과
노정현 인제의대 일산백병원 내분비대사내과
서성환 동아의대 동아대학교병원 내분비내과
설지영 충남의대 충남대학교병원 외과
손문준 인제의대 일산백병원 뇌과학 방사선융합수술연구소
신충호 서울의대 어린이병원 소아청소년과
안지현 고려의대 고대안암병원 내분비대사내과
오태근 충북의대 충북대학교병원 내분비내과
유순집 가톨릭의대 부천성모병원 내분비내과
윤수진 경희의대 경희대학교병원 내분비대사내과
이승훈 울산의대 서울아산병원 내분비대사내과
이시훈 가천의대 길병원 내분비대사내과
이영아 서울의대 어린이병원 소아청소년과
이유미 연세의대 세브란스병원 내분비대사내과
이은직 연세의대 세브란스병원 내분비대사내과
이정민 가톨릭의대 은평성모병원 내분비내과
임동준 가톨릭의대 서울성모병원 내분비내과
임정수 연세원주의대 세브란스기독병원 내분비대사내과
전성완 순천향의대 천안병원 내분비대사내과
전현정 충북의대 충북대학교병원 내분비내과
정경연 을지의대 을지병원 내분비내과
정춘희 연세원주의대 세브란스기독병원 내분비대사내과
정혜인 연세의대 세브란스병원 내분비대사내과
조호찬 계명의대 동산의료원 내분비내과
진상욱 경희의대 경희대학교병원 내분비대사내과
최만호 한국과학기술연구원 분자인식연구센터
최윤미 한림의대 동탄성심병원 내분비내과
허규연 성균관의대 삼성서울병원 내분비대사내과
홍남기 연세의대 세브란스병원 내분비대사내과
홍은경 한림의대 동탄성심병원 내분비내과

목차

17 쿠싱증후군의 예후

18 특별한 경우의 쿠싱증후군

18-1 임신

18-2 소아시기 쿠싱증후군

18-3 주기 쿠싱증후군

CHAPTER 01

쿠싱증후군
(Introduction of Cushing's syndrome)

유순집, 김미경
가톨릭의대 내과학교실

가장 내분비적인 특징을 가지고 있는 질환을 한 가지만 들라면 필자는 주저 없이 쿠싱증후군이라고 할 것이다. 쿠싱증후군의 여러 원인 가운데 외인 쿠싱증후군을 배제한 내인 쿠싱증후군은 인구 백만 명당 5-10명 정도로 드문 질환이지만, 내과 의사들의 대부분은 쿠싱증후군 환자를 직-간접적으로 경험할 기회를 가지게 된다. 내분비를 전공한 의사들은 비교적 흔히 경험하는 질환이기에 친숙하게 느껴지기도 하지만 때로는 모든 검사를 시행한 후에도 정확한 진단이 어렵거나, 진단과 치료 과정 중에 생각하지 못한 문제가 발생하여 뼈아픈 경험을 하게 되는 질환이기도 하다.

이렇게 가장 내분비적인 질환 중 하나인 쿠싱증후군이 신경외과 의사인 Harvey Cushing의 이름에서 비롯된 점은 매우 특이하다. Harvey Cushing은 1869년 Ohio 주의 Cleveland에서 출생하였다. 1891년 Yale 대학을 졸업하고, 1895년 Harvard Medical School에서 의학사를 수여 받았다. 1896년 Johns Hopkins 병원에서 William S. Halsted 교수의 지도하에 외과 수련을 받았고, 1899년 신경외과학에 관심을 가지고 이 분야에서 많은 경력을 쌓았으며, Johns Hopkins 재임 동안 신경 과학 분야의 수많은 발견과 업적을 남긴 후, 1939년 10월 7일 심근 경색으로 사망하였다.

이야기의 시작은 Harvey Cushing이 1910년 Johns Hopkins 병원에 입원한 23살의 러시아계 젊은 여성 Minnie G.와의 운명적인 조우로부터 시작된다. Minnie G.의 키는 144 cm 정도, 체중 증가, 근육 약화, 불규칙한 월경, 둥글고 큰 얼굴에 다모증과 이차성징의 과다발현, 점막 및 피부에 출혈, 색소침착을 보였다고 1912년 Harvey Cushing이 기술하였다(그림 1-1). 이들 특징적인 신체적인 양상은 오늘날에는 매우 전형적 쿠싱증후군의 양상이라고 할 수 있겠지만 당시에는 이 질환이 뇌하수체, 부신, 송과선 혹은 난소의 영향으로 인한 것인지 불확실하였다고 기술하였다. Minnie G.는 입원 당시 혈압이 185 mmHg 로 상승되어 있었으며 뇌수종이 동반되어 있어서 craniotomy를 시행 받았다. 뇌 수술 당시 뇌하수체 부위에 종괴를 발견할 수는 없었지만, Harvey Cushing은 그녀의 질환이 basophil hyperpituitarism이 원인이라고 생각하였다. Harvey Cushing은 비슷한 임상증상을 가진 12명의 환자를 모아서 보고하였는데, 12명 중에 11명은 증상이 생긴 지 3–7년 사이에 모두 사망하였다. Harvey Cushing은 Minnie G.를 질환 발생 이후 22년간 추적 조사하였으며 1932년에 그녀가 질병의 일부 징후들이 남아있긴 하지만 비교적 건강해 보였다고 기술하였다. Minnie G.는 진단 받은 지 50년이 지나서 환자 나이 70세(1958년)경에 사망한 것으로 추후 밝혀졌다.

1932년 Harvey Cushing이 12명의 환자를 보고한 논문을 참고하여 bishop과 close가 이 질환을 "쿠싱증후군"이라고 처음으로 명명하였다. 당시 Harvey Cushing은 쿠싱증후군에서 부신피질 증식이 흔한 일이며, 뇌하수체 종양에서 생성된 어떤 물질의 과다 분비가 이를 일으키는 등 중요한 역할을 할 것으로 생각하였다. 1933년에 Colip 등이 부신피질자극호르몬(adrenocorticotropic hormone, ACTH)의 존재를 처음 보고하였다. 이후 여러 해 동안에도 쿠싱증후군의 원인이 뇌하수체로 인한 것인지 혹은 부신 때문인지에 대해서 논란이 이어졌다. 실제 1950년대까지 쿠싱증후군에 대한 명확한 개념이 없다가, Bauer가 "쿠싱증후군은 뇌하수체 혹은 부신 종양 둘 중 하나에 의해서 발생될 수 있다"라는 결론을 지었으며, 쿠싱병은 쿠싱증후군 중에서 뇌하수체에 의해서 생긴 hypercorticism에만 사용할 것을 주장하였다. 이후에 다른 원인의 hypercorticism에 대해서도 기술되었는데, De Moor는 ACTH 농도가 매우 낮은 증례를 발견하고 이 질환이 일차적인 부신 장애로 인해 발생한 것을 정확하게 추정하였으며, 이 질환을 "1차성 부신피질 결절성 이형성증"이라고 명명할 것을 제안하였다. Carney와 동료들은 피부의 색소 침착, 점액종 및 다양한 내분비 종양과의 관련성을 확립했다. 이렇듯 쿠싱증후군은 1912년 Harvey Cushing이 Minnie G. 환자를 처음 보고한 이후 약 40년간 그 원인에 대해서 논쟁이 있다가 1950년대에 Bauer에 의해서 개념이 정리되었다고 볼 수 있다.

Minnie G.의 쿠싱증후군 원인은 최종적으로는 정확하게 밝혀지지 않았지만 추정해 보면 ACTH-의존 뇌하수체 선종을 가진 상태에서 1912년 입원 당시 부분적인 pituitary infarction 혹은 pituitary apoplexy가 발생하였고, 그 이후에 약간 호전되었지만, 여전히 증상은 지속되는 상태였을 가능성이 있다. 다른 가능성으로는 primary pigmented micronodular hyperplasia도 고려되었으나, Minnie G.의 가족 중에 비슷한 증상을 가진 사람은 없다고 알려져, Minnie G.의 쿠싱증후군 원인은 아직도 맞춰지지 않은 퍼즐처럼 해결되지 않은 상태라고 할 수 있다.

100년이 지난 지금도 쿠싱증후군에 대한 많은 연구들이 지속되고 있다. 특히 분자 생물학 분야와 유전학 분야에서 놀라운 발전이 이루어지고 있다. 그럼에도 임상가들은 때로 쿠싱증후군의 진단과 치료 중에 혼란에 빠지기도 한다. 그 이유는 쿠싱증후군의 발병 원인은 다양하지만 근본적으로는 부신과 뇌하수체 중 어느 장기가 일차적 원인이 되는지에 대한 감별진단이 첫 단계가 되는데 전신 내분비기관의 마스터 스위치인 뇌하수체와 스테로이드 호르몬의 보고인 부신에 대한 충분한 이해가 없이는 정확한 진단이 매우 어렵기 때문이다.

내분비검사의 가장 일반적인 원칙이자 특징은 호르몬 과다 분비 시는 억제검사를, 호르몬 분비 저하시에는 자극검사를 하는데, 내인 쿠싱증후군의 경우 호르몬의 과다 분비가 문제임에도 억제검사 이외에 자극검사를 필요로 하는 경우도 있다. 쿠싱증후군의 진단은 주로 감별진단으로 하게 되는데, 때로는 이러한 호르몬의 다이나믹한 특성을 이용한 검사를 하여도 명확한 감별진단이 어려울 수도 있기 때문이다. 또한 쿠싱증후군 환자는 부신피질 호르몬의 과다분비로 인해서 전신 증상이 나타나게 되는데, 호르몬의 과다 분비 정도와 기간에 따라 임상 양상의 차이를 보이며, 증상이 명확하지 않은 경우에는 조기 진단에 어려움이 있을 수 있다.

스테로이드 측정 방법의 진화로 스테로이드 호르몬의 영역은 눈부신 발전을 하고 있다. 과거 흔히 사용되는 스테로이드 호르몬 측정 방법으로는 상상도 하지 못한 새로운 스테로이드 호르몬의 기능이 규명되고 있기 때문에 쿠싱증후군의 병태생리의 이해와 진단에 혁신적인 방법이 고안될 수도 있을 것으로 예상되며, 향후 내분비학 교과서를 완전히 새로운 내용으로 개편해야만 하는 날이 가까운 미래에 도래할 것으로 예견된다.

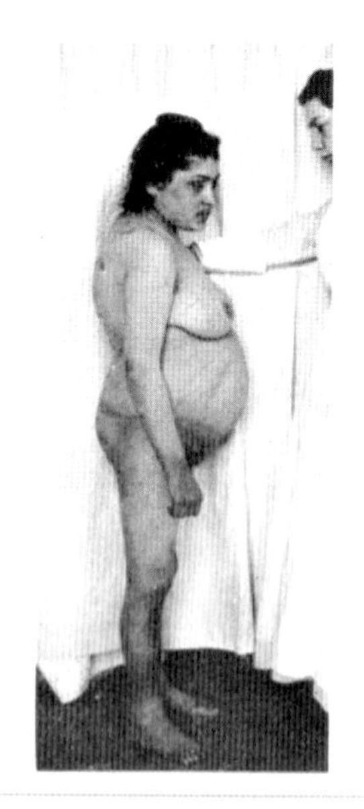

그림 1-1. Harvey Cushing이 처음 보고한 쿠싱증후군 환자 Minnie G.

참고문헌

1. Bauer J. The so-called Cushing's syndrome, its history, terminology and differential diagnosis. Acta Med Scand 1950;137:411-6.
2. Bishop PMF, Close HG. A case of basophil adenoma of the anterior lobe of the pituitary: "Cushing's syndrome". Guy's Hosp Rep 1932;82:143-53.
3. Carney JA. The search for Harvey Cushing's patient, Minnie G., and the cause of her hypercortisolism. Am J Surg Pathol 1995;19:100-8.
4. Cushing H. The basophilic adenomas of the pituitary body and their clinical manifestations (pituitary basophilism). Bull Johns Hopkins Hosp 1932;50:137-95.
5. Lindholm J. Cushing's syndrome:historicalaspects. Pituitary 2000;3:97-104.

CHAPTER
02

한국 내 쿠싱증후군의 역학 및 임상특성 (Epidemiology and clinical characteristics of Cushing's syndrome in Korea)

정혜인, 구철룡, 이은직
연세의대 내과학교실

쿠싱증후군은 만성적으로 혈중 코르티솔 농도가 과다해져 생기는 내분비 질환이다. 대부분의 원인은 외인(iatrogenic or exogenous) 쿠싱증후군으로 자가면역질환이나 염증성질환 등 다양한 질환에서 치료를 위해 당질코르티코이드를 사용하면서 생기는 경우가 해당된다. 코르티솔 생성을 자극하는 부신피질자극호르몬(adrenocorticotropic hormone, ACTH)이 과도하게 분비되거나 혹은 부신피질자극호르몬의 농도와 관계없이 부신에서 코르티솔을 많이 생성하여 일으키는 경우를 내인 쿠싱증후군이라고 하며, 크게 ACTH 의존/ACTH 비의존 쿠싱증후군으로 나눌 수 있다. ACTH 의존 쿠싱 증후군에는 부신피질자극호르몬 분비선종(쿠싱병), 이소 부신피질자극호르몬 분비종양이 있고, ACTH 비의존 쿠싱증후군은 부신의 이상으로 발생하는 부신선종, 부신암, 결절성 증식증 등이 있다. 외인을 제외하면 내인 쿠싱증후군 중 가장 흔한 원인은 쿠싱병이다.

표 2-1. 쿠싱증후군의 원인별 종류

쿠싱증후군의 분류	
내인	부신피질자극호르몬 의존
	부신피질자극호르몬 분비선종 (쿠싱병)
	이소 부신피질자극호르몬 분비종양
	양측 부신비대
	CRH 분비종양
	부신피질자극 호르몬 비의존
	부신선종
	부신암
	결절 증식증
외인	약물유발성

1. 역학

쿠싱증후군의 발병률은 대략 매년 인구 백만 명당 0.7~5.0명 정도로 보고되고 있으며 유병률은 백만 명당 39-79명 정도이다. 진단 당시 나이는 41.4세 정도이며, 여성: 남성의 비율은 3:1 정도로 발생하고 있다. 국내에는 이에 대한 연구가 거의 없는 상태로 외국 연구결과에 따르면 쿠싱증후군 환자 중 ACTH 의존 쿠싱증후군이 약 80%를 차지하고 있으며, ACTH 의존 쿠싱증후군의 대부분은 뇌하수체 쿠싱병이다. 쿠싱병은 여성에서 더 많이 나타나는 반면, 이소부신피질자극호르몬증후군은 남성에서 더 많이 나타난다. ACTH 비의존 쿠싱증후군은 약 20%를 차지하고 있으며 대부분 부신선종에 의해 생긴다. 최근에는 CT, MRI 촬영이 늘어나면서 우연히 부신종양이나 뇌하수체 종양이 발견되는 경우가 증가하고 있으며, 이에 따라 쿠싱증후군의 유병률 또한 증가하고 있다.

2000년 대한내분비학회지에 보고된 바에 따르면 국내 평균 발병률은 매년 인구 백만 명당 0.84명이었으며, 뇌하수체 종양에 의해 발생한 쿠싱병과 부신의 이상으로 발생한 쿠싱증후군의 비율이 유사하게 나타났다(43.3% vs. 41.7%). 외국의 연구결과와 마찬가지로 여성환자가 3.5배 정도 더 많이 진단되었고 주로 40대에 진단되었다. 이 연구 이외에는 한국인 쿠싱증후군의 발병률 및 유병률 등에 대한 연구가 이루어지지 않은 상태이므로 이에 대한 연구가 필요하겠다. 외국의 연구 결과에서는 뇌하수체 쿠싱병의 유병률이 더 높은데 국내 결과에서 부신의 이상으로 발생한 쿠싱증후군이 더 흔한 것은 인종적 차이보다는 제대로 진단되지 않은 경우가 많을 것으로 추측된다. 일례로, 이탈리아 내에서 이루어진 쿠싱 증후군 원인 질환 분석 자료에서 부신 종양에 의한 쿠싱증후군이 흔했으나, 전국민 대상 조사 이후 쿠싱병 유병률이 크게 증가한 경우를 고려할 수 있다. 또한, 중국과 일본의 경우에서도 쿠싱증후군의 주요 원인이 쿠싱병임을 고려할 때 진단되지 않은 쿠싱병 환자가 많음을 추측해볼 수 있다.

유병률은 드문 질환이나 심혈관계 및 감염 등의 합병증이 생길 수 있으며 치료하지 않을 경우 사망률이 높아져 조기에 정확히 진단하고 적절한 치료를 선택하는 것이 중요하다.

2. 임상양상

쿠싱증후군에 의해 생기는 증상은 다양하다. 전형적인 증상으로는 피부가 얇아지거나 쉽게 멍이 드는 증상, 중심성 비만, 고혈압, 월상안, 내당능 장애 또는 당뇨, 성기능 저하, 골다공증, 근위성 근위축, 안드로겐 증가에 의한 증상(여드름, 다모증), 정신과적 질환(우울증, psychosis) 등이 있다. 소아나 여성에서는 어린 나이에 골다공증이 생길 수 있으며, 젊은 나이에 고혈압이나 당뇨가 발생된 후 조절이 안 되는 경우 쿠싱증후군을 의심할 수 있다. 사망 원인으로 가장 흔한 것은 심혈관 질환이며, 감염이나 자살의 위험성 또한 증가한다.

피부에 색소침착이나 심각한 근병증이 있는 경우에는 이소 부신피질자극호르몬 증후군의 가능성이 높으며, 이러한 환자에서는 고혈압, 저칼륨 알칼리증, 내당능 장애, 부종 등이 더 잘 나타날 수 있다.

1) 비만

가장 흔한 증상이 비만 및 체중 증가이며 특징적인 증상 없이 단순히 비만을 호소하기도 한다. 성인 환자에서는 중심성비만으로 나타나서 들소혹변형(buffalo hump), 월상안(moon face) 등이 생길 수 있으며, 소아 환자에서는 특징적인 동반 증상 없이 단순히 비만만 나타나기도 한다.

2) 내분비 질환

내당능 장애, 당뇨병이 나타날 수 있으며, 간에서 지질단백질 합성이 자극되어 혈중 콜레스테롤, 중성지방이 증가할 수 있다.

3) 심혈관계

고혈압이 75% 정도에서 나타나며 비만환자에서 보다 쿠싱증후군이 있는 경우 더 흔하게 나타난다. 쿠싱증후군 환자에서는 당뇨병, 고지혈증도 증가하여 치료하지 않는 경우 심혈관계 사망률이 증가한다. 또한 혈전색전증이 흔하게 나타날 수 있다. 혈전색전증의 발병은 비교적 흔한 것으로 되어 있기 때문에, 수술 전·후 및 골절로 인한 침상안정기에는 혈전색전증 예방을 위한 노력이 필요하다.

4) 생식기관

성기능이 저하가 일반적으로 나타나며 성욕 감퇴, 여성에서는 월경주기가 불규칙해진다. 성선자극 호르몬 저하 성선기능 저하증(hypogonadotropic hypogonadism)은 코르티솔이 생식자극호르몬분비호르몬(gonadotropin-releasing hormone: GnRH)을 억제하여 발생하며 치료시 가역적이다.

5) 정신과적 특징

쿠싱증후군의 원인에 관계없이 약 50%의 환자에서 나타나며, 우울증이 가장 흔하지만 편집증으로 나타나기도 한다. 인지기능에도 영향을 미칠 수 있으며 불면증이 흔하게 나타난다. 수술이나 약물치료로 혈중 코르티솔 농도가 감소하게 되면 일반적으로 급속하게 좋아지며 환자의 삶의 질 또한 좋아지게 된다.

6) 근골격계

쿠싱증후군이 오래 지속되면 골감소증, 골다공증이 생기면서 골다공증성 척추 골절이 생길 수 있으며, 이는 저절로 생기거나 경미한 외상에도 생길 수 있다. 또한 고칼슘뇨증으로 신장결석이 생길 수 있다. 근육병증은 주로 proximal 근육에 영향을 주어서 계단을 오르기 힘들거나 의자에서 일어나기 힘든 증상으로 나타나게 된다.

표 2-2. 쿠싱증후군의 임상양상

증상	빈도
비만 또는 체중증가	95% *(소아의 경우 100%)
월상안	90%
성기능 저하	90%
피부가 얇아진다. Thin skin	85%
성장 감소 (소아)	70-80%
불규칙적인 월경 주기 또는 무월경	80%
고혈압	75%
다모증	75%
우울증/ 심한 감정변화	70%
멍이 잘 든다.	65%
내당능 장애	60%
근육병증	60%
골감소증 또는 골다공증	50%
신장결석증	50%

참고문헌

1. 대한내분비학회 한국인 내분비질환 증례연구위원회. 한국 성인 쿠싱증후군 환자현황 및 임상양상. 대한내분비학회지 2000;15:31-45.
2. Dekkers OM, Horváth-Puhó E, Jørgensen JO, et al. Multisystem morbidity and mortality in Cushing's syndrome: a cohort study. J Clin Endocrinol Metab 2013;98:2277-84.
3. Feelders RA, Pulgar SJ, Kempel A, Pereira AM. The burden of Cushing's disease: clinical and health-related quality of life aspects. Eur J Endocrinol 2012;167:311-26.
4. Lindholm J, Juul S, Jørgenson JO, et al. Incidence and late prognosis of Cushing's syndrome: a population-based study. J Clin Endocrinol Metab 2001;86:117-23.
5. Melmed S, Polonsky KS, Larsen PR, Kronenberg HM. Williams textbook of endocrinology. 13th ed. Philadelphia: Elsevier Saunders; 2016;507-10.
6. Newell-Price J, Bertagna X, Grossman AB, Nieman LK. Cushing's syndrome. Lancet 2006;367:1605-17.
7. Nieman LK, Biller BM, Findling JW, Newell-Price J, Savage MO, Stewart PM, Montori VM. The diagnosis of Cushing's syndrome: an Endocrine Society Clinical Practice Guideline. J Clin Endocrinol Metab 2008;93:1526-40.
8. Ntali G, Asimakopoulou A, Siamatras T, et al. Mortality in Cushing's syndrome: systematic analysis of a large series with prolonged follow-up. Eur J Endocrinol 2013;169:715-23.

CHAPTER 03

HPA 축의 생리학 (Physiology of HPA axis)

윤수진, 진상욱
경희의대 내분비내과학교실

1. 뇌하수체의 해부, 발생

뇌하수체는 나비뼈 안장(sphenoid bone sella turcica)에 위치하며 시상하부 하단에 닿아 있다. 뇌하수체는 뇌하수체 전엽과 후엽으로 나뉘는데 뇌하수체 전엽은 샘뇌하수체(adenohypophysis)라고도 불리는 반면, 뇌하수체 후엽은 신경뇌하수체(neurohypophysis)라고 불리우며, 각각을 구성하는 세포의 기원이 다르다. 샘뇌하수체는 뇌하수체주머니(rathke's pouch)라고 불리는 인두상피 기원으로 형성되었는데 인두 상피가 사이뇌(diencephalon)의 신경상피의 유도에 따라 등쪽으로 함입되어(dorsal invagination) 만들어지고, 함입된 상피는 이동하여 신경뇌하수체와 결합하게 된다. 신경뇌하수체는 신경에서 기원하는데, 태생학적으로 사이뇌(diencephalon)에서 기원하며, 배쪽 시상하부(ventral hypothalamus) 및 제3뇌실이 외측으로 팽출해서 형성되고, 주로 시상하부의 뇌실곁핵(paraventricular nucleus)과 시신경교차상핵(supraoptic nucleus)에 위치한 신경세포의 축삭 및 신경말단으로 이루어진다(그림 3-1).

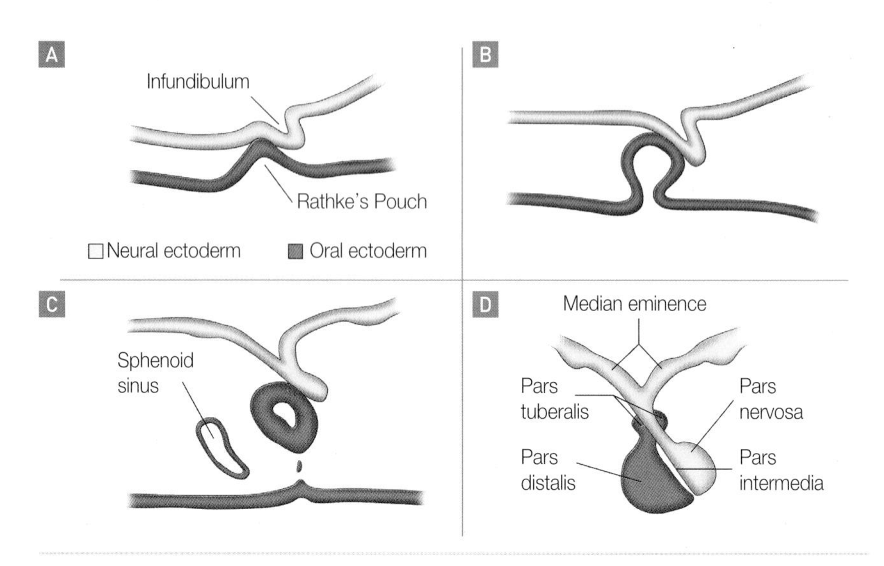

그림 3-1. 뇌하수체의 발생 : **(A)** 신경외배엽(Neural ectoderm) 구강외배엽(Oral ectoderm) 깔때기(누두부)(Infundibulum) 뇌하수체 주머니(Rathke's pouch) **(C)** 접형동(Sphenoid sinus) **(D)** 정중융기(Median eminence) 뇌하수체 융기부(Pars tuberalis) 뇌하수체 전엽(Pars distalis) 뇌하수체 중간엽(Pars intermedia) 뇌하수체 신경엽(Pars nervosa)

뇌하수체 전엽은 6가지의 호르몬을 분비한다. 1) 프로락틴(prolactin, PRL), 2) 성장호르몬(growth hormone, GH), 3) 부신피질자극호르몬(adrenocorticotropic hormone, ACTH), 4) 황체형성호르몬(iuteinizing hormone, LH), 5) 난포자극호르몬(follicle-stimulating hormone, FSH), 6) 갑상선자극호르몬(thyroid-stimulating hormone, TSH)이 그 예이다. 뇌하수체 호르몬은 특정 시상하부 호르몬에 영향을 받아 일련의 박동성 분비를 하는데 각각의 뇌하수체 호르몬은 각기 말초 표적기관에 작용하여 호르몬을 분비하게 한다. 뇌하수체 후엽은 두 가지 호르몬을 분비하는데, 1) 항이뇨호르몬이라고도 알려진 아르기닌 바소프레신(arginine vasopressin, AVP)과 2) 옥시토신(oxytocin)이 그 예이다. 바소프레신 및 옥시토신은 시상하부의 상시핵 및 실방핵에서 위치하고 있는 호르몬 특이적인 대세포신경

(magnicellular neuron)에서 합성된 후 과립상태로 축삭 말단에 저장된 상태에서 자극에 의해 뇌하수체 후엽의 모세혈관으로 분비된다.

2. 부신의 해부, 발생

부신은 양쪽 신장 위쪽에 각각 위치하는 내분비기관이다. 왼쪽 부신은 반달모양을 하고 있지만 오른쪽 부신은 간이 위에서 누르고 있기 때문에 삼각형 모양을 하고 있고 성인에서 부신의 무게는 약 4~6 g 정도이다. 부신은 피질(cortex)과 속질(medulla)로 나뉜다. 부신피질이 부신의 90%를 차지하며 바깥쪽부터 구상대(zona glomerulosa), 속상대(zona fasciculata), 망상대(zona reticularis)가 있다.

부신피질은 중간콩팥세관(mesonephric tubule)과 생식선능선(gonadal ridge)에 인접한 원시 체강(coelom)의 등벽(dorsal wall)에 놓여있는 중피세포(mesothelial cell)로부터 유래한다. 태아 발생 8주경이 되면 이러한 부신피질 성분들은 얇은 외부 피질과 두꺼운 내부 피질로 분화하게 된다.

태아의 피질은 임신기간동안 적극적으로 스테로이드를 생산하다가 출산 후에는 빠르게 원상복구 된다. 부신피질의 휴식은 신생아의 최대 50%에서 관찰되고 산후 초기에 위축되어 사라지는 경향이 있다. 부신의 발달은 태아 부신피질의 퇴행과 병행되어 출산 후 천천히 일어나며, 생후 1년 후반이 되어야 완성된다. 출생시에는 뚜렷한 구상대와 속상대가 존재하며, 망상대는 생후 1년 동안 발생하게 된다. 부신속질은 교감신경계와 함께 발달한다. 교감신경산생세포(sympathogonia)인 부신속질 성분들은 신경고랑(neurogenic crest)의 양쪽에서 동맥옆(paraaortic)과 척추옆(paravertebral)부위에서 부신정맥을 따라 태아 부신피질이 발달하는 내측으로 이동한다.

부신의 정상 혈류량은 분당 약 10 mL 이다. 스트레스 상황이 되면 부신피질과 속질의 혈류량이 모두 증가하는데, 이는 부신피질 자극호르몬이 즉각적으로 부신으로의 혈류량을 증가시키기 때문이다. 부신은 모세혈관을 통해 피질과 속질의 기

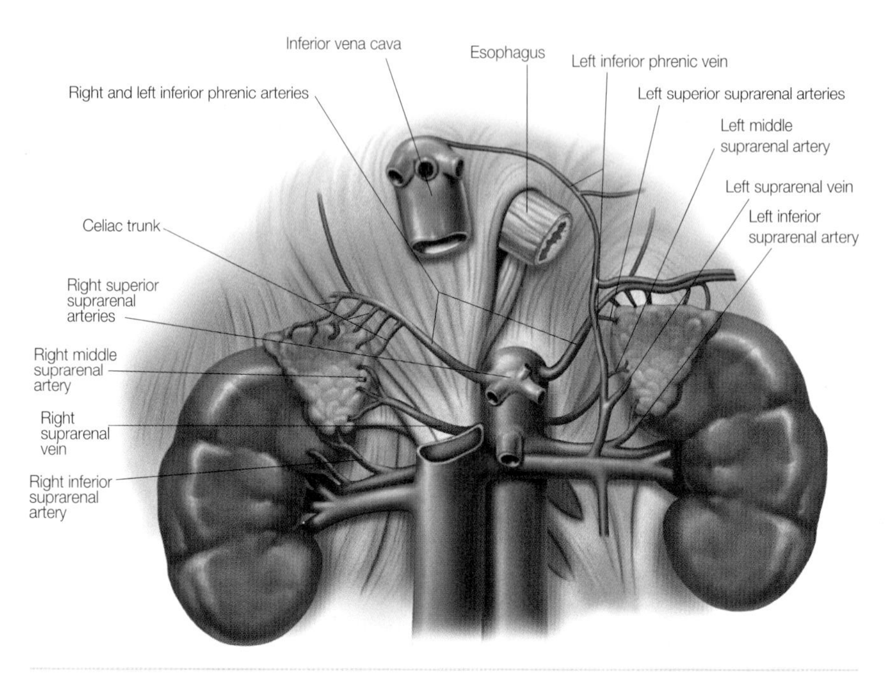

그림 3-2. H부신의 혈액공급

능을 통합한다. 부신피질에서 흘러나온 코르티솔이 풍부한 혈액은 부신 속질로 흘러 페닐에탄올아민 *N*-메틸전달효소(phenylethanolamine *N*-methyltransfer-ase, PNMT)의 합성 및 활동을 자극하여 노르에피네프린(norepinephrine)을 에피네프린(epinephrine)으로 전환시킨다. 부신은 다음의 주요 세 개 혈관으로터 혈액을 공급받는다(그림 3-2).

위부신동맥(superior suprarenal artery)

중간부신동맥(middle suprarenal artery)

아래부신동맥(inferior suprarenal artery)

그 밖에 인접한 다른 혈관들 또한 부신에 혈액을 공급하기도 하는데 여기에는 갈비사이동맥(intercostal artery), 왼쪽 난소동맥(left ovarian artery), 왼쪽 내측정소동맥(internal spermatic artery) 등이 이에 속한다.

3. 코르티솔의 분비 조절

부신피질은 크게 3가지의 스테로이드 호르몬을 분비한다. 1) 코르티솔(cortisol)과 같은 당질코르티코이드(glucocorticoids), 2) 알도스테론(aldosterone)과 같은 염류코르티코이드(mineralocorticoids) 3) DHEA (dehydroepiandrosterone)와 같은 부신 안드로겐 전구체(adrenal androgen precursors)가 그 예이다. 여기에서 우리가 '당질코르티코이드', '염류코르티코이드'라고 부르는 것은 어떤 호르몬의 이름이 아니라 호르몬의 성격을 나타낸 명칭이지, 특정호르몬을 지칭하는 고유명사가 아니라는 점을 알아두어야 한다.

다음은 코르티솔이 갖고 있는 당질코르티코이드 활성과 염류코르티코이드 활성을 1.0으로 했을 경우 각 호르몬의 활성정도는 다음의 표와 같다(표 3-1). 대부분의 호르몬이 일정 정도 이상의 당질코르티코이드 활성을 갖고 있는 반면에, 염류 코르티코이드는 알도스테론에서 특징적으로 높은 것을 알 수 있다.

표 3-1. 부신호르몬의 당질코르티코이드와 염류코르티코이드 활성도 비교

	당질코르티코이드 활성	염류코르티코이드 활성
코르티솔	1.0	1.0
코르티코스테론(corticosterone)	0.3	15.0
알도스테론	0.3	3000
디옥시코르티코스테론 (deoxycorticosterone, DOC)	0.2	100

당질코르티코이드와 부신 안드로겐의 생산은 시상하부-뇌하수체-부신 축(hypothalamic-pituitary-adrenal (HPA) axis)에 의해 조절되는 반면에, 염류코르티코이드의 경우는 레닌-안지오텐신-알도스테론계(renin-angiotensinaldosterone (RAA) system)에 의해 조절된다.

코르티솔의 대사는 주로 간에서 일어난다. 간에서 코르티솔은 산화/환원되거나 수산화되고, 이러한 반응의 산물은 황산염이나 글루쿠론산(glucuronic acid)과 결합하여 수용성을 띄게 되어 소변으로 배출이 용이하게 한다. 그 밖에 갑상선 호르몬, 나이, 간질환, 신장질환, 비만, 약물 등과 같은 요인들이 코르티솔의 간 대사를 변화시키는데 영향을 미친다. 알도스테론의 대사 역시 주로 간에서 일어난다. 부신피질에서 가장 많은 양이 생산되는 스테로이드 호르몬은 C19 안드로겐성 산물인 디히드로에피안드로스테론(dehydroepiandrosterone, DHEA)과 에스테르 황산염인 DHEA sulfate (DHEAS)이다.

부신피질자극호르몬(adrenocorticotropic hormone, ACTH)은 부신에서 당질코르티코이드 합성과 분비를 자극하는 주요한 호르몬이다. ACTH는 39개의 아미노산으로 이루어져 있지만 뇌하수체 전엽에서 만들어진 ACTH의 전구체인 proopi-omelanocortin (POMC)은 241개의 아미노산으로 구성되어 있다. POMC는 전구체 전환효소들에 의해 여러 단계를 거쳐 ACTH가 된다. POMC는 뇌하수체 이외에도 뇌, 간, 신장, 생식선, 태반 등에서 전사된다. POMC의 분비는 여러 인자들에 의해 조절되는데 특히 CRH와 아르기닌 바소프레신에 의해 조절된다. 추가적으로는 내인성 24시간 주기와 코르티솔 자체에 의한 스트레스, 음성되먹임 억제 기전에 의해 조절된다. CRH는 뇌하수체 문맥혈로 분비되는데 여기서 아데닐산 시클라아제(ade-nylate cyclase)의 활성화를 포함하는 과정을 통해 POMC 전사를 자극하기 위해 뇌하수체 전엽 코르티코트로프 표면에 있는 특정 1형 CRH 수용체와 결합한다. CRH가 다른 조직에서도 합성이 되긴 하지만, 시상하부의 CRH 농도에도 영향을 미치는지는 불분명하다. CRH가 ACTH 분비의 주된 조절인자이지만 AVP 또한 CRH 매개를 통한 ACTH의 분비를 조절한다. 이 경우, AVP는 V1b 수용체를 통해서 단백질인산화효소 C (protein kinase C, PKC)를 활성화시킨다. 염증성 사이토카인, 특히 인터류킨-1(interleukin 1, IL-1), 인터류킨-6(IL-6), 종양괴사인자- α (tumor necrosis factor-α, TNF-α)도 직접적으로 혹은 CRH 효과를 증대시켜

ACTH 분비를 증가시킨다. 신체적 스트레스 또한 CRH와 AVP를 통해 매개되는 중추작용을 통해 ACTH와 코르티솔 분비를 증가시키는데 발열, 수술, 화상, 저혈당, 저혈압, 운동 등이 그 예가 된다.

참고문헌

1. 김성연, 민헌기 임상내분비학. 서울: 고려의학, 2016.
2. Alicic, R.Z. M.T. Rooney, and K.R. Tuttle, Diabetic kidney disease: challenges, progress, and possibilities. clin J Am Soc Nephrol 2017;12:2032-45.
3. Arlt, W. Disorders of the Adrenal Cortex, in Harrison's Principles of Internal Medicine. 20e. New York: McGraw-Hill Education; 2018.
4. Chrousos, G.P. The hypothalamic-pituitary-adrenal axis and immune-mediated inflammation. N Engl J Med 1995;332:1351-62.
5. Jin, Y. et al. Human Cytosolic Hydroxysteroid Dehydrogenases of the Aldo-ketoreductase Superfamily Catalyze Reduction of Conjugated Steroids IMPLICATIONS FOR PHASE I AND PHASE II STEROID HORMONE METABOLISM. J Biol chem 2009;284:10013-22.
6. Kebebew, E. A.E. Siperstein, and Q.-Y. Duh, Laparoscopic adrenalectomy: the optimal surgical approach. J Laparoendosc Adv Surg Tech 2001;11:409-13.
7. Kebebew, E., et al. Operative strategies for adrenalectomy. Surgical Endocrinology. Philadelphia: JB Lippincott; 2000.
8. Lombardi, C.P., et al. Surgical anatomy, in Surgery of the Adrenal Gland. Springer 2013;15-22.
9. Melmed, S. and J.L. Jameson, Physiology of Anterior Pituitary Hormones, in Harrison's Principles of Internal Medicine. 20e. New York: McGraw-Hill Education; 2018.
10. Moore, K.L., A.F. Dalley, and A.M. Agur, Clinically oriented anatomy. Lippincott Williams & Wikins 2013.
11. Robertson, G.L. Disorders of the Neurohypophysis, in Harrison's Principles of Internal Medicine, . 20e. New York: McGraw-Hill Education; 2018.
12. Roman, S. and L. Wu, Surgical anatomy of the adrenal glands.

CHAPTER 04

스테로이드 합성 및 대사 (Steroidogenesis)

최만호
한국과학기술연구원(KIST)

1929년 임산부의 소변에서 처음으로 여성호르몬인 에스트론(estrone)이 스테로이드로서 분리된 후, 현재까지 화학적 구조 및 생리학적 기능이 밝혀진 내인성 스테로이드는 약 225종에 해당되며, 이러한 생리활성 스테로이드들은 콜레스테롤로부터 동화작용(anabolism)에 의해 대사 및 생합성되며, 산화과정 등의 이화작용(catabolism)에 의해 담즙산(bile acid) 또는 스테로이드 포합체(steroid conjugate)가 형성된 후 체외로 배설된다. 본 장에서는 내인성 스테로이드들의 대사와 관련하여 그 원리를 설명하고, 코르티솔을 중심으로 다양한 대사효소들에 의한 부신피질호르몬의 생합성과 쿠싱증후군 특이적 스테로이드 대사기능의 이해를 돕고자 한다.

1. 스테로이드 생합성(Biosynthesis of steroids)

스테로이드 호르몬은 수소에 의해 포화되어 있는 총 17개의 탄소를 기본 골격으로,

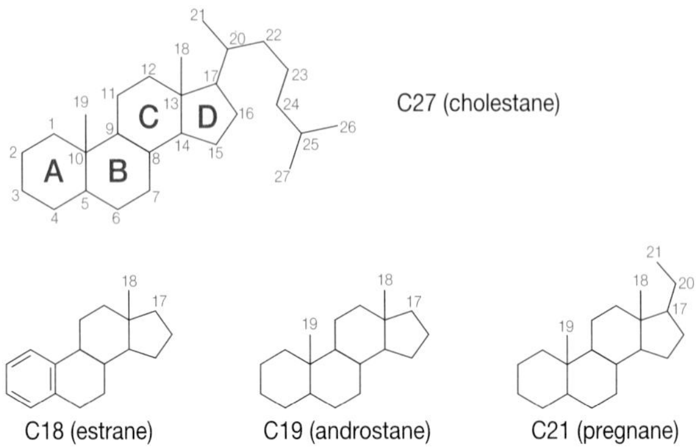

C27 (cholestane)

C18 (estrane) C19 (androstane) C21 (pregnane)

그림 4-1. 스테로이드 호르몬의 화학적 구조

gonane이라고 불리는 3개의 육각고리와 1개의 오각고리로 구성되어 있으며, 18번째 탄소가 포함되는 경우를 여성호르몬으로서 estrane, 19번째를 남성호르몬으로서 androstane, 그리고 추가로 2개의 탄소사슬이 포함되는 경우에 황체호르몬과 대표적인 부신호르몬을 나타내는 pregnane이라고 명명하며, 이들을 생합성하는 초기 전구체로서의 콜레스테롤(cholesterol)은 총 27개의 탄소로 구성된다(그림 4-1).

콜레스테롤은 극히 적은 양이 특정 세포나 장기에서 아세테이트(acetate)로부터 합성되며, 주로 간에서의 생합성과 장에서의 흡수를 통하여 혈액에 의해 몸 전체로 이동하는 내분비 경로를 거치게 된다. 세포 내 콜레스테롤은 스테로이드생성급성조절(steroidogenic acute regulatorty, StAR) 단백질에 의해 미토콘드리아로 들어가게 되며, 체내 스테로이드 합성의 첫 번째 단계로서 P450scc (cholesterol side-chain cleavage, CYP11A1) 효소에 의해 탄소의 긴사슬이 절단되어 프레그네놀론(pregnenolone)이라는 생리활성 스테로이드의 전구체가 형성된다. 이러한 스테로이드 생성 과정은 부신의 경우에는 부신피질자극호르몬(adrenocorticotropic hormone, ACTH)에 의해 조절되며, 난소와 고환에서는 황체형성호르몬(luteinizing hormone, LH)의 영향을 받는다.

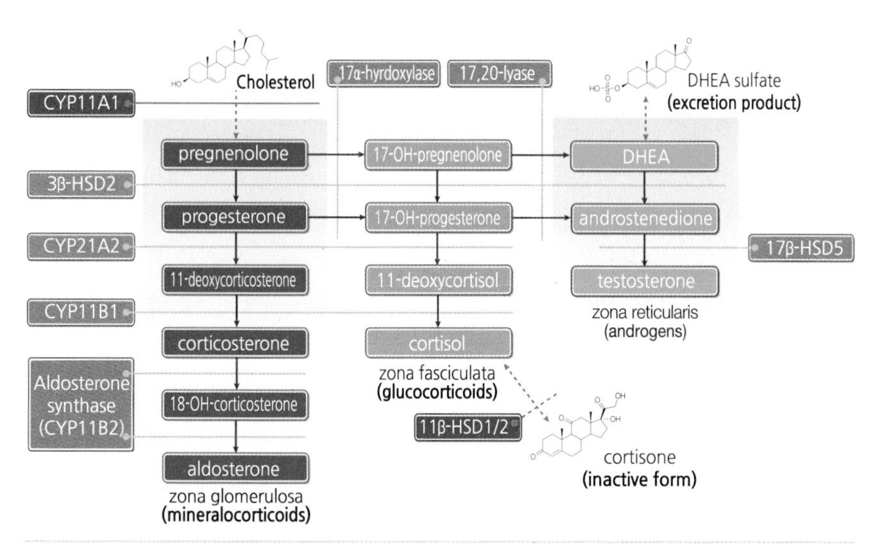

그림 4-2. 부신피질 내 스테로이드 대사경로: Nat Rev Endocrinol 2014;10:115-24의 그림을 변형하였음

생리활성 스테로이드의 전구체인 프레그네놀론은 이후 두 가지의 대표적인 대사경로를 거치게 되는데, 17알파-수산화작용(17α-hydroxylation)에 의해 대표적 당질코르티코이드(glucocorticoid)인 코르티솔(cortisol)을 형성하며, 또한 21-수산화효소(21-hydroxylase, CYP21A2)에 의해 프로게스테론(progesterone, 황체호르몬)과 코르티코스테론(corticosterone)을 거쳐 염류코르티코이드(mineralocorticoids)인 알도스테론(aldosterone)을 형성한다. 일반적으로 코르티솔의 비활성대사체로 알려진 코르티손(cortisone)의 대부분은 부신이 아닌 간에서 11베타-히드록시스테로이드탈수소효소 제2형(11β-hydroxysteroid dehydrogenase type 2)에 의해 생성되며, 이는 다시 11베타-히드록시스테로이드탈수소효소 제1형에 의해 코르티솔으로 대사된다(그림 4-2).

또한 프레그네놀론은 17알파-수산화작용을 거쳐 성호르몬을 합성하게 되는데, 남성호르몬은 안드로스텐디온(androstenedione)과 디히드로에피안드로스테론

(dehydroepiandrosterone, DHEA)과 같은 부신유래 스테로이드와 테스토스테론(testosterone)과 같은 고환유래 스테로이드로 나눌 수 있다. 대표적 여성호르몬인 에스트론과 17베타-에스트라디올(17β-estradiol)은 각각 남성호르몬인 안드로스텐디온과 테스토스테론으로부터 방향족화효소(aromatase)에 의해 스테로이드의 A-고리가 변형되어 생성되며, 대부분의 장기에서 두 개의 여성호르몬은 가역적인 대사가 이루어지는데, 일반적으로 17베타-에스트라디올이 에스트론에 비해 10배 이상의 여성호르몬 활성을 나타낸다.

2. 부신피질호르몬(Adrenal steroids)

그림 4-2는 부신피질호르몬의 생합성 경로를 나타내는데, 제3장에서 설명된 것과 같이 부신피질은 해부학적으로 사구대(zona glomerulosa), 속상대(zona fasciculata)와 망상대(zona reticularis)로 나뉘며, 각각의 층에서는 염류코르티코이드, 당질코르티코이드와 남성호르몬인 안드로겐을 생성하게 된다. 염류코르티코이드는 스테로이드 구조에서 11번의 수산화기와 18번에서의 수산화기 및 알데히드가 형성되는 산화과정이 대표적이며, 당질코르티코이드의 경우에는 17번과 11번 탄소위치에서의 수산화기 유무가 특징적으로 나타난다.

코르티솔과 같은 당질코르티코이드들은 소수성을 나타내므로, 생체 액 내에서 황산이나 글루쿠론산에 의한 포합체 또는 코르티솔결합글로불린(cortisol-binding globulin, CBG)과 같은 운반단백질과 결합된 형태로서 친수성이 증가하여 존재하게 된다. 혈액 내 코르티솔결합글로불린의 평균농도는 3~4 mg/dL 이며, 이 중 코르티솔 약 28 μg/dL 가 포화상태로 존재하는데, 간에서의 코르티솔결합글로불린 생합성은 여성호르몬인 에스트로겐에 의해 촉진되며, 염증 등에 의하여 저해된다. 이러한 결합형태 코르티솔의 20~50%는 혈장알부민에 결합되어 직접적인 스테로이드 대사과정에 참여하지 않음으로서, 총 코르티솔의 약 10% 비율로 존재하는 해리

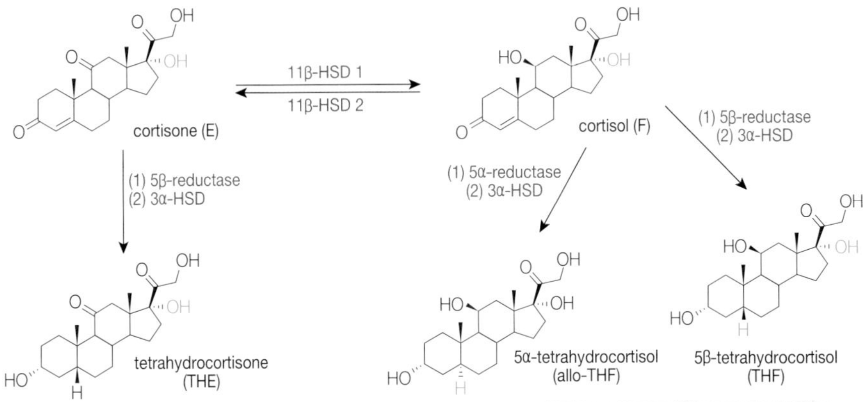

cortisone (E) — 11β-HSD 1 / 11β-HSD 2 — cortisol (F)

(1) 5β-reductase (2) 3α-HSD → tetrahydrocortisone (THE)

(1) 5α-reductase (2) 3α-HSD → 5α-tetrahydrocortisol (allo-THF)

(1) 5β-reductase (2) 3α-HSD → 5β-tetrahydrocortisol (THF)

그림 4-3. 코르티솔의 비활성화 대사과정

상태 코르티솔의 생리활성 반감기(70~90분)를 증가시키게 된다.

스테로이드 호르몬의 비활성화 및 배설은 주로 간과 신장에서 진행되는데, 이러한 대사경로는 주로 산화, 환원, 수산화 및 포합체 과정을 포함하며, 특히 코르티솔의 비활성화 과정은 코르티손뿐만 아니라 그들의 환원 과정을 거치게 된다(그림 4-3). 코르티솔을 포함하는 이러한 대사체들은 17-수산화코르티코이드(17-hydroxycorticoid)로서 24시간 소변에서의 농도에 의해 부신피질호르몬의 생성량을 평가하게 된다.

혈액 내 알도스테론의 농도는 약 6~10 ng/dL 로서, 코르티솔 농도에 비해 약 1,000배 낮으며, 체내 나트륨 및 혈액순환 양이 감소되는 경우, 혈액 내 농도가 2~6배 정도 증가된다. 알도스테론은 혈장단백질 등과 결합하지 않으므로 15~20분 정도의 짧은 체내 반감기를 보이며, 산화 과정을 거쳐 테트라히드로포합체(tetra-hydro glucuronide) 형태로 소변을 통해 체외로 배설된다. 남성호르몬인 경우, 남성의 전립선을 통해서 생성되는 총 안드로겐의 약 50%는 부신에서 합성되며, 일반적으로 부신에서 생성되는 DHEA(디히드로에피안드로스테론)과 DHEAS(디히드로에피안드로스테론 황산염)는 6~8세에 크게 증가한 후, 20~30대에 가장 높은 농도를 나타낸다. 이후 70세에 이르면 그들의 농도는 20~30대의 20%로 감소하게 되지만, 아직 부신에서 생성되는 안드로겐의 조절작용에 대해서는 잘 알려지지 않았으며, 이들의 감소가 ACTH 및 코르티솔의 감소로부터 유래되지는 않는다.

3. 쿠싱증후군 특이적 부신피질호르몬의 대사 (Metabolic signatures of adrenal steroids in Cushing's syndrome)

스테로이드 관련 부신질환 연구는 매우 오랜 역사를 가지고 있으며, 1865년 모호한 생식기를 지닌 사람의 해부용 시체로부터 비정상적으로 증식된 생식선과 부신이 관찰되었으며, 이는 선천부신과증식(congenital adrenal hyperplasia, CAH)의 최초 보고서로 여겨진다. 대표적 부신호르몬인 당질코르티코이드와 염류코르티코이드의 과분비 또는 결핍은 다양한 질환들을 유발하게 되는데, 특히 코르티솔과 알도스테론의 합성을 위한 대사는 생화학적 스트레스와 혈압 조절을 위한 필수적인 항상성 과정으로 알려져 있다.

1) 코르티솔의 생합성과 대사

그림 4-2에서와 같이 코르티솔의 생합성은 부신피질의 속상대에서 CYP11B1에 의해 11-데옥시코르티솔(11-deoxycortisol)로부터 합성되며, 이후 5-환원효소(5-reductase)와 다양한 형태의 히드록시스테로이드탈수소효소들에 의해 비활성화 대사체가 형성된다(그림 4-3). 이러한 비활성화 대사체들의 소변 내 농도는 코르티솔유래선종(cortisol producing adenoma, APA)과 같은 부신관련 질환들에 비해 뇌하수체 쿠싱증후군 환자에서 특이적으로 증가하며, 코르티솔의 산화대사체인 6베타-히드록시코르티솔(6β-hydroxycortisol)도 증가하게 된다.

또한, 정상인과 비교하여 쿠싱증후군 환자들의 특징인 증가된 코르티솔의 농도는 코르티솔과의 대사상관성 및 CBG에 결합되어 있는 코르티솔의 양에 의해 혈액

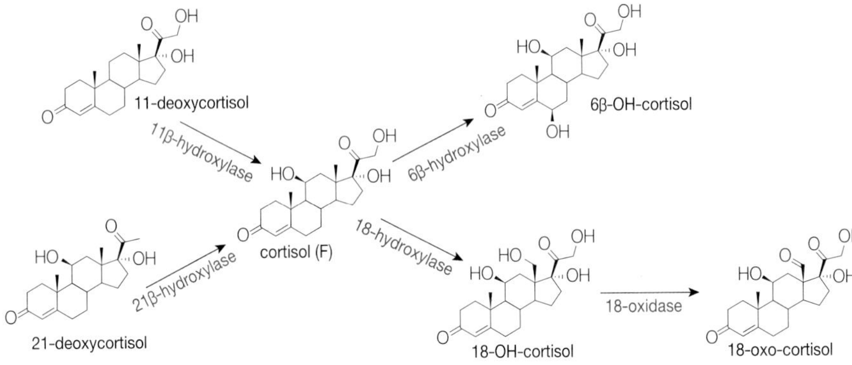

그림 4-4. 코르티솔의 산화적 대사 경로

보다는 소변이나 타액에서 더욱 뚜렷하게 나타난다. 하지만, 쿠싱증후군 진단을 위한 덱사메타손억제검사(dexamethasone-suppression test, DST) 후 코르티솔의 검사는 소변과 타액뿐만 아니라 혈액에서도 유용하게 사용된다. 쿠싱증후군의 경우, 혈액 내 코르티솔의 농도에 비해, 11-디옥시코르티솔(11-deoxycortisol)과 21-디옥시코르티솔(21-deoxycortisol)의 혈액 내 농도는 현저하게 증가하는데, 특히 쿠싱증후군의 아형 중 이소 쿠싱증후군(ectopic Cushing's syndrome)에서 그 농도가 더욱 증가된 형태로 관찰된다(표 4-1). 두 가지 화합물은 프로게스테론으로부터 코르티솔을 생성하는 과정에서 코르티솔의 전구체로 존재하게 되며(그림 4-4), 이와는 반대로, 코르티솔의 산화적 대사체인 18-옥소코르티솔(18-oxocortisol)은 쿠싱증후군의 유형별 특징으로서 이소 쿠싱증후군에서 감소된 농도로 관찰된다. 이러한 대사경향은 뇌하수체쿠싱증후군에서도 나타나며, 따라서 코르티솔 이후의 대사과정과는 달리 ACTH 의존 쿠싱증후군과 코르티솔을 합성하기 위한 대사과정은 양의 상관성을 나타내고 있음을 알 수 있다(표 4-1).

표 4-1. 쿠싱증후군의 아형에 따른 혈액 내 부신피질호르몬의 농도(ng/mL) 변화

		subtypes of Cushing's syndrome		
steroids	normal	adrenal	pituitary	ectopic
cortisol	**87** (10-308)	**163** (30-266)	**205** (21-444)	**371** (141-1362)
11-deoxycortisol	**0.14** (0.03-1.82)	**0.50** (0.08-5.33)	**0.48** (0.05-4.63)	**2.00** (0.30-34.1)
21-deoxycortisol	**0.01** (0.00-0.76)	**0.01** (0.00-2.50)	**0.03** (0.00-0.30)	**0.04** (0.01-0.13)
cortisone	**17.2** (1.2-32.3)	**17.8** (4.5-31.3)	**21.3** (2.5-34.8)	**23.2** (12.0-34.7)
corticosterone	**1.58** (0.17-32.00)	**2.2** (0.49-11.45)	**3.73** (0.23-16.9)	**8.78** (1.61-30.3)
11-deoxycorticosterone	**0.03** (0.00-0.37)	**0.09** (0.02-0.61)	**0.05** (0.00-0.33)	**0.19** (0.02-4.37)
aldosterone	**0.05** (0.00-0.27)	**0.06** (0.01-1.09)	**0.03** (0.01-0.31)	**0.01** (0.01-0.17)
18-oxocortisol	**0.008** (0.001-0.09)	**0.014** (0.002-0.50)	**0.012** (0.01-0.07)	**0.002** (0.002-0.03)
18-hydroxycortisol	**0.59** (0.03-2.59)	**0.76** (0.22-4.20)	**1.05** (0.07-5.32)	**1.31** (0.26-3.44)
androstenedione	**0.87** (0.21-3.94)	**0.49** (0.06-4.05)	**1.70** (0.11-7.12)	**1.99** (0.63-30.3)
DHEA	**2.62** (0.40-16.90)	**0.62** (0.04-11.55)	**3.89** (0.03-13.0)	**1.76** (0.52-18.9)
DHEAS	**1420** (135-6140)	**238** (5-6325)	**2120** (33-5590)	**1598** (29-5260)

참고문헌 4번의 표를 변형하였음

2) 염류코르티코이드

ACTH 의존 쿠싱증후군의 경우, 당질코르티코이드의 대사 경향과 유사하게 염

류코르티코이드 또한 CYP11B1에 의한 대사체인 코르티코스테론까지는 정상인에 비해 증가하지만, 최종대사체인 알도스테론의 농도가 급격히 감소하며, 이러한 결과는 이소 쿠싱증후군에서 보다 두드러지게 나타난다(표 4-1). 혈액 내에서 동시에 감소되는 18-옥소코르티솔과 알도스테론의 농도는 부신피질 내 코르티코이드 합성의 마지막 단계인 알도스테론 합성효소의 활성이 저하되고 있음을 나타낼 수 있지만, 쿠싱증후군에서 ACTH의 감응에 따른 알도스테론의 농도 저하는 서로 상이한 연구 결과가 존재한다.

3) 안드로겐의 대사

ACTH 활성에 대한 감응도를 평가하기 위하여 쿠싱질환 환자를 대상으로 수술 전후 혈액 내 코르티솔과 DHEAS 농도를 비교한 결과, 수술 후 급격히 감소하는 두 화합물 중에서, 일정 기간 후 코르티솔의 농도가 불규칙적으로 상승하는 반면에 DHEAS는 ACTH의 활성과 비례하여 억제되어 있는 것이 관찰되었다. 이러한 경향은 이소 쿠싱증후군보다 쿠싱질환에서 더욱 두드러지는데, DHEAS뿐만 아니라 혈중 DHEA와 안드로스텐디온(androstenedione) 농도가 정상인과 비교하여 현저하게 높은 농도로 나타나며, 부신 쿠싱증후군의 경우에는 상기 3개의 호르몬의 농도가 정상인에 비해 현저하게 감소되는 것을 관찰할 수 있다(표 4-1).

소변 내 안드로겐의 경우에도 쿠싱질환에서 부신 쿠싱증후군에 비해 안드로겐들이 증가하는 경향을 나타낸다. 특히 대표적 안드로겐인 테스토스테론과 다이히드로테스토스테론(dihydrotestosterone, DHT)을 거쳐 생성되는 소변 내 주요 스테로이드인 에치오콜라놀론(etiocholanolone)과 11베타-히드록시안드로스테론(11β-hydroxyandrosterone)(그림 4-5)이 쿠싱질환에서 부신 쿠싱증후군에 비해 현저하게 증가할 뿐만 아니라 코르티솔유래 부신선종과의 선별지표로서 매우 유용하게 사용될 수 있다.

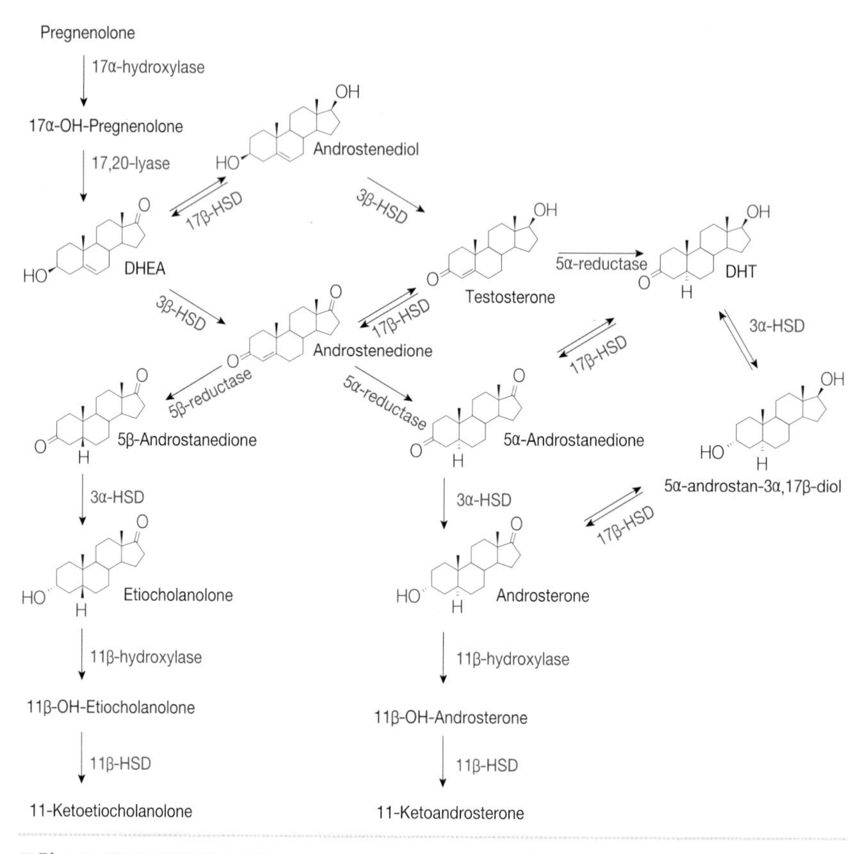

그림 4-5. 안드로겐의 대사 경로

4. 쿠싱증후군의 대표적 증상과 스테로이드 대사 (Steroid metabolism and common features in Cushing's syndrome)

부신피질의 사구대와 속상대 사이의 복합층에서 합성 및 분비되는 혼성스테로이드(hybrid steroid)인 18-히드록시코르티솔과 18-옥소코르티솔의 경우, 대표적으로 일차알도스테론증에서 증가하는 것으로 알려져 있으며, 일차알도스테론증의 아

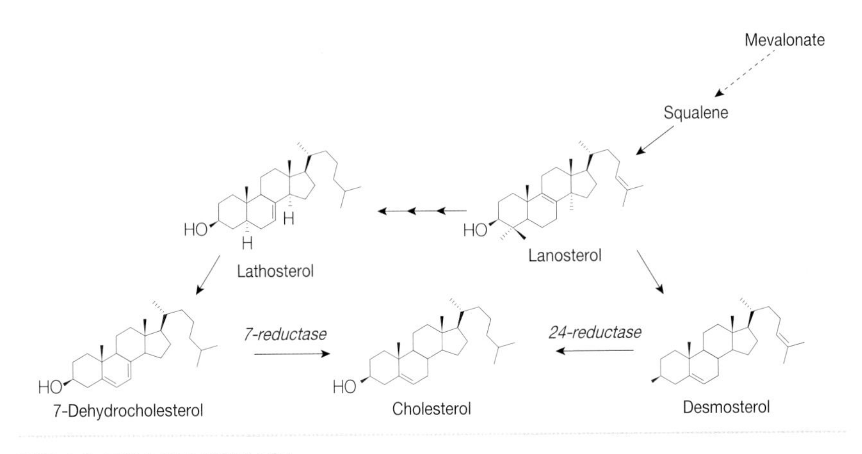

그림 4-6. 콜레스테롤 생합성 경로

형인 알도스테론유래선종(APA)과 양측부신과증식(bilateral adrenal hyperplasia, BAH)을 구분하기 위하여 증가된 두 가지의 혼성스테로이드를 확인할 수 있다. 부신선종에 의한 쿠싱증후군에서도 혈액과 소변에서 두 가지의 혼성스테로이드들의 농도가 증가되지만, 부신과증식에 의한 쿠싱증후군에서는 변화된 농도를 관찰할 수 없었다.

일반적으로 코르티코이드의 합성을 위한 효소인 CYP11A1, CYP17, HSD3B2 및 CYP11B1들의 유전자 발현은 부신의 코르티솔 생성 부위에서 크게 증가하며, 특히 부신피질선종연구에서 코르티솔의 분비와 콜레스테롤의 대사에 관여하는 StAR 단백질 및 ABCA1 유전자들의 발현에서 양의 상관성이 관찰된다. 따라서, ACTH 비의존 쿠싱증후군의 주요 원인인 코르티솔유래선종과 다양한 형태의 부신피질과증식을 비교해본 결과, 코르티솔유래선종에서 증가된 콜레스테롤 및 콜레스테롤의 전구체인 라쏘스테롤(lathosterol)(그림 4-6)이 확인되었다. 또한 콜레스테롤 합성을 반영하는 라쏘스테롤과 콜레스테롤의 비율이 증가한 반면에 콜레스테롤 재흡수에 관여하는 ABCA1의 mRNA 발현이 현저하게 감소되고 있음을 기반으로, 코르티솔유래선종은 특이적으로 콜레스테롤 기아상태(cholesterol–starving)에서 더 많은 당질코르티코이드를 생성하는 것으로 추측된다.

5. 요약

부신피질호르몬은 콜레스테롤로부터 합성되며, 부신피질의 세 가지 서로 다른 층(사구대, 속상대, 망상대)에서 염류코르티코이드, 당질코르티코이드 그리고 남성호르몬인 안드로겐으로 각각 합성 및 분비된다. 이들 호르몬들은 주로 시상하부의 부신피질자극호르몬유리호르몬(corticotropin-releasing hormone, CRH)에 의해 분비되는 ACTH를 통하여 체내 항상성이 유지되는데, 특히 당질코르티코이드인 코르티솔이 과잉분비되어 발생하는 대표적인 질환으로서 쿠싱증후군이 있다. 따라서, 부신피질호르몬들의 대사과정을 관찰하여 비정상적인 대사체의 분비 또는 대사효소의 활성을 평가함으로써 쿠싱증후군의 발생원인과 아형들을 이해하여 질환의 진단 및 치료기술개발에 한 걸음 더 다가설 수 있을 것으로 생각된다.

참고문헌

1. de Crecchio L. Sopra un caso di apparenzi virili in una donna. Morgagni 1865;7:154-88.
2. Eisenhofer G, Masjkur J, Peitzsch M, et al. Plasma steroid metabolome profiling for diagnosis and subtyping patients with Cushing syndrome. Clin Chem 2018;64:586-96.
3. Hines JM, Bancos I, Bancos C, et al. High-resolution, accurate mass (HRAM) mass spectrometry urine steroid profiling in the diagnosis of adrenal disorders. Clin Chem 2017;63:1824-35.
4. Kleiber H, Rey F, Temier E, et al. Dissociated recovery of cortisol and dehydroepiandrosterone sulphate after treatment for Cushing's syndrome. J Endicrinol Invest 1991;14:489-92.
5. London E, Wassif CA, Horvath A, et al. Cholesterol biosynthesis and trafficking in cortisol-producing lesions of the adrenal cortex. J Clin Endocrinol Metab 2015;100:3660-7.
6. Molina PE. Endocrine physiology. 4th ed. New York: McGraw-Hill Medical; 2013;129-40.
7. Mulatero P, Morra di Cella S, Monticone S, et al. 18-Hydroxycorticosterone, 18-hydroxycortisol and

18-oxocortisol in the diagnosis of primary aldosteronism and its subtypes. J Clin Endocrinol Metab 2012;97:881-9.

8. Ueshiba H, Shimojo M, Miyachi Y. 18-Hydroxycortisol and 18-oxocortisol in Cushing's syndrome. Scan J Clin Lab 1997;57:395-9.
9. Wilmot Roussel H, Vezzosi D, Rizk-Rabin M, et al. Identification of gene expression profiles associated with cortisol secretion in adrenocortical adenomas. J Clin Endocrinol Metab 2013;98:E1109-21.

CHAPTER 05

쿠싱증후군 원인 개괄적 소개

김경아
동국의대 내과학교실

1. 쿠싱증후군 원인

쿠싱증후군은 만성적인 당질코르티코이드(glucocorticoid) 과다에 의한 질환으로 외인성 코르티코스테로이드(corticosteroid) 또는 내인 코르티솔(cortisol) 과다에 의한 고코르티솔증을 특징으로 한다. 임상에서는 당질코르티코이드 장기 복용에 따른 의인 쿠싱증후군이 가장 흔하다. 쿠싱증후군이 의심되어 고코르티솔혈증을 확인할 때는 생리적 고코르티솔증을 배제해야 한다(표 5-1).

가성 쿠싱증후군은 쿠싱증후군이 아니지만, 호르몬 검사상 고코르티솔증의 증거가 있으면서 쿠싱증후군의 임상 양상을 보이는 질환을 말한다. 알코올 중독, 심한 비만, 우울증이 대표적인 원인이다. 원인 질환이 치료되면 임상 소견과 검사 이상은 정상으로 회복된다.

내인 쿠싱증후군은 부신피질자극호르몬(ACTH)에 의존적인가(80%), 비의존적인가(20%)로 분류한다(표 5-2) . 내인 쿠싱증후군의 가장 흔한 원인은 쿠싱병이다(뇌

표 5-1. 생리적 고코르티솔증

임상적 쿠싱증후군 양상을 보이는 군(가성 쿠싱증후군, Pseudo-Cushing's syndrome)
임신
정신적 스트레스, 특히 심한 우울증
만성 알코올증(드묾)
심한 비만,특히 내장비만 또는 다낭성난소증후군
혈당 조절이 불량한 당뇨병
임상적 쿠싱증후군 양상은 없는 군
육체적 스트레스(질병상태, 입원/수술, 통증)
영양실조, 신경성 식욕부진증
고강도 만성 운동
시상하부성 무월경(Hypothalamic amenorrhea)
Corticosteroid-binding globulin (CBG) 증가(소변 유리 코르티솔 증가 없음)
당질코르티코이드저항성

하수체 ACTH 과분비). 그러나 최근 부신우연종의 증가에 따른 쿠싱증후군의 진단이 증가되어 ACTH 의존 쿠싱증후군과 비의존 쿠싱증후군의 비율이 과거 2~3배에서 1.2배로 감소하고 있다는 보고도 있다.

ACTH 의존적

부신피질의 양측성 과증식(hyperplasia)을 유발한다.

- 쿠싱병(뇌하수체 ACTH 과분비); 쿠싱증후군의 60~70%
- 뇌하수체 이외의 종양에서 ACTH 분비; 5~10%
- 시상하부 이외의 종양에서 부신피질자극호르몬유리호르몬(CRH) 과분비; <<1%
- 의인성 ACTH 투약에 의한 의인 쿠싱증후군; <1%

표 5-2. 내인* 쿠싱증후군의 원인과 빈도

진단	빈도(%)	주 발병 연령	유전자변이¶
ACTH의존 쿠싱증후군	70~80%		
Cushing disease	60~70	30~40대	*USP8*
• Corticotroph adenoma	60~70		
• Corticotroph hyperplasia	Very rare		
Ectopic ACTH syndrome	5~10	50~60대	
• Malignant neuroendocrine tumors	~4	30~40대	
• Benign neuroendocrine tumors	~6		
• Occult neuroendocrine tumors	~2		
Ectopic CRH syndrome	≪1		
ACTH비의존 쿠싱증후군	20~30%		
Unilateral adrenal	10~22	40~50대	*PRKACA*
• Adrenal adenoma			
• Adrenal carcinoma	5~7	~9세, 50~60대	
Bilateral adrenal	1~2		
Bilateral micronodular adrenal hyperplasia	<2		
• Primary pigmented nodular adrenocortical disease(PPNAD)	Rare	10~30대	*PRKAR1A, PDE11A*
• Isolated or familial with Carney complex	Rare	10~30대	
• Isolated micronodular adrenocortical disease	Very rare	Infants	
• Primary bimorphic adrenocortical disease	Very rare	Infants	
Bilateral macronodular hyperplasia (BMAH)	<2	50~60대	*ARMC5*
• Aberrant G-protein-coupled receptors			
• Autocrine ACTH production			
• Sporadic or familial (ARMC5)			
McCune-Albright syndrome	Rare	Infants, child	*GNAS*
Bilateral adenomas or carcinomas	Rare	40~50대	

* 쿠싱증후군의 가장 흔한 원인은 의인 쿠싱증후군이나 이 표에서는 포함하지 않음

¶ 대표적인 사례만 명시

ACTH=adrenocorticotropic hormone. ARMC5=armadillo repeat containing 5. BMAH=bilateral macronodular adrenal hyperplasia. CRH=corticotropin-releasing hormone. GNAS=G-protein alpha subunit. PDEs=phosphodiesterases, PKA=protein kinase A. PPNAD=primary pigmented nodular adrenocortical disease. PRKACA= catalytic subunit of protein kinase A. PRKAR1A= regulatory subunit type 1-alpha of protein kinase A. USP8= ubiquitin specific peptidase 8 gene.

ACTH 비의존적

- 의인 쿠싱증후군; 가장 흔한 원인
- 부신선종과 부신암; 15~29%
- 원발성 색소침착 결절 부신피질질환(primary pigmented nodular adreno-cortical disease, PPNAD=bilateral adrenal micronodular hyperpla-sia); <2%
- 양측성 거대결절 부신과증식(bilateral macronodular adrenal hyperpla-sia, BMAH); <2%; 이는 쿠싱병에 의한 ACTH 의존적 거대결절 부신과증식과 감별이 필요하다.

2. 의인 또는 인위적 쿠싱증후군

쿠싱증후군의 임상양상을 보이는 환자는 반드시 부신피질호르몬제를 치료제로 사용할 수 있는 동반 질환에 대한 병력, 복용 약제에 대한 조사가 필요하다. 의인 쿠싱증후군은 과량의 합성 당질코르티코이드 또는 드물게 ACTH 투약에 의한다. 외부 당질코르티코이드 투여는 CRH와 ACTH 분비를 억제하고, 양측성 부신피질 위축을 유발한다. 혈장 ACTH는 감소하고, 혈청과 타액 코르티솔, 소변 코르티솔 분비는 감소한다.

가장 흔한 고코르티솔증은 프레드니손(prednisone) 복용에 의하고, 주로 내분비 영역 이외의 관절통, 요통, 피부 질환, 천식, 자가면역 질환 등의 치료 처방에 의한다. 경구 약제 이외에, 주사제, 국소, 흡입 제재로도 의인 쿠싱증후군을 유발할 수 있다. 당질코르티코이드를 함유한 허브 제제(herbal preparations) 사용으로도 쿠싱증후군이 유발될 수 있다. 인위(factitious) 쿠싱증후군은 쿠싱증후군의 1% 미만으로 환자가 의도적으로 당질코르티코이드 약제를 복용해서 발생한 경우이다.

3. 내인 쿠싱증후군

1) ACTH 의존 쿠싱증후군

전형적인 생화학적 특징은 ACTH가 증가되 있거나 정상수치를 보이며 이는 종양에서의 분비를 의미한다. 종양에서 분비되는 ACTH로 부신피질이 양측으로 과증식과 과기능을 보인다.

(1) 쿠싱병(Cushing' s disease)

내인 쿠싱증후군의 원인 중 가장 흔해서 60~70%를 차지한다. ACTH를 과분비하는 뇌하수체 선종이 원인이며, 40%에서는 MRI상 종양이 보이지 않는다. 드물게 이소성 CRH 분비 없이 미만성 corticotroph(코르티코트로프성 세포) 과증식을 보이는 경우도 있다. 대부분 1 cm 미만의 미세선종이고 5~10%에서 거대선종이다. 거대선종은 1 cm 이상이고 터키안을 넘어 침습하는 성질을 나타낸다. 거대선종 환자는 미세선종보다 ACTH 레벨이 정상 이상일 경우가 많고(83% 대 45%) 고용량 덱사메타손(dexamethasone) 테스트에서 억제되지 않는다. 거대선종은 미세선종보다 CRH 자극검사에 덜 반응한다(65% 대 84%). 극히 드물게 뇌하수체 암도 보고되어 있다.

양측 부신의 미만성 부신피질과증식이 관찰되며, 속상대(zona fasciculata)와 망상대(zonae reticularis)가 모두 증식하여 피질의 비후를 보이며 일부에서 거대결절 부신과증식을 보인다. 코르티솔 생합성에 필요한 효소 활성은 변동이 없어, 코르티솔 전구체의 생성과 분비도 비례적으로 증가한다.

Multiple endocrine neoplasia type 1 (MEN 1)에 동반된 corticotroph선종은 MEN 1 의 2%에서 발견되며 발병 연령은 산발성 종양과 유사하나 크기가 크다.

- 거대결절 부신과증식(macronodular adrenal hyperplasia, MAH) 쿠싱병의 10~40%에서 양측 부신에 1개 이상의 결절을 포함하는 부신과증식을 보인다. 결절의 직경은 수 cm 에 이르기도 하며 장기간의 ACTH 자극에 의하여 자율

표 5-3. 이소성 ACTH 증후군을 일으키는 종양

소세포폐암
비소세포폐암
카르시노이드 종양-기관지, 폐, 위장관, 난소
흉선암
췌장암
갑상선수질암
갈색세포종과 관련된 신경절 종양

성을 가진 부신결절이 생기는 것으로 생각된다. 일반적인 쿠싱병에 비하면 혈중 ACTH는 낮고 혈중 코르티솔 농도는 높으며 덱사메타손 억제가 덜 뚜렷한 경향을 보인다. 이런 경우는 ACTH 비의존 쿠싱증후군인 것처럼 착각하기 쉬우나 ACTH 레벨이 CRH 투여 후 증가하는 특징을 가지고 있다. MAH가 일차 부신 종양으로 오진될 수 있어 진단 시 주의를 요한다.

(2) 이소성(Ectopic) ACTH 증후군(표 5-3)

쿠싱증후군의 15%를 차지한다고 알려져 있으나 국내는 그 발생빈도가 낮다. 대개 신경내분비종양(폐, 췌장, 흉선)에서 유발된다. 흉부에서 발생하는 경우가 67%이다.

병의 경과가 빠른 악성 종양에 의한 경우 전형적인 쿠싱증후군의 임상 증상이 발현되기 전에 사망하는 경우가 많아 진단에 어려움이 있다. 예를 들어 폐의 소세포폐암(small-cell carcinoma)이 이소성 ACTH 증후군의 50%를 차지하나, 이 종양의 0.5~2%에서 이소성 ACTH 증후군으로 나타난다. 악성종양에서 분비되는 이소성 ACTH 분비는 ACTH가 매우 높은 특징이 있다. 따라서 전형적인 쿠싱증후군 양상보다는 혈중의 높은 ACTH, 코르티솔 농도로 인한 대사합병증(저칼륨 알칼리증, 말단 부종, 내당능장애 등) 증상과 색소침착의 징후가 두드러지게 나타난다. 덱사메타손 억제검사에 억제되지 않는다.

반면, 크기가 작고 천천히 자라나는 종양은 진단까지 오랜 시간이 경과하여 전형적인 쿠싱증후군의 임상 양상을 보인다. 대개 흉강내 종양(폐 카르시노이드, 흉선 카르시노이드, 드물게 multiple pulmonary tumorlets)이다. 고용량 덱사메타손 억제검사에 억제된다.

(3) 이소성(Ectopic) CRH 증후군

종양에 의한 CRH 분비는 뇌하수체 corticotroph의 과증식을 유발해 ACTH, 코르티솔 과분비와 양측성 부신 과증식을 유발한다. 대개 ACTH 분비를 하기 때문에, 덱사메타손에 의해 억제되지 않는다. 그러나 일부에서는 덱사메타손에 의한 뇌하수체 ACTH 분비가 억제된다.

2) ACTH 비의존 쿠싱증후군

Primary adrenocortical hyperfunction

일차적으로 부신피질 질환에 의한 쿠싱증후군에서(예, 부신피질 종양, 미세결절성 이형성=micronodular dysplasia, 또는 ACTH-비의존 거대결절 부신 과증식) 코르티솔 증가는 CRH와 ACTH 분비를 억제한다. 정상 뇌하수체 corticotroph가 위축(atrophy) 되고, 부신의 정상 속상대와 망상대도 위축된다.

(1) 부신 선종(Adrenal adenomas)

쿠싱증후군의 10~22%를 차지한다. 국내에서는 외국에 비해 부신 선종의 빈도는 훨씬 높다. 소아에서는 전체 쿠싱증후군의 65%가 부신 선종(15%) 또는 부신암(50%)으로 성인과 많은 차이를 보인다. 양성 종양이고(<5 cm) 단일 호르몬 코르티솔만 분비한다. 반대측 부신은 위축된다. 코르티솔 분비는 매우 효율적이다. ACTH가 억제되므로, 혈청 dehydroepiandrosterone sulfate (DHEAS) 농도와 소변의 DHEAS 분비는 소변 코르티솔 분비에 비해 낮다.

(2) 부신암(Adrenal carcinoma)

쿠싱증후군의 5~7%를 차지한다. 선종의 경우 완만한 임상 경과를 보이나 암의 경우 급격한 진행을 보이기도 한다. 스테로이드 생산이 비효율적이어서 코르티솔 과분비만 있는 경우와(45%) 코르티솔 이외의 안드로젠 과다 생성(25%)을 같이 보이기도 하여 여성에서 남성화를 유발하기도 한다. 부신 종양이 1개 이상의 호르몬을 분비하는 경우는 거의가 악성이다. 스테로이드 합성 효소의 활성도 저하로 인해 알도스테론, 당질코르티코이드 또는 안드로겐 전구체의 소변 대사산물이 증가되어 있다.

(3) 일차 색소침착 결절 부신피질 질환(Primary pigmented nodular adrenocortical disease, PPNAD)

주로 어린이와 30세 미만의 성인에서 진단되며 2~4 mm 크기의 흑갈색을 띠는 많은 결절을 가지고 있고 부신의 크기는 정상이다. 산발적 또는 가족성으로 발생하고 양측성 미세결절 부신 과증식(bilateral adrenal micronodular hyperplasia)이라 불리기도 한다. 거대결절 부신 과증식과는 달리 결절 사이의 부신은 위축되어 있다. PPNAD 중 non-pigmented variant를 isolated micronodular adreno-cortical disease라고 한다.

가족형은 Carney complex라 불리며 상염색체 우성 유전되고, 2가지 주요한 특징이 있다; 첫째, 반점성 색소침착(pigmented lentigines, blue nevi); 둘째, 다발성 종양(내분비계, 또는 비내분비계). 내분비계 종양으로는 고환, 부신, 뇌하수체 또는 갑상선 종양이 있고, 비내분비계 종양으로는 피부, 유방, 심장 점액종(atrial myxomas), psammomatous melanotic schwannomas이 있다.

이들 환자는 영상검사에서 정상 부신 소견을 보이는 경우가 많아 ACTH 의존 쿠싱증후군으로 오인될 수 있다. 따라서 소아와 젊은 성인의 쿠싱증후군 환자에서 ACTH 농도가 낮으면서 정상 부신이 관찰되면 위에서 언급한 Carney complex 소견을 찾는 동시에 이 질환을 의심해야 한다. 치료 방법은 양측 부신절제술이다.

(4) 양측성 거대결절 부신 과증식(Bilateral macronodular adrenal hyperplasia, BMAH)

색소 침착이 없는 5 mm 이상의 다발성 비색소성 결절이 동반된 부신 과증식으로, 부신 무게가 24~500 g 으로 증가한다. 결절 사이 부신피질 조직은 위축 정도가 다양해서 비대된 양상을 보이기도 한다.

이 질환은 부신피질에 GIP, vasopressin (V1), LH, serotonin, 안지오텐신 1 (AT1) 등에 대한 수용체가 비정상적으로 과도하게 발현되어 이들이 ACTH와 같은 역할을 하여 부신 증식과 코르티솔 과다 분비를 유발한다고 생각된다. 부신 크기에 비해 코르티솔 분비는 경미한 편이고 스테로이드 전구체가 증가되어 있으며 안드로젠과 염류코르티코이드가 동시에 분비되는 경우도 있다. 결절이 1 cm 이상인 BMAH 형태를 이전에는 ACTH-independent macronodular adrenal hyperplasia이라 명명했다. 이 질환은 쿠싱병이나 ectopic ACHT 분비에서 유래되는 장기간의 ACTH 자극에 의한 이차성 BMAH와 구별돼야 한다.

이 질환은 초기에는 산발성 케이스들이 보고되었다. 이후 가족성 BMAH 케이스들이 보고되고 있고 상염색체 우성 유전을 한다.

(5) McCune-Albright syndrome

영유아와 어린이들에게 부신 과증식과 쿠싱증후군이 발생하는 드물 질환으로 G-protein alpha subunit의 돌연변이로 인해 cAMP이 지속적으로 활성화되어 있는 상태가 초래되어 ACTH 자극이 없어도 지속적으로 부신이 증식하게 된다. 이로 인해 부신에 선종이 관찰되기도 하며, 혈중 ACTH 농도는 억제되어 있다.

결절 사이 부신은 위축되어 있다. 뼈의 다골섬유형성이상(polyostotic fibrous dysplasia), 피부의 색소침착(café-au-lait spots)이 관찰된다. 대부분 성조숙이 동반되며 일부에서 갑상선기능항진증 등을 동반한다.

3) 기타 쿠싱증후군

(1) 주기 쿠싱증후군(Cyclic Cushing' s syndrome)

주기적인 코르티솔 분비 증가가 특징적으로 나타난다. 모든 타입의 쿠싱증후군에서 보고되고 있다. 연령과 상관없이 PPNAD와 isolated micronodular adrenocortical disease가 주로 주기적인 쿠싱증후군 양상을 보인다. 진단을 위해 한밤중 타액 코르티솔이나 24시간 소변 유리 코르티솔 측정을 장기간에 걸쳐, 심지어 몇 년에 걸쳐 필요하기도 한다.

(2) 소아

쿠싱증후군의 10%는 소아에서 발생하며 성인과 같이 여아에게 호발한다. 영아기에는 남아에게 호발하기도 한다. 소아 쿠싱증훈군의 가장 흔한 증세는 체중 증가이며 특징적으로 키 성장률이 떨어진다. 다른 특징으로는 얼굴 홍조, 두통, 고혈압, 다모증, 남성화, 2차 성징 발달이 늦어진다. 여드름, 자색줄, 멍이 자주 들고 흑색가시세포증(acanthosis nigricans)도 흔하다. 검사와 치료는 성인과 유사하다. 7세 이전에는 부신에서 발행하는 쿠싱증후군이 흔하고(선종, 암, 양측 과증식) 이후로는 쿠싱병이 75%를 차지한다. 쿠싱증후군이 Carney's complex 또는 McCune-Albright syndrome의 첫 징후가 될 수 있다.

참고문헌

1. 김성연, 조화영. 쿠싱증후군. 임상내분비학 3판. 서울: 고려의학; 2016;303-16.
2. Chong YK, Ching CK, Ng SW, Mak TW. Corticosteroid adulteration in proprietary Chinese medicines: a recurring problem. Hong Kong Med J 2015;21:411-6.
3. Hirsch D, Shimon I, Manisterski Y, Aviran-Barak N, Amitai O, Nadler V, et al. Cushing's syndrome: comparison between Cushing's disease and adrenal Cushing's. Endocrine 2018.
4. Lacroix A, Feelders RA, Stratakis CA, Nieman LK. Cushing's syndrome. Lancet 2015;386:913-27.

5. Lacroix A, Ndiaye N, Tremblay J, Hamet P. Ectopic and abnormal hormone receptors in adrenal Cushing's syndrome. Endocr Rev 2001;22:75-110.
6. Lodish M, Stratakis CA. A genetic and molecular update on adrenocortical causes of Cushing syndrome. Nat Rev Endocrinol 2016;12:255-62.
7. Loriaux DL. Diagnosis and Differential Diagnosis of Cushing's Syndrome. N Engl J Med 2017;376:1451-9.
8. Mete O, Duan K. The Many Faces of Primary Aldosteronism and Cushing Syndrome: A Reflection of Adrenocortical Tumor Heterogeneity. Front Med (Lausanne) 2018;5:54.
9. Nieman LK, Lacroix A, Martin KA. Causes and pathophysiology of Cushing's syndrome. Waltham, MA: UpToDate 2018.
10. Nieman LK. Cushing's syndrome: update on signs, symptoms and biochemical screening. Eur J Endocrinol 2015;173:M33-8.
11. Nieman LK. Recent Updates on the Diagnosis and Management of Cushing's Syndrome. Endocrinol Metab (Seoul) 2018;33:139-46.

CHAPTER
06

쿠싱증후군의 병태생리
Pathogenesis of Cushing's Disease (Pituitary)

정혜인, 구철룡, 이은직
연세의대 내과학교실

뇌하수체의 부신피질자극호르몬 분비 종양에 의해 발생하는 쿠싱증후군을 쿠싱병으로 정의한다. 전체 내인 쿠싱증후군의 70~80%가 쿠싱병에 의해 발생한다. 다른 뇌하수체 종양과 마찬가지로, 쿠싱병은 다양한 유전자 돌연변이에 의해 발생할 수 있다. 쿠싱병의 병태 생리에 대한 이해는 진단 및 새로운 치료 타겟 발굴 측면에서 매우 중요하다.

1. 뇌하수체 종양의 병태 생리

X 염색체 비활성화 연구를 통해, 뇌하수체 선종은 주로 단일세포에서 기원(monoclonality) 함이 밝혀졌다. 뇌하수체 선종의 발병 원인과 관련하여 유전 인자, 호르몬 자극, 성장 인자 등 여러 병인에 대한 연구가 진행되고 있다. 현재까지 연구된 결과에 의하면, 여러 인자가 상호 작용하여 세포 변성을 유도하며, 종양 세

포 증식을 촉진한다는 것이 정설이다. 뇌하수체 선종과 관련된 유전 인자로 유전적 뇌하수체 선종 발생과 연관된 유전자(MEN1 gene, PRKARIA gene, AIP gene, GSP gene)와 체세포 돌연변이가 알려져 있으며 그 외에 종양 억제 인자인 CDK, p27, Rb, FGFR4, PTTG 유전자도 관여하는 것으로 알려져 있다.

2. 쿠싱병의 병태 생리

1) 쿠싱병의 생식세포성 돌연변이

뇌하수체 선종을 유발하는 생식세포 유전자 돌연변이 중 multiple endocrine neoplasia 1 (MEN1), aryl-hydrocarbon receptor-interacting protein (AIP), CDKN1B (p27Kip1), Cyclin-dependent kinase inhibitor (CDK1), CDKN2c (p18INK4c), succinate dehydrogenase subunit과 같은 유전자 이상으로 쿠싱병이 발생할 수 있다(표 6-1). 하지만, 뇌하수체 종양과 관련된 생식세포 유전자 돌연변이들 중 MEN1, PRKAR1A, 및 AIP 유전자의 경우 체세포 돌연변이에 의해 뇌하수체 종양 혹은 쿠싱병을 유발하지 않는 것으로 알려져 있다.

2) 쿠싱병의 체세포성 돌연변이

쿠싱병 발생과 관련된 체세포 유전자 돌연변이로, 당질코르티코이드 수용체 유전자의 돌연변이 및 기능과 관련된 단백질의 기능 이상(Brg1 및 HDAC2), P53 비활성화 등이 보고되었다. 유전자 돌연변이외도, 쿠싱병 환자의 부신피질자극호르몬 분비성 뇌하수체 종양 발생과 관련되어 발현량이 변화되는 다양한 유전자가 알려져 있다. Testicular orphan receptor 4, Pituitary transforming gene (PTTG), Epidermal growth factor receptor (EGFR)의 발현이 부신피질자극호르몬 분비성 뇌하수체 종양에서 증가되어 있음이 확인되어, 쿠싱병의 병태 생리와 연관되어 있음을 추정할 수 있다. 실제, 유전자 조작 마우스 모델을 이용한 연구에서, PTTG inhibitor나 EGFR inhibitor 투약 시 부신피질자극호르몬 분비성 뇌하수체 종양

크기가 감소하였으며, 호르몬 수치 및 임상 양상의 호전을 관찰하였다는 보고도 있다.

쿠싱병 발생과 관련되어 가장 최근에 보고된 유전자 이상은 ubiquitin specific peptidase 8 (USP8) 유전자의 체세포 돌연변이이다. 전체 쿠싱병 환자의 35~62%에서 발견되며, USP8 유전자 돌연변이가 없는 환자와 비교해서 뇌하수체 종양 크기가 작음에도 부신피질자극 호르몬 수치가 높은 점이 특징이다. USP8 유전자 돌연변이는 EGFR 의 탈유비퀴틴화를 억제함으로써, EGFR 신호 전달 체계를 과활성화하여 pro-opiomelanocortin 및 부신피질자극 호르몬 과합성을 유발하는 것으로 알려져 있다. 이러한 USP8 유전자 돌연변이가 있는 환자의 세포주 실험에 따르면, EGFR inhibitor 처리 시 부신피질자극 호르몬 합성이 억제된다는 보고도 있다.

표 6-1. 쿠싱병 병태생리와 연관된 유전자 및 단백질

Gene/ Proteins	Function
11β-HSD1	Metabolizes cortisone to cortisol
11β-HSD2	Inactivates cortisol to cortisone
ACTHR	Auto- regulatory negative feedback
BMP4	Differentiation; inhibits ACTH secretion and corticotroph tumour growth
Brg1	Chromatin remodelling; facilitates GR response
CABLES1	Cell cycle progression; inhibits corticotroph cell proliferation
CCNE1	G1/S cell cycle progression; stimulates corticotroph cell proliferation
CDKN1B/ p27/Kip1	CDK inhibitor; inhibits corticotroph cell proliferation
CDKN2A/ p16/Ink4a	CDK inhibitor; induces corticotroph cell cycle arrest
CRHR	CRH receptor; stimulates ACTH synthesis
EGFR	EGF receptor; proliferation, differentiation; stimulates ACTH synthesis
FGFR4	FGF receptor; proliferation, differentiation
HDAC2	Chromatin remodelling
HSP90	Chaperon; inhibits GR transcriptional function
IL-6	Cytokine; stimulates ACTH synthesis
LIF	Cytokine; stimulates ACTH synthesis
NEUROD1	Transcription factor; differentiation; stimulates POMC transcription
Nur77	Transcription factor; stimulates POMC transcription
PAX7	Differentiation; melanotrope specification, repression of corticotroph- specific genes
PC1/3	POMC cleavage
PRKCD	Kinase; cell cycle, apoptosis; inhibits corticotroph cell proliferation
PTTG	Sister chromatid separation during metaphase; tumour progression
SHH	Pituitary differentiation; ACTH synthesis, inhibits corticotroph cell proliferation
TR4	Transcriptional coregulator; stimulates POMC transcription and cell proliferation
VR1b	Vasopressin receptor; stimulates ACTH (desmopressin stimulation test)

참고문헌

1. Agarwal SK, Mateo CM, Marx SJ. Rare germline mutations in cyclin-dependent kinase inhibitor genes in multiple endocrine neoplasia type 1 and related states. J Clin Endocrinol Metab 2009;94:1826-34.
2. Albani A, Theodoropoulou M, Reincke M. Genetics of Cushing's disease. Clin Endocrinol (Oxf) 2018;88:3-12.
3. Beckers A, Aaltonen LA, Daly AF, Karhu A. Familial isolated pituitary adenomas (FIPA) and the pituitary adenoma predisposition due to mutations in the aryl hydrocarbon receptor interacting protein (AIP) gene. Endocr Rev 2013;34:239-77.
4. Bilodeau S, Vallette-Kasic S, Gauthier Y, et al. Role of Brg1 and HDAC2 in GR trans-repression of the pituitary POMC gene and misexpression in Cushing disease. Genes Dev 2006;20:2871-86.
5. Du L, Bergsneider M, Mirsadraei L, et al. Evidence for orphan nuclear receptor TR4 in the etiology of Cushing disease. Proc Natl Acad Sci U S A 2013;110:8555-60.
6. Fukuoka H, Cooper O, Ben-Shlomo A, et al. EGFR as a therapeutic target for human, canine, and mouse ACTH-secreting pituitary adenomas. J Clin Invest 2011;121:4712-21.
7. Georgitsi M, Raitila A, Karhu A, et al. Germline CDKN1B/p27Kip1 mutation in multiple endocrine neoplasia. J Clin Endocrinol Metab 2007;92:3321-5.
8. Karl M, Von Wichert G, Kempter E, et al. Nelson's syndrome associated with a somatic frame shift mutation in the glucocorticoid receptor gene. J Clin Endocrinol Metab 1996;81:124-9.
9. Kawashima ST, Usui T, Sano T, et al. P53 gene mutation in an atypical corticotroph adenoma with Cushing's disease. Clin Endocrinol (Oxf) 2009;70:656-7.
10. Liu NA, Jiang H, Ben-Shlomo A, et al. Targeting zebrafish and murine pituitary corticotroph tumors with a cyclin-dependent kinase (CDK) inhibitor. Proc Natl Acad Sci U S A 2011;108:8414-9.
11. Ma ZY, Song ZJ, Chen JH, et al. Recurrent gain-of-function USP8 mutations in Cushing's disease. Cell Res 2015;25:306-17.
12. Matsuzaki LN, Canto-Costa MH, Hauache OM. Cushing's disease as the first clinical manifestation of multiple endocrine neoplasia type 1 (MEN1) associated with an R460X mutation of the MEN1 gene. Clin Endocrinol (Oxf) 2004;60:142-3.
13. Ozawa A, Agarwal SK, Mateo CM, et al. The parathyroid/pituitary variant of multiple endocrine neoplasia type 1 usually has causes other than p27Kip1 mutations. J Clin Endocrinol Metab 2007;92:1948-51.
14. Poncin J, Stevenaert A, Beckers A. Somatic MEN1 gene mutation does not contribute significantly to sporadic pituitary tumorigenesis. Eur J Endocrinol 1999;140:573-6.
15. Reincke M, Sbiera S, Hayakawa A, et al. Mutations in the deubiquitinase gene USP8 cause Cushing's

disease. Nat Genet 2015;47:31-8.

16. Sandrini F, Kirschner LS, Bei T, et al. PRKAR1A, one of the Carney complex genes, and its locus (17q22-24) are rarely altered in pituitary tumours outside the Carney complex. J Med Genet 2002;39:e78.
17. Tichomirowa MA, Barlier A, Daly AF, et al. High prevalence of AIP gene mutations following focused screening in young patients with sporadic pituitary macroadenomas. Eur J Endocrinol 2011;165:509-15.
18. Xekouki P, Stratakis CA. Succinate dehydrogenase (SDHx) mutations in pituitary tumors: could this be a new role for mitochondrial complex II and/or Krebs cycle defects? Endocr Relat Cancer 2012;19:C33-40.

CHAPTER 07

쿠싱증후군의 병태생리 (Pathogenesis of Cushing's Syndrome)

김규리, 김재현
성균관의대 내과학교실

내인 코르티솔을 과분비하는 쿠싱증후군은 매년 백만 명당 2~5명에서 새롭게 발생하는 것으로 알려져 있다. 부신에서의 원발성 코르티솔 과분비는 전체 쿠싱증후군의 대략 15~20%에서 나타나는 것으로 알려져 있으며, 이 중 10%는 소아에서 발생한다. 부신우연종은 부검 시 8.7% 정도에서 발견되며, 이 중 10%에서 코르티솔 과분비를 나타내는 것으로 알려졌다. 일측성 코르티솔 과분비 부신피질선종과 부신암종은 각각 부신 쿠싱증후군의 ~55%, ~35%를 차지하며 원발성 부신피질 과증식은 10% 정도를 차지한다. 원발성 코르티솔 생성 부신피질병변의 발병은 상당수에서 cAMP-신호경로의 비정상적인 활성화를 유도하는 체세포, 생식세포의 돌연변이가 호르몬 과분비와 세포증식을 일으키는 것으로 알려져 있다. 또한 호르몬의 과생성과 종양의 성장을 나타내는 종양전환과 연관된 경로에 돌연변이가 나타날 수 있는데, 종양억제유전자로 추정되는 armadillo repeat containing 5 유전자(ARMC5), Wnt/β-catenin 경로(CTNBB1, ZNRF3), 성장인자과발현(IGF2), p53/망막모세포종 단백질 경로(TP53, CDKN2A, RB1), 염색체 리모델링(MEN1,

DAXX)에 돌연변이가 있는 경우가 포함된다.

1. 부신피질선종

부신피질선종은 부신 원발성 쿠싱증후군에서 55%로 가장 흔하게 나타나며 여자에서 약간 더 많이 나타난다. 코르티솔분비선종은 1.5 cm 에서 6 cm 의 크기, 10 g 에서 40 g 의 무게를 보이며, 일정한 핵을 보이는 조밀하고 투명한 지질이 풍부한 세포들로 이루어졌으며 경계가 분명하다. 시상하부-뇌하수체 축의 음성되먹임억제로 인하여 종양이 없는 부신피질에서는 위축을 보인다. 임상 양상은 무증상에서 현저한 쿠싱증후군까지 다양하다. 유전되는 특징의 원발성 코르티솔생성 부신피질증식증과 달리, 코르티솔생성 부신피질종양은 보통 산발적으로 나타난다. 드물게 다발내분비종양유형1, 가족대장선종폴립증, McCune-Albright 증후군, Carney complex, 그리고 유전적인 평활근종증, 신장암 증후군에서 부신피질선종이 보고된 바 있다.

1) 정상 부신 코르티솔 분비의 생리

정상적인 상황에서 코르티솔의 분비는 시상하부-뇌하수체-부신 축의 조절을 받는다. 부신다발층(zona fasciculata) 세포에서 코르티솔 분비는 cAMP/단백키나아제A (PKA)의 신호전달에 의해 매개된다(그림 7-1A). 부신피질자극호르몬은 7-transmembrane G단백질 연결수용체에 결합하여 촉진성 G단백질 α소단위(Gs α)를 활성화하고 아데닐레이트시클라아제를 자극하여 삼인산아데노신으로부터 cAMP를 생성한다. 단백키나아제A (PKA)는 안정 시에는 불활성화된 4합체효소로 2개의 조절소단위(PKA-R)와 2개의 촉매소단위(PKA-C)로 구성되어 있으며, 세포 내 cAMP의 농도 증가에 따라 활성화된다. cAMP는 조절소단위에 결합하여 촉매소단위를 분리시켜 PKA를 활성화시키고, 분리된 촉매소단위(PKA-C)는 전사인자 CREB (cAMP response element binding protein)를 인산화시켜서 특정 표적 유

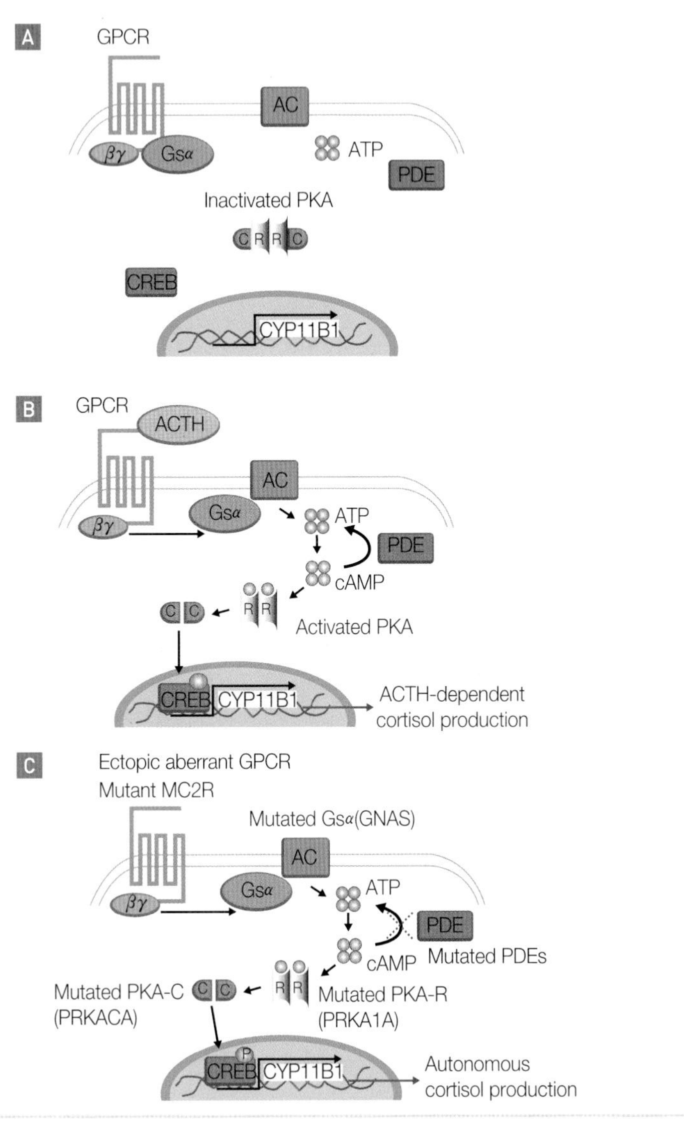

그림 7-1. 부신쿠싱증후군의 분자생물학적 양상. **(A)** 비자극 시, **(B)** 부신피질자극호르몬 분비 시, **(C)** 부신쿠싱증후군 시

전자(CYP11B1 등)의 프로모터 부위에 결합하여 코르티솔 생합성과 부신다발층 세포의 증식을 유도한다. 코르티솔은 부신의 그물층(zona reticularis)에서 17수산화-프로게스테론이 21-수산화과정을 거쳐서 11-디옥시코르티졸을 형성하고 CYP11B1에 의한 11베타-수산화효소에 의해 C11이 수산화과정을 거쳐서 합성된다. 부신피질자극호르몬의 자극이 끝나면, PDE11A와 PDE8B와 같은 인산디에스테르가수분해효소(PDE)는 cAMP에 결합해서 가수분해하여 cAMP의 농도를 감소시키고 PKA 소단위들이 재결합하여 비활성화 상태로 돌아간다(그림 7-1B).

2) 코르티솔생성선종에서의 코르티솔 분비

체세포돌연변이와 생식세포돌연변이는 cAMP/단백키나아제A (PKA)의 경로를 비정상적으로 활성화시키는 다양한 단계에서 관여하여 과다신호전달로 인한 코르티솔의 과생성과 분비를 일으킨다(그림 7-1C). PKA-C (PRAKACA), PKA-R (PRKA1A), Gsα (GNAS), MC2R을 활성화시키는 변이, PDE11A와 PDE8B를 비활성화시키는 변이, G단백질 연결수용체의 이소성/이상에 의해 나타날 수 있다. 부신피질선종에서 PRAKACA 유전자의 체세포 돌연변이는 35~69%에서 나타나며, PKA활성을 증가시키는데 이는 변종 PRKACA의 결합으로 인한 PKA-R 조절소단위의 결핍이나, 유전자 복제개수 증가에 의한 PKA-C촉매소단위의 과도한 증가로 일어난다. PRKACA 유전자의 체세포 돌연변이는 현저한 쿠싱증후군 임상양상을 나타내는 환자에서 나타나며 부신종양에 MC2R, CYP21A1, CYP11A1 메신저 RNA의 특징적인 증가를 동반한다. 체세포 PRKACA 돌연변이는 아시아 인종에서 많이 나타난다. 중국의 87명의 코르티솔생성선종 환자 중 65.5%에서 PRKACA 유전자 돌연변이가 나타났다. 일본 코호트 연구에서는 부신피질선종과 부신피질자극호르몬-비의존적 쿠싱증후군 환자의 50%에서 PRKACA 돌연변이가 나타났다. GNAS 유전자를 활성화시키는 체세포돌연변이는 부신피질선종의 5~17%에서 나타난다. 과도한 Wnt/β-catenin 신호경로를 유도하는 CTNBB1 유전자의 돌연변이는 코르티솔생성선종의 16%에서 나타난다. cAMP 경로의 돌연변이(PRKACA, GNAS

유전자)를 나타내는 선종은 Wnt/β-catenin 경로의 돌연변이(CTNBB1 유전자)보다 일반적으로 크기는 작고 이른 나이에 나타나며 현저한 고코르티솔증을 보인다. 580명 이상의 코르티솔생성선종 또는 과증식 환자에서 체세포 PRKACA 유전자 돌연변이는 28%, CTNNB1 유전자 돌연변이는 4%, GNAS 유전자 돌연변이는 4%를 차지하였으며, PRKACA 돌연변이에서 현저한 쿠싱증후군 임상 양상, 과다한 코르티솔농도, 작은 종양 크기를 보였다. 산발형 코르티솔생성선종에서 PRKAR1A, PDE8B, G단백질연결수용체 변형과 관련이 드물게 보고되고 있다.

2. 부신피질암종

부신피질암종은 드문 질환으로 3세 소아기와 40대에서 50대의 성인에서의 두 봉우리분포 연령대를 보인다. 100 g 이상의 무게와 3 cm 에서 40 cm 의 크기를 보이고, 핵다형성과 유사분열의 증가(고배율에서 >5/50), 비정형 유사분열, 피막 또는 혈관침범, 괴사가고등급 부신피질암종에서 흔하게 나타난다. IGF2, p53의 과발현, 높은 Ki-67의 발현(>5%)으로 부신피질선종으로부터 부신피질암종을 구분할 수 있다. 드물게 부신피질암종은 Li-Fraumeni 증후군 또는 Beckwith-Wiedemann 증후군, 다발내분비종양 유형 1증후군, 가족대장선종폴립증, Lynch 증후군, 신경섬유종증 유형 1증후군, Carney complex와 연관성을 보인다. 산발적 코르티솔분비선종과는 다르게 산발적 코르티솔 분비 부신 피질암종에서는 cAMP 경로의 변형이 드물게 보고된다. 가장 흔하게 보고된 분자 변형은 세포증식, 분화, 생존, 세포자멸과 관련된 암종화경로와 연관되어 나타나며, 비정상적 Wnt/β-catenin 경로(CTNBB1, ZNRF3 유전자 돌연변이), 인슐린유사성장인자 2, p53/망막모세포종단백질 경로(TP53, CDKN2A, RB1 유전자 돌연변이), 염색체 리모델링(MEN1, DAXX), MED12, TERT변이가 포함된다. 11p15 염색체에 위치하는 인슐린유사성장인자2는 부신피질암종형성에서 중요한 역할을 하는 것으로 여겨지며, 산발적 부신피질암종의 90% 이상에서 이것이 과발현되어 있다. 17p13 염색체에 위치한 종양 억제유전자 TP53은 세포 증식에 중요한 역할을 하는데 성인의 산발적인 부신피질 암종에서 TP53의 체세포 돌연변이가 25~30%에서, 소아에서는 50~80%에서 높은 비율을 보인다. 17p13의 TP53 유전자 위치의 대립유전자 손실은 85%의 부신피질암종에서 나타나며 양성 부신종양에서는 30% 미만에서 나타난다. 브라질에서 보고된 드문 부신피질암종의 유전적 변이는 특정 생식세포 TP53 돌연변이(R337H)를 나타내고 어린 소아기에 발병한다.

Wnt/β-catenin 신호전달경로는 부신피질기능에서 중요한 요소인데 APC 유전자의 생식세포돌연변이는 Wnt/β-catenin 경로를 활성화하여 가족대장선종폴립증의 발달에 관여한다. 글리코겐합성키아나제3-β (GSK3-β)의 인산화 부위가 β-catenin의 체세포 돌연변이에 의해 변형되는데 이는 부신피질암종의 25~30%에서 나타난다. 이 돌연변이는 부신피질선종과 원발성 색소침착형 결절 부신피질질환에서도 나타난다. CTNNB1 돌연변이에 의해서는 양성, 악성 부신종양 모두에서 Wnt/β-catenin 경로가 활성화되고 부신피질암종에서는 ZNRF3 유전자의 비활성화에 의해 Wnt/β-catenin 경로가 활성화된다.

1) Li-Fraumeni 증후군

연조직 육종, 유방암, 뇌암, 부신피질암종의 임상 양상을 보이며 세포 성장을 조절하는 종양억제유전자인 TP53의 생식세포 돌연변이가 70%에서 발견된다.

2) Beckwith-Wiedemann 증후군

대설증, 편측성비대, Wilms 종양, 간모세포종과 부신피질암종의 임상 양상을 보이며 11p15 염색체 부위의 CDKN1C의 유전자 및 KCNQ1OT, H19의 epigenetic변형을 포함한다.

부신종양의 전구병변에 대해서는 아직 밝혀지지 않았으나, Carney complex, McCune-Albright 증후군, 다발내분비종양 유형1, 가족대장선종폴립증의 유전적

증후군에서 부신피질과증식이 바탕이 되어 부신피질선종과 암종이 발생한 경우가 자주 보고된 바 있다. 또한, 비정상적인 Wnt/β-catenin 경로의 증가가 부신피질과증식의 발달과정에서뿐만 아니라 차후의 부신피질선종, 암종에서도 보고되었다. 악성종양에서 양성종양보다 유전적 이상이 더 많이 나타나며 부신피질선종의 가장 흔한 유전적 변이의 70% 이상이 암종에서도 나타나, 부신피질암종이 부신피질과증식과 선종의 배경에서 발생할 수 있다는 것을 시사한 바 있다.

3. 결절성 부신과증식

결절성 부신과증식은 결절의 크기가 1 cm 이상의 거대결절성과 1 cm 미만인 미세결절성으로 나눌 수 있다. 거대결절성 부신과증식은 다소 남자에서 많이 나타나는 경향이 있으며 준임상적 쿠싱증후군 양상을 보인다. 병리조직학적으로 전체 부신의 크기가 60~200 g 으로 증가되어 있고 지질이 풍부한 투명한 세포와 혼합된 작은 세포들로 구성된 1 cm 에서 5 cm 크기의 피막 없는 무색소침착 결절 양상을 보인다. 큰 피질세포 내 매끈면소포체(smooth endoplasmic reticulum)가 적게 발달되어 있고 스테로이드생성의 3베타-수산화스테로이드 탈수소효소(3β-hydroxysteroiddehydrogenase)와 다른 합성 효소의 약한 반응성을 보여 거대결절성 부신과증식에서 크기에 비해 상대적으로 약한 코르티솔 과합성 양상을 보인다. 미세결절성 부신과증식은 여자에서 약간 많이 나타나는 경향이 보이고 거대결절성 부신과증식에 비해 젊은 나이에 발병하고 현저한 쿠싱증후군 양상을 보인다. 조직병리학적으로 4.3~17.0 g 의 약간 증가한 전체 부신 크기를 보이며 조밀한 호산성 세포로 이루어져 있고 lipofusin 축적되어 색소침착이 동반된 0.1 mm 에서 0.3 mm 의 피막에 둘러싸인 미세결절이다. 뚜렷하게 매끈면소포체가발달되어 있고 스테로이드생성에 관여하는 효소들의 강한 활동성을 보이며, 6일 Liddle 덱사메타손 억제 시험에서 역설적인 증가 양상을 보인다.

1) 원발성 거대결절성 부신과증식(Primary macronodular adrenal hyperplasia)

1964년 Kirschner 등에 의해 부신피질자극호르몬-비의존적 거대결절성 부신과증식(ACTH-independent macronodular adrenal hyperplasia, AIMAH)으로 서술된 불균일한(heterogenous) 질환은 모든 내인 쿠싱증후군의 2% 미만을 차지하는 것으로 알려져 있다. 하지만 거대결절성 부신과증식 환자에서 현성 고코르티솔혈증과 억제되지 않은 혈장 부신피질자극호르몬 수치가 나타나는데, 최근 부신피질자극호르몬이 부신 내 스테로이드생성 과다형성세포 일부에서 이소성으로 만들어져 분비되어 코르티솔 분비를 촉진시키는 것으로, 부신피질자극호르몬-비의존적이 아니며, 일측성으로 나타나는 경우가 보고되어, 이전 부신피질자극호르몬-비의존적 거대결절성 부신과증식(ACTH-independent macronodular adrenal hyperplasia, AIMAH) 혹은 양측성 거대결절성 부신과증식(bilateral macronodular adrenal hyperplasia, BMAH) 대신 원발성 거대결절성 부신과증식으로 언급되고 있다. 원발성 거대결절성 부신과증식에서 이상 G 단백질 연결 세포막 수용체가 부신피질 내 과형성세포에 발현되고 이를 활성화시키는 포도당 의존성 인슐린분비자극펩타이드, 세로토닌, 융모생식샘자극호르몬 등의 조절인자에 의해 이소 부신피질자극호르몬이 생성되고 이로 인한 코르티솔 생성이 박동성을 유지한다. 준임상적 쿠싱증후군은 원발성 거대결정성 부신과증식에서 가장 흔한 임상 양상이며 일반적으로 고전적 쿠싱증후군이 50~60대에 나타나는 것에 비해 늦게 나타난다. 원발성 거대결절성 부신과증식은 처음에는 가족력이나 유전적 결손의 연관이 없은 산발형 질환으로 여겨졌으나 보통 염색체 우성소질로 유전되는 가족원발성 거대결절성 부신과증식도 확인되었다. 아직까지 가족형, 산발형의 유병률은 밝혀진 바가 없으며, 산발형 원발성 거대결절성 부신과증식이 가장 흔한 것으로 알려져 있다.

원발성 거대결절성 부신과증식은 주로 산발적으로 비정상적인 cAMP 신호전달 체계에서 생기는 것으로 알려져 있으며, 다양한 호르몬(바소프레신, 세로토닌 5-HT4, 5-HT7, 포도당 의존성 인슐린분비자극펩타이드, 카테콜아민, 황체호르몬, 융모생색샘자극호르몬, 안지오텐신)에 대한 G단백질연결수용체의 비정상적인 반응으로 발생한다. 또한 드물게 18q11.21 염색체에 위치한 흑색소부신피질자극호르몬(melanocortin)2 수용체(MC2R) 유전자의 돌연변이에 의한 경우도 보고된다. 한편, 새로운 종양억제유전자인 ARMC5의 생식세포 돌연변이는 산발형에서 20~50%에서 나타나고 유전되는 양상이 확인되었다. 또한, 다른 유전된 경우는 다발내분비종양 유형 1(MEN1 유전자), 가족대장선종폴립증(APC 유전자), 유전적인 평활근종증과 신장암증후군(FH 유전자), cAMP 신호체계의 가족형변이(가족형 G 단백질연결수용체, PDE11A 유전자)에서 보고된 바 있다.

McCune Albright 증후군과 연관된 소아기 양측성 거대결절성 부신과증식은 현저한 쿠싱증후군 임상 양상을 보이며 cAMP 경로의 Gsα단백질을 활성화 시키는 GNAS1 유전자의 체세포 돌연변이와 관련되며, McCune-Albright 증후군과 별개로 나타나기도 한다.

2) 미세결절성 부신피질과증식

미세결절 부신피질과증식은 주로 유전형이나 드물게 산발적인 경우가 보고된다. 미세결절성 부신과증식에는 주로 Carney complex 양상과 동반하여 나타나는 원발성 색소침착형 결절 부신피질질환(primary pigmented nodular adrenocortical disease, PPNAD)과 단독 미세결절성 부신피질질환(isolated micronodular adrenocortical disease, i-MAD)이 있다.

(1) 원발성 색소침착형 결절 부신피질질환(Primary pigmented nodular adrenocortical disease, PPNAD)

원발성 색소침착형 결절 부신피질질환은 Carney complex를 보이는 환자들 중 60%에서 연관성을 보이는데, Carney complex 환자는 다발성 내분비샘 이상과 심장점액종, 흑색점증이 나타나고 상염색체우성 양상을 보인다. 원발성 색소침착형 결절 부신피질질환에서는 0.1 mm 에서 0.3 mm 의 작은 다발성 색소침착결절이 부신의 그물층(zona reticularis) 또는 피질속질이음부(corticomedullary junction)

근처에 보이며 코르티솔을 자율적으로 분비하며, 위축된 피질로 둘러싸여 있다. 소아, 청소년기의 원발성 색소침착형 결절 부신피질질환은 자주 주기적 또는 순환적 쿠싱증후군의 양상을 나타낸다. 원발성 색소침착형 결절 부신피질질환의 주된 발병 기전은 PKA의 조절소단위 PKA-R을 코드화하는 17q22-23 염색체의 PRKAR1A 유전자의 비활성화 생식세포 돌연변이에 의한 것으로 많게는 73%에서 나타난다. PRKAR1A 유전자의 생식세포변이는 없으나 염색체 2p16 부위의 체세포변이가 Carney complex에서 나타나기도 하며, 이 경우 흑색점증이 나타나나 PRKAR1A 유전자 변이가 있는 경우보다 Carney complex가 늦게 진단되고 내분비샘 이상이나 심장점액종 등의 다른 종양의 동반이 적거나 늦게 나타난다. 이때도 비정상적인 단백키나아제A 양상을 보여 cAMP 신호전달과 연관되어 있음을 시사한다.

(2) 단독 미세결절성 부신피질질환(Isolated micronodular adrenocortical disease, i-MAD)

단독 미세결절성 부신피질질환은 색소침착이 없으며 양측성 양상을 보이고, Carney complex와는 관련성이 없다. 어린 소아기에 단일양상이나 산발적 질환으로 주로 나타난다. 2q31.2 염색체에 존재하는 PDE11A, 5q13 염색체에 존재하는 PDE8B의 인산디에스테르가수분해효소 유전자의 비활성화 돌연변이와 연관되어 cAMP-신호절달체계에서 cAMP의 가수분해를 하지 못하도록 한다.

표 7-1. 부신 원발성쿠싱증후군의 발병인자

			발병인자	관련 유전자
일측성 종양		부신피질선종	과도한 cAMP/PKA, Wnt/β-catenin 신호전달, G단백질연결수용체	- 체세포변이: PRKACA, GNAS1, CTNBB1, PRKAR1A, PDE8B, GPGR - 생식세포변이: MEN1, APC, FH - 유전적증후군: MEN1, FAP, MAS, Carney complex, HLRCS
		부신피질암종	과도한 Wnt/β-catenin 신호전달, 성장인자(IGF2), p53/Rb 신호전달	- 체세포변이: CTNBB1, ZNRF3, IGF2, TP53, RB1, CDKN2A, MEN1, DAXX, MED12, TERT, PRKAR1A - 생식세포변이: TP53, IGF2, MEN1, APC - 유전적증후군: LFS, BWS, MEN1, FAP, Carney complex, Lynch syndrome
원발성부신피질과증식	거대결절성	원발성거대결절성 부신과증식	G단백질연결수용체, 종양억제유전자, 부신내 이소성 ACTH생성, 과도한 cAMP/PKA, Wnt/β-catenin 신호전달	- 체세포변이: GPCRs, MC2R - 생식세포변이: ARMC5, MEN1, APC, FH, GPCR, PDE11A - 유전적증후군: MEN1, FAP, HLRCS
		소아기- 거대결절성 부신과증식	과도한 cAMP/PKA 신호전달	- 체세포변이: GNAS1 - 유전적증후군: MAS
	미세결절성	원발성 색소침착형 결절부신피질질환(PPNAD)	과도한 cAMP/PKA 신호전달	- 체세포변이: 2p16 locus - 생식세포변이: PRKAR1A, PDE11A, PDE8B - 유전적증후군: Carney complex
		단독 미세결절성 부신피질질환(i-MAD)	과도한 cAMP/PKA 신호전달	- 체세포/생식세포변이: PDE11A, PDE8B, PRKACA, 2p16, 5q

BWS, Beckwith-Wiedemann syndrome; FAP, familial adenomatous polyposis syndrome; GPCRs, G-protein-coupled receptors; HLRCS, hereditary leiomyomatosis and renal cancer syndrome; IGF2, insulin-like growth factor2; i-MAD, isolated micronodular adrenocortical disease; MAS, McCune-Alright syndrome; MEN1, multiple endocrine neoplasia type 1 syndrome; PKA, protein kinase A; PPNAD, primary pigmented nodular adrenocortical disease; Rb, retinoblastoma.

참고문헌

1. Bonnet-Serrano F, Bertherat J. Genetics of tumors of the adrenal cortex. Endocrine-related cancer 2018;25:131-52.
2. Bourdeau I, Lampron A, Costa MH, Tadjine M, Lacroix A. Adrenocorticotropic hormone-independent Cushing's syndrome. Current opinion in endocrinology, diabetes, and obesity 2007;14:219-25.
3. Candida Barisson Villares Fragoso M, Pontes Cavalcante I, Meneses Ferreira A, Marinho de Paula Mariani B, Ferini Pacicco Lotfi C. Genetics of primary macronodular adrenal hyperplasia. Presse medicale 2018.
4. Cazabat L, Ragazzon B, Groussin L, Bertherat J. PRKAR1A mutations in primary pigmented nodular adrenocortical disease. Pituitary 2006;9:211-9.
5. Duan K, Gomez Hernandez K, Mete O. Clinicopathological correlates of adrenal Cushing's syndrome. Journal of clinical pathology 2015;68:175-86.
6. Groussin L, Cazabat L, Rene-Corail F, Jullian E, Bertherat J. Adrenal pathophysiology: lessons from the Carney complex. Hormone research 2005;64:132-9.
7. Hernandez-Ramirez LC, Stratakis CA. Genetics of Cushing's Syndrome. Endocrinology and metabolism clinics of North America 2018;47:275-97.
8. Louiset E, Duparc C, Young J, Renouf S, Tetsi Nomigni M, Boutelet I, et al. Intraadrenal corticotropin in bilateral macronodular adrenal hyperplasia. The New England journal of medicine 2013;369:2115-25.
9. Stratakis CA. An update on Cushing syndrome in pediatrics. Annales d'endocrinologie 2018;79:125-31.
10. Stratakis CA. Diagnosis and Clinical Genetics of Cushing Syndrome in Pediatrics. Endocrinology and metabolism clinics of North America 2016;45:311-28.
11. Tirosh A, Valdes N, Stratakis CA. Genetics of micronodular adrenal hyperplasia and Carney complex. Presse medicale 2018.
12. Vezzosi D, Bertherat J, Groussin L. Pathogenesis of benign adrenocortical tumors. Best practice & research Clinical endocrinology & metabolism 2010;24:893-905.
13. Zennaro MC, Boulkroun S, Fernandes-Rosa F. Genetic Causes of Functional Adrenocortical Adenomas. Endocrine reviews 2017;38:516-37.
14. Zilbermint M, Stratakis CA. Protein kinase A defects and cortisol-producing adrenal tumors. Current opinion in endocrinology, diabetes, and obesity 2015;22:157-62.

CHAPTER 08

쿠싱증후군의 임상 양상과 합병증 (Clinical manifestations and complications of Cushing's syndrome)

김상완, 김정희
서울의대 내과학교실

1912년 Harvey Cushing이 처음으로 기술한 쿠싱증후군 환자는 월상안, 복부 비만, 사지 근육량 감소 및 약화, 피로감, 복부 자색 선조, 얼굴 홍조, 쉽게 멍이 드는 증상, 고혈압, 고혈당, 골다공증, 우울증, 감염 위험 증가, 월경 불순, 성기능 감소 등의 다양한 소견을 보였다. 현재는 이러한 증상들이 쿠싱증후군의 대표적인 증상으로 알려져 있다. 쿠싱증후군의 임상 양상은 개개인마다 다양하게 나타날 뿐만 아니라 단순 비만 환자 등과 같은 다른 질환에서도 비슷한 임상양상을 보일 수 있다. 이 중 가장 변별도가 높은 증상은 쉽게 멍이 드는 증상, 근력약화, 안면홍조, 자색선조이다(표 8-1). 쿠싱증후군의 임상양상은 남녀 차이가 있어서 여성보다 남성이 빨리 생기며, 더 심한 증상으로 나타난다. 또한 자색 선조, 근력 약화, 골다공증 요로 결석 등은 남성에서 더 두드러진다.

쿠싱증후군과 관련된 사망률의 증가는 다양한 합병증에 의해 발생하는 동반 질환의 직접적인 결과이다(그림 8-1). 합병증 중에서 가장 흔한 형태는 대사 증후군으로 고혈압, 내장 비만, 당대사장애, 이상지질혈증으로 나타나고 이는 심혈관계 질환

표 8-1. 쿠싱증후군의 임상 양상과 단순 비만환자와 비교시의 변별도

임상 양상	쿠싱증후군 환자의 비율(%) (한국인 자료)	단순 비만 환자와 비교시 변별도
증상		
체중 증가	91	
월경이상	84(45)	1.6
다모증	81(33)	2.8
정신증상	62(11)	
배부통(back pain)	43(18)	
근력약화	29	8.0
골절	19	
탈모	13	
징후		
비만	97	
복부비만	46(75)	1.6
전신비만	55	0.8
안면홍조	94(57)	3.0
월상안	88(80)	
고혈압	74(62)	4.4
타박상	62(36)	10.3
자색선조	56(57)	2.5
근력약화	56(43)	
발목부종	50(17)	
색소침착	4(9)	
기타		
고혈당	50	
당뇨병	13(21)	
내당능장애	37(4)	
골다공증	50(16)	
신결석	15(6)	
척추골절	−(8)	
진균감염	−(11)	

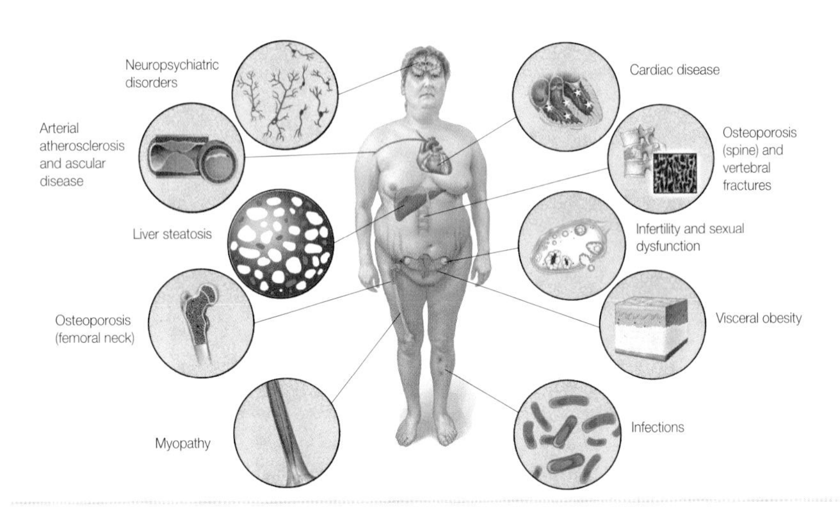

그림 8-1. 쿠싱증후군의 주요 동반 질환 및 사망과 관련된 합병증. Lancet Diabetes Endocrinol 2016;4:611-29

에 대한 위험으로 이어진다. 추가적으로 근병증, 골다공증, 골절과 같은 근골격계 질환과 인지기능장애, 조증, 우울증과 같은 신경정신학적 문제도 야기한다. 또한 면역기능 장애로 인해 심각한 감염증과 패혈증을 유발하고 치료로 혈중 코르티솔이 감소하면 면역 반동(immune rebound)이 나타나서 자가면역질환이 발생한다. 성선 기능장애가 남녀 모두에서 나타날 수 있으며 여드름, 다모증, 탈모 등과 같은 피부 질환은 여성에서는 부신 안드로겐 과잉 생산과 관련된다. 이러한 합병증은 장기간 점차 증가할 수 있으며 진단 당시뿐만 아니라 완치가 된 이후에도 지속될 수 있다.

1. 대사적 합병증

1) 당대사장애

당대사장애는 쿠싱증후군 환자의 약 27~87%에서 보고되고 이 중 당뇨는

11~47%를 차지한다. 아형별로는 이소 쿠싱증후군에서 약 74%로 가장 높게 보고된다. 연령, 성별, 체질량지수가 일치하는 대조군보다도 포도당과 인슐린 농도가 높은 점에 미루어 체중과 다른 기전이 관여할 것으로 추정하고 있다.

당질코르티코이드는 간에서 포도당생합성을 촉진하고 포도당 배출을 증가시켜서 포도당 농도를 높인다. 또한 지방조직에서는 당질코르티코이드가 인슐린 의존성 포도당수용체의 발현을 방해하여 포도당의 섭취를 감소시키고 지방전구세포의 분화를 촉진하여 지방생성을 증가시킨다. 지방조직과 골격근에서 당질코르티코이드는 아미노산 섭취를 줄이고 지질 산화와 지방 분해를 촉진하는 반면, 간에서는 지단백 분비를 촉진하여 지방산 합성을 증가시켜 지방간을 만들고 인슐린 감수성을 저해한다. 이로 인해 쿠싱증후군 환자는 당질코르티코이드에 의한 인슐린 저항성과 췌장 베타세포의 보상 기능 저하,식욕 증진 등에 의해 당대사장애를 나타낸다. 치료 후에 혈당은 호전되나 반드시 정상화되는 것은 아니다.

2) 내장 비만

체중 증가는 쿠싱증후군 환자의 약 57~100%에서 나타나며, 주로 복부, 내장 지방 축적이 두드러진다. 이러한 내장 비만은 고코르티솔증 관련 대사증후군이 나타나는데 주요한 역할을 한다. 고코르티솔증의 유병 기간과 비만 정도는 비례하며, 여성이 남성보다 체질량지수가 높다.

만성적인 고코르티솔증은 내장 지방 축적을 주로 일으키면서 복부 비만과 관련된다. 이는 코티손을 코르티솔로 전환시키는 11β-hydroxysteroid dehydrogenase type 1 (11β-HSD1)의 조직에 따른 발현차이에 의해 국소적 코르티솔의 가용성이 달라지기 때문일 것으로 추정하고 있다. 11β-HSD1 결손 마우스는 식이 유발 비만이 잘 생기지 않는 반면, 11β-HSD1 과발현 마우스에서는 대사증후군과 내장 비만이 나타난다. 당질코르티코이드는 1형과 2형 수용체에 결합하여 그 효과를 나타내는데 이 수용체의 발현이 조직마다 달라서 내장 지방과 피하 지방에 다른 작용을 나타낼 수 있다. 쿠싱증후군 환자의 내장 지방 조직은 정상인과는 구조적, 기능적으로 다른 양상을 보여 지방세포가 크고 지단백지방분해효소가 활성화되어 있으면서 지방분해능력은 감소되어 있고 지방합성은 촉진되어 있다. 또 다른 기전으로는 비정상적인 아디포카인 생성과도 관련되어 있다.

쿠싱증후군 환자에서 수술 후 발생하는 부신기능부전 기간 동안 당질코르티코이드 보충 요법이 이루어지는데, 이 시기의 과잉치료가 대사증후군을 지속시키는 원인이 될 수 있으므로 주의가 필요하다. 쿠싱증후군에서 발생하는 고혈당의 주된 기전은 인슐린 저항성이므로 인슐린 감수성을 증가시키는 약제가 혈당 조절에 유용할 것이다. 치료 후에는 호전되지만, 체중이 정상화되는 데에는 1년부터 5년까지 다양한 시간이 걸린다.

3) 이상지질혈증

이상지질혈증은 쿠싱증후군 환자의 12~72%에서 보고되며 주로 총 콜레스테롤과 저밀도지단백 콜레스테롤, 중성지방의 증가, 고밀도지단백 콜레스테롤의 감소와 관련된다. 수술적으로 완치된 후에도 1년 동안 이상지질혈증은 지속되는데 이는 주로 체중 변화와 관련될 것으로 보고 있다.

2. 심혈관계 합병증

심혈관계 합병증은 쿠싱증후군 환자의 사망 원인 중 가장 중요한 원인이다. 이는 고혈압으로 인한 만성적인 손상, 동맥경화, 심장 리모델링 및 심기능 부전과 관련된다. 당질코르티코이드 과잉에 의한 대사적, 혈역학적, 혈액응고 과정 장애가 주요 기전이며 활동기 혹은 수술 직후에는 저칼륨혈증과 정맥색전증도 주요한 요인이 된다.

1) 고혈압

고혈압은 쿠싱증후군 환자의 약 25~93%에서 나타나며, 성별 차이는 없다. 수축기와 이완기 혈압이 모두 상승하고 정상적인 야간 혈압 저하가 소실되는 것이 초기 소견이다. 당질코르티코이드 과잉에 의한 레닌-안지오텐신계, 염류코티코이드 활성도, 교감신경계, 혈관조절시스템의 항진이 주요 기전이다. 쿠싱증후군을 완전히 치료하면 고혈압은 호전되나, 25~54% 환자에서는 고혈압이 지속된다.

2) 심장 질환 및 동맥 경화

쿠싱증후군 환자는 좌심실비대와 수축기 긴장 감소, 이완기 충만 장애로 인해 심근경색 위험이 2.1배, 심부전 위험이 6배로 증가한다. 좌심실비대는 고혈압 외에도 심근 섬유화 증가 또한 심장 손상도 관여한다. 이러한 변화는 저칼륨혈증 및 QT 연장을 악화시켜 부정맥을 유발한다. 여성보다는 남성에서 더 두드러지는데, 이는 고코르티솔증에서 동반되는 남성호르몬 결핍이 악화인자로 작용하는 것으로 보인다.

죽상경화판은 쿠싱증후군 환자에서 더 빈번하게 발견되고 경동맥 내막중막 두께 또한 증가되어 있다. 인슐린 저항성, 내피세포 장애, 동맥 경직, 색전 경향, 호모시스테인 증가, 타우린 감소 등이 그 기전으로 제시되고 있다. 이러한 혈관 손상으로 인해 쿠싱증후군 환자에서 뇌졸중의 위험을 4.5배 증가시킨다.

문제는 이러한 심혈관계 변화가 성공적인 치료 후에도 일부만 가역적이라는 점이다. 혈관 내막중막 두께는 완치 후 5년 후에도 여전히 두꺼워져 있는데, 이는 내장지방과 인슐린 저항성과 밀접한 관련성을 가지며, 치료 후에도 지속되는 고혈압의 원인이 된다.

3) 혈전색전증

정맥 혈전색전증의 위험은 쿠싱증후군 환자에서 10배 이상 증가하며 쿠싱증후군 환자의 6~20%에서 보고되고 주로 수술 직후에 잘 나타난다. 쿠싱증후군 환자에서는 factor VIII, 피브리노겐, von Willebrand factor의 증가, 활성화 부분 트롬보플라스틴 시간의 단축, 혈소판, 트롬복산 B2, 트롬빈-항트롬빈 복합체 증가가 주로 나타난다. 응고 인자에 대한 보상작용으로 내인성 혈관 응고 억제제의 활성도도 증가하며 섬유소 분해능은 감소한다. 이러한 지혈 장애는 치료 후 호전되나 완전히 정상화되지 않는데, 이는 만성 내피세포 장애와 동맥경화가 관여하는 것으로 추정한다.

수술 후 항혈전증 예방책이 혈전색전증 위험을 20%에서 6%까지 낮추어주므로 수술 직후 일상적인 항혈전 예방책이 중요하다. 또한 혈소판 활성도도 보고되므로 일부에서는 항혈소판제의 장기 투약도 고려된다.

4) 부정맥

저칼륨혈증은 심한 쿠싱증후군일수록 두드러지게 나타나는데, 당질코르티코이드 과잉이 11β-HSD2를 포화시켜서 염류코티코이드 수용체를 활성화시켜서 나타난다. 심전도에서는 QT 간격 연장과 관련되는데, 이는 심실상빈맥과 치명적인 심실빈맥을 일으킬 수 있다. 따라서 저칼륨혈증이 있는 경우 저마그네슘혈증을 확인하고 교정하는 것이 중요하다.

3. 근골격계 합병증

1) 골다공증과 골절

쿠싱증후군 환자의 64~100%에서 골 약화가 나타나는데, 골감소증이 40~78%, 골다공증이 22~57%, 골절이 11~76%에서 나타난다. 쿠싱증후군 환자에서 골밀도가 감소하여 진단받기 2~3년 전부터 쇠약 골절 발생이 증가한다. 뇌하수체 쿠싱증후군보다는 부신 쿠싱증후군에서 골다공증 유병률이 높게 보고되고 이소 쿠싱증후군 환자에서 더 두드러지게 골밀도가 감소하고 척추 골절 유병률이 높다. 이는 부신 안드로겐 억제 혹은 질환의 중증도가 골 상태에 영향을 줄 수 있다고도 하지만, 다른 연구에서는 아형별로 차이가 없음을 보고한 바도 있다. 여성보다 남성에서 골다공증, 척추 골절 유병률이이 높은데 이는 테스토스테론 결핍과 관련될 것으로 추정한다. 무월경인 여성과 정상 월경을 하는 여성은 비슷한 골밀도와 골절 유병률을

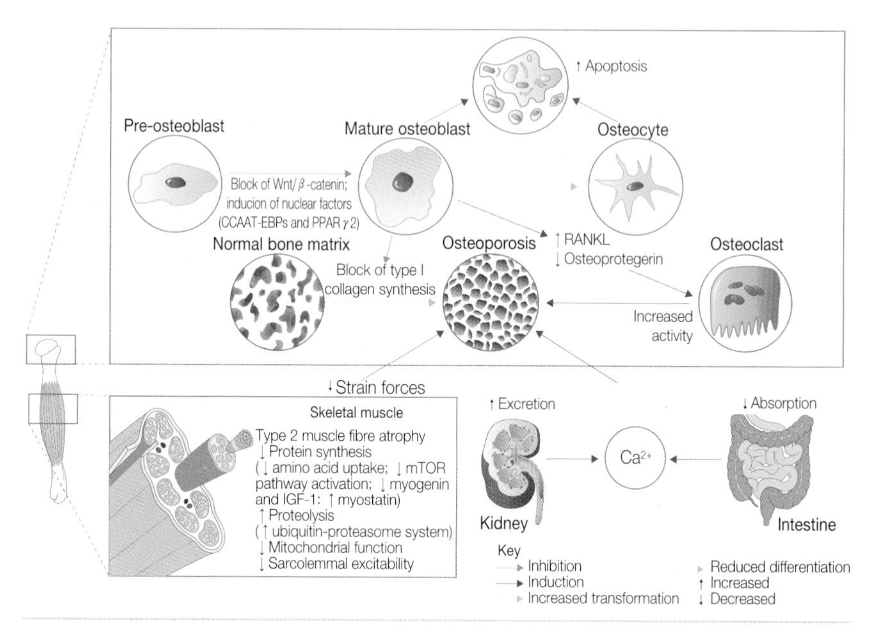

그림 8-2. 쿠싱증후군 환자에서 골대사 이상의 기전. Lancet Diabetes Endocrinol 2016;4:611-29

나타내어 고코르티솔증의 악영향이 에스트로겐의 골 영향을 능가하는 것으로 판단한다.

당질코르티코이드 과잉은 다양한 기전을 통해 골대사에 영향을 준다(그림 8-2). 당질코르티코이드는 직접적으로는 골흡수와 골형성의 비결합(uncoupling)과 간접적으로는 칼슘 대사 장애와 뇌하수체 호르몬 분비 방해를 통해 골대사에 영향을 준다. 근육 이화 작용 역시 근육을 약화시켜 골에 대한 자극을 약화시킨다. 당질코르티코이드는 조골세포 분화와 기능은 억제하고 조골세포와 골세포의 자멸사를 촉진하며 파골세포의 활성을 촉진하고 수명을 연장시켜서 골형성과 골흡수 사이의 불균형을 초래한다. 당질코르티코이드 수용체에 N363S염기다형성이 있는 환자와 11β-HSD1 활성도가 높은 사람은 당질코르티코이드에 의한 골 손상이 더 잘 나타난다.

쿠싱증후군 관해 후에는 골밀도의 증가 소견을 보이는데 부신 쿠싱증후군 환자에서는 관해 후 3개월째 요추 골밀도는 증가하나 대퇴골 골밀도는 변화가 없고 6개월은 지나야 골밀도의 변화를 보인다. 수술 후 1년 이상 추적 관찰한 연구들에서는 지속적으로 골밀도 상승 소견을 보이는데 대퇴골이 요추보다 반응이 느렸고 골밀도는 평균 71개월은 지나야 정상화되었다. 따라서 고코르티솔증에 의한 골 손상은 시간이 오래 걸리기는 하지만 가역적이라는 점을 보여주는데 당질코르티코이드 보충 용량이 많을수록 요추 골밀도가 낮아지므로 과잉 치료를 하지 않도록 주의가 필요하다. 완치 후 골밀도의 호전은 여성보다 남성에서 두드러진다.

골 손상이 적은, 골절력이 없고 폐경전 여성, 50세 이전 남성 환자는 칼슘과 비타민 D만 보충하고 심한 고코르티솔증, 대퇴부와 척추 골절 병력이 있으면서 70세 이상인 경우는 비스포스포네이트, 테리파라티드, 데노수맙과 같은 약제를 투약하여 적극적으로 치료할 것을 권하고 있다.

2) 근병증

쿠싱증후군 환자의 42~84%에서 근병증이 발견되는데, 주로 하지의 근위부가 영향을 더 많이 받고 회복하는 데에는 수개월에서 수년까지 소요된다. 근병증의 빈도는 이소성에서 더 높고 남성에서 더 많이 나타난다.

당질코르티코이드 과잉은 제2형 근섬유 위축, 단백질 합성 저해 및 단백질 분해 촉진을 통해 골격근의 구조와 기능에 영향을 준다. 국소 성장인자인 인슐린 성장인자-I의 억제, 마이오스타틴 분비 촉진, 미토콘드리아 기능 및 근섬유막 활성도 장애 역시 근병증을 악화시킨다.

근골격계 통증과 급성 양측 손목터널증후군은 관해 후 코르티솔 중단 증상의 대표적인 예이다. 치료 후 근병증의 가역성 여부와 적절한 치료에 대해서는 연구가 더 필요하다.

4. 면역계와 감염 합병증

쿠싱증후군은 활동기에는 면역력을 억제시켜서 감염에 취약하게 하지만 치료가 된 후에는 면역 반동 현상을 일으켜서 자가면역질환의 악화를 초래한다. 당질코르티코이드 과잉은 고혈당과 혈관 손상 등으로 숙주의 방어 체계를 방해하고 선천 면역의 세포면역과 체액 면역에 모두 영향을 준다. 실제로 당질코르티코이드는 중성구의 작용, 호산구와 단핵구 생성, 대식세포의 분화, 단핵세포 작용을 방해해서 세포면역력을 약화시킨다. 체액면역의 방해는 림프구 증식, 염증성 사이토카인과 보체 요소들을 약화시키면서 나타난다. 항원 표지 수지상세포의 억제로 T 세포 성숙과 B 세포 발달에도 영향을 주어 획득 면역도 약화시킨다. 당질코르티코이드는 세포면역을 매개하는 Th1 세포 반응을 억제하여 기회감염에 대한 감수성을 높이고 체액면역의 조절자인 Th2 세포 반응을 촉진하여 자가면역 질환 발생 위험을 높인다. 이러한 Th1/Th2 불균형이 조절되지 않는 면역반응과 치료 후 면역 반동 현상을 초래한다.

1) 감염 질환

쿠싱증후군 환자의 면역력 약화는 기회감염의 위험을 높이고 이는 높은 사망률로 이어진다. 감염 질환의 유병률은 쿠싱증후군 환자의 21~51%까지 보고되는데 유병 기간과 중증도와 연관된다. 진단 전에는 감염의 위험이 2.4배 증가하고 수술 후 3개월 동안 38배까지 가장 심하게 증가한다. 특히 침습적인 감염에 대한 감수성은 쿠싱증후군의 중증도와 연관되나, 당질코르티코이드의 항염증작용으로 활동기에는 잘 드러나지 않는다. 백혈구수치나 발열 여부는 감염 여부를 판단하는데 도움이 되지 않으며, 코르티솔의 농도가 심한 감염의 가장 좋은 예측 인자이다.

가장 흔한 감염 질환은 지역사회 획득과 병원 세균감염이고 진균 감염도 비교적 흔하다. 특히 광범위 항생제에 반응하지 않는 감염인 경우에는 침습적인 진균 감염을 꼭 염두에 두어야 한다. 또한 바이러스 감염의 심한 형태도 흔하게 동반되어 잘 낫지 않을 수 있다. 고코르티솔증이 해결된 후 코르티솔의 항염증작용 때문에 무증상이던 기회감염이 창궐할 수 있다. 특히 Pneumocystis jirovecii 감염에 대한 일차 예방 목적으로 co-trimoxazole투약은 코르티솔이 매우 높은 모든 환자에서 권고된다. 그럼에도 기회감염의 성공적인 치료는 종종 코르티솔의 정상화의 속도에 좌우된다.

2) 자가면역질환

쿠싱증후군 환자의 활동기에는 유병률이 0~20%, 관해기에는 60%까지 높은 빈도로 보고되었다. 자가면역질환의 범위는 다양한데, 갑상선 자가면역 질환이 10~60%로 가장 흔하게 보고되어서 치료 후 6개월은 이에 대한 모니터링이 필요하다.

5. 생식 장애

쿠싱증후군에서 생식 장애는 매우 흔하게 나타나며 성욕감퇴(24~90%), 남성 성선기능저하증(43~80%), 여성 월경 장애(43~80%)가 가장 흔한 임상양상이며, 후자는 뇌하수체 쿠싱증후군에서 더 흔히 동반된다. 불임도 중요한 문제인데 쿠싱증후군 여성은 질환 때문에 임신을 원하지 않는 경우가 많아서 빈도 자체가 과소평가되고 있다. 만성 고코르티솔증은 성선자극호르몬분비호르몬과 성선자극호르몬의 분비를 막고 내장 지방과 지방간은 성호르몬 대사 및 성호르몬결합단백질 감소 및 안드로겐 과잉과 연관된다. 지방조직에서 약한 안드로겐 활성도를 띠는 전구체들이 생성되어 시상하부-뇌하수체 축의 피드백을 억제시킬 수 있다. 당질코르티코이드는 직접 성선에 영향을 주어 성호르몬의 생성을 억제하고 세포 자멸을 초래한다.

여성에서 쿠싱증후군의 임상 양상은 다낭난소증후군과 유사하여 처음에는 감별진단이 어려울 수 있다. 쿠싱증후군과 다낭성난소증후군은 종종 함께 동반될 수 있지만 쿠싱증후군 환자의 난소는 성선자극호르몬 자극의 부족으로 다낭성 난소와는 다른 특징을 보이는데, 원시 난포의 감소, 피질 간질 증식과 황체화 결핍 소견을 보인다. 또한 고농도의 테스토스테론을 분비할 수 있는 부신 선암을 배제하는 것도 중요하다. 쿠싱증후군 활동기 동안에는 혈전색전증 위험이 높아서 여성호르몬 보충은 권하지 않고 치료가 종료한 후에도 성선 기능이 회복되지 않는다면 고려해야 한다. 보통은 관해 후 성선 기능은 회복하여 정상 임신이 가능해진다. 드물지만 임신한 쿠싱증후군 환자는 고혈압, 고혈당, 전자간증, 골다공증과 골절, 신경정신병, 심부전, 상처 감염, 산모 사망 등의 심각한 문제를 초래할 수 있다. 태아 합병증으로는 미숙아가 가장 흔하고(43%) 성장 지연, 사산, 자연 유산, 부신기능부전 등의 문제가 생긴다. 현재까지 150례의 쿠싱증후군 환자의 임신이 보고되어 있는데 이 중 60%는 부신 쿠싱증후군이다. 이 경우 일차 치료는 즉각적인 수술적 치료이다.

남성에서 쿠싱증후군의 임상 양상은 이차성선기능저하증 양상이 함께 나타나고 정자감소증과 발기 부전이 흔히 관찰된다. 활동기에는 혈장 테스토스테론과 성선자극호르몬은 감소하고 관해 후에는 정상화된다. 성선기능저하증은 가역적이나 치료 3개월 내에도 테스토스테론이 정상화되지 않으면 골격 보호 목적으로 테스토스테론 보충이 필요하다.

6. 신경정신장애

신경정신장애는 쿠싱증후군의 심한 합병증으로 활동기와 관해기 모두에서 나타날 수 있다. 가장 흔한 신경정신장애은 주요 우울증(50~81%), 불안 장애(66%), 양극성 장애(30%)가 있다. 당질코르티코이드 수용체가 풍부한 해마, 편도체, 전전두엽과 같은 대뇌 부위가 장기간 코르티솔 과잉에 노출되면 구조적 기능적 변화를 일으켜서 감정과 인지기능 장애를 초래한다.

관해 후에는 이러한 신경정신장애 호전되지만 완전히 회복되는 것은 아니면 비가역적인 장애를 남기게 된다. 관해 후에 우울증이나 불안 장애는 부신기능부전 혹은 보충호르몬 과잉 등에 의해 증상이 오히려 악화될 수 있다. 따라서 코르티솔의 정상화뿐만 아니라 신경정신학적 치료도 함께 병행해야 한다.

7. 피부질환

피부 질환 역시 쿠싱증후군 환자의 60~90%에서 나타난다. 피부 이상 소견은 자색 선조, 얼굴 홍조, 멍, 상처 치유 지연, 다한증, 색소 침착, 흑색극세포종, 여드름, 다모증, 탈모 등이 있다. 자색 선조는 남자에서 더 흔하고 여드름과 반상 출혈은 남녀 차이가 없다.

당질코르티코이드는 각질세포와 진피 섬유모세포의 증식을 방해하고 콜라겐과 점액다당류의 합성과 교체를 억제하여 피부 위축과 혈관 취약성을 초래한다. 이는 표피와 진피 두께가 얇아지는 것과 상처 지연, 자색 선조, 점상 출혈, 반상 출혈과 연관된다. 부신 안드로겐은 다모증, 여드름, 탈모의 가장 흔한 원인으로 단백질 이화작용의 증가로 모낭 손상과 탈모로 이어진다. 얼굴 다혈증은 적혈구증다증과 모세혈관확장증과 연관된다. ACTH 의존 쿠싱증후군에서 높은 ACTH가 멜라닌자극호르몬 수용체에 결합하여 피부 착색을 유도한다. 흑색극세포종은 고인슐린혈증에 의해 나타나고 인슐린 저항성을 반영하며 이상지질혈증과 함께 여드름을 발생시킨다. 관해 후 색소 침착은 호전되지만, 일부 피부 질환들은 평생 지속되어 피부과 전문적인 치료가 필요할 수 있다.

8. 기타

안과적 합병증으로 양측 비전형적 중앙 장액 맥락망막병증과 안구 돌출이 드물게 나타난다. 쿠싱증후군 환자에서는 안구 내 지방 축적이 이루어져서 나타나는 것으로 그레이브스병에서 나타나는 염증세포의 침윤과는 다르다.

신석회화 또한 흔한 쿠싱증후군 합병증으로 관해 후에도 지속된다. 이는 고혈압과 고요산뇨증, 고칼슘뇨증에 의해 나타나는 것으로 추정된다.

9. 사망

쿠싱증후군의 사망률은 흔히 심혈관계 혹은 감염성 질환에 의하며, 심근경색, 뇌졸중, 혈전 색전증, 패혈증, 자살로 인한 사망이 가장 많이 보고된다. 주로 초기 치료에 실패한 경우 사망률이 가장 높으며 수술 후 코르티솔이 정상화된 경우 표준사망비는 0.98~9.3배로 다양하게 보고되고 있다. 사망 위험 인자는 진단 당시 고연령, 질환 유병 기간, 당뇨와 고혈압과 같은 합병증의 동반 유무이다.

최근 메타분석에 의하면 쿠싱병의 전체 표준사망비는 1.4배 높고 재발하거나 잔존 종양이 있는 경우는 3.7배까지 높게 보고되었다. 따라서 쿠싱병 환자는 수술적 관해를 달성하는 것이 조기 사망을 줄이는 데에 가장 중요하다. 부신 쿠싱증후군의 경우 부신 선종은 표준사망비는 1.4~7.5배, 양측 부신 증식증인 경우는 1.4~12배로 다양하게 보고되고 있다. 부신 선암인 경우는 매우 나쁜 예후를 보여서 표준사망비는 무려 48배에 이른다. 이는 주로 암의 진행 혹은 폐색전증에 의한 것이다. 이소 쿠싱증후군에서는 표준사망비가 13.3~68.5배로 높으며 이는 주로 악성 종양에 의한 경우가 많기 때문이다.

쿠싱증후군 환자들은 심각한 합병증과 높은 사망률을 보이므로 효과적인 치료로 코르티솔 분비를 정상화하는 것이 중요하다. 또한 질환의 유병 기간이 사망률과 이환율에 비례하므로 즉각적인 진단과 치료가 이루어져야 한다. 쿠싱증후군 관해 후에도 합병증은 잔존할 수 있으므로 치료 이후에도 합병증에 대한 전반적인 평가와 치료는 지속되어야 한다.

참고문헌

1. 김성연 외. 민헌기 임상내분비학. 제3판.서울:고려의학;2016;303-16.
2. 대한내분비학회 한국인 내분비질환 증례연구위원회. 한국 성인 쿠싱증후군 환자현황 및 임상양상. 대한내분비학회지 2000;15:31-45.
3. Hur KY, Kim JH, Kim BJ, et al. Clinical Guidelines for the Diagnosis and Treatment of Cushing's Disease in Korea.Endocrinol Metab 2015;30:7-18.
4. Nieman LK, Biller BM, Findling JW, et al. Treatment of Cushing's Syndrome: An Endocrine Society Clinical Practice Guideline.J Clin Endocrinol Metab 2015;100:2807-31.
5. Ntali G, Grossman A, Karavitaki N. Clinical and biochemical manifestations of Cushing's. Pituitary 2015;18:181-7.
6. Pivonello R, Isidori AM, De Martino MC, et al.Complications of Cushing's syndrome: state of the art. Lancet Diabetes Endocrinol 2016;4:611–29.
7. Pivonello R, Simeoli C, De Martino MC, et al. Neuropsychiatric disorders in Cushing's syndrome. Front Neurosci 2015;20:129.
8. Scillitani A, Mazziotti G, Di Somma C, et al. Treatment of skeletal impairment in patients with endogenous hypercortisolism: when and how?Osteoporos Int 2014;25:441-6.
9. Sharma ST, Nieman LK, Feelders RA.Comorbidities in Cushing's disease. Pituitary 2015;18:188–94.
10. Webb SM, Valassi E. Morbidity of Cushing's Syndrome and Impact of Treatment. Endocrinol Metab Clin North Am 2018;47:299-311.

CHAPTER 09

쿠싱증후군의 진단
(Diagnosis of Cushing's syndrome)

허규연 성균관의대 내과학교실
서성환 동아의대 내과학교실

쿠싱증후군의 진단검사는 과도한 코르티솔 분비와 저하된 음성되먹임기전(negative feedback mechanism)을 확인하는 것을 목표로 한다. 쿠싱증후군의 진단과정은 몇 단계로 나누어 생각할 수 있다.

첫째, 의인 쿠싱증후군을 배제하기 위해서 환자의 스테로이드 치료 과거력에 대한 확인이 필요하다.

둘째, 8장에 설명된 임상소견들로부터 쿠싱증후군이 의심되는 경우, 선별검사 및 확진검사를 통해 내인고코르티솔증이 있다는 것을 확인해야 한다. 선별 및 확진검사는 뇌하수체-부신축(pituitary-adrenal axis)에 영향을 줄 수 있는 스트레스나 병리적인 상황을 통제한 환경하에서 시행하는 것을 권장한다.

마지막으로, 내인고코르티솔증이 확인되었다면 병소확인, 즉 원인질환을 국소화(localization)해야 한다.

1. 내인고코르티솔증의 진단

임상적으로 쿠싱증후군이 의심되는 환자의 경우 아래 4개의 검사 중 1개를 시행하여 정상이 나오면 배제가 가능하나, 비정상인 경우 1개 이상의 검사를 추가로 시행하여 2개의 검사에서 비정상이 나오면 쿠싱증후군을 진단하게 된다(그림 9-1). 의인 쿠싱증후군을 제외한 다른 원인의 쿠싱증후군에서는 혈장과 소변의 코르티솔 농도가 증가된다. 아래의 선별검사들은 모두 쿠싱증후군의 생리학적 이상을 반영한 검사들이다. 따라서 각각의 검사방법들은 상호보완적이며 하나 이상의 검사를 시행하는 것이 진단에 매우 유용하다.

(1) 24시간 소변 유리 코르티솔

(2) 하룻밤 1 mg 덱사메타손 억제검사

(3) 48시간 저용량덱사메타손 억제검사

(4) 자정 혈중 또는 타액 코르티솔

1) 24시간 소변 유리 코르티솔

24시간 소변 유리 코르티솔의 측정은 민감도가 높은 검사 방법으로 쿠싱증후군의 진단에 매우 유용한 방법이다. 정상적으로 체내에 분비된 코르티솔의 1% 이하만이 유리 코르티솔의 형태로 소변으로 배출된다. 그러나 쿠싱증후군의 경우 혈중 코르티솔의 양이 코르티솔결합글로불린(cortisol-binding globulin, CBG)의 결합 능력을 초과하게 된다. 일반적으로 요중 유리 코르티솔 배설의 정상 농도는 20-70 μg/24시간이며, 검사 방법에 따라서 차이가 있다. 또한 신기능이 감소한 만성 신장 질환자에서는 그 결과를 신뢰하기 어렵다. 사구체 여과율이 <60 mL/min 인 경우에는 소변 유리 코르티솔이 감소될 수 있다. 측정 검사 오류를 최소화하기 위해서 최소한 2~3차례 이상 검사를 시행하는 것이 필요하다. 또한 심리적, 육체적 스트레스 상태로 인해 생리적 고코르티솔증인 경우와 가성 쿠싱증후군(pseudo-Cushing's syndrome)을 유발하는 우울증, 비만의 경우 정상의 2~3배까지도 증가할 수 있어

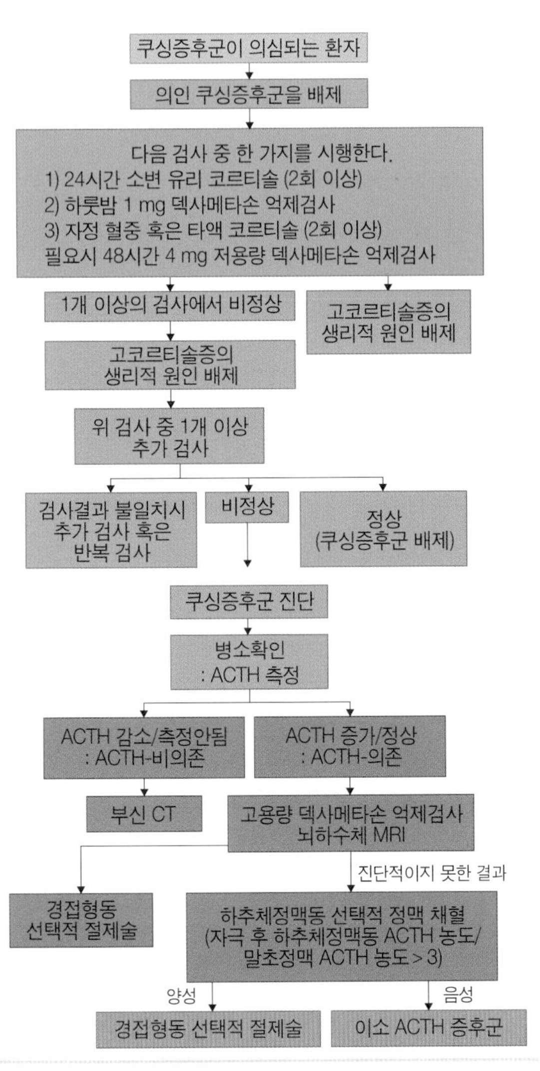

그림 9-1. 쿠싱증후군이 의심되는 환자의 진단을 위한 순서도

이 경우는 덱사메타손 억제검사가 진단에 더 유용하다.

소변 수집의 적절성을 평가하기 위해서 소변 코르티솔과 함께 소변 크레아티닌을 측정해야 한다. 50세 이하의 성인에서 24시간 소변크레아티닌은 남성에서 20~25 mg/kg, 여성에서 15~20 mg/kg 이상이어야 한다. 제대로 수집이 되지 않은 경우 다시 검사를 시행해야 한다. 24시간 소변 수집을 시행하는 경우, 검사별 정상 상한치의 3배 이상으로 상승된 경우에 쿠싱증후군을 의심할 수 있다. 입원환자에서 적절하게 유리 코르티솔을 수집한 경우에는 민감도와 특이도가 하룻밤 1 mg 덱사메타손 억제검사가 더 높다는 보고도 있다.

2) 하룻밤 1 mg 덱사메타손 억제검사와 48시간 저용량 덱사메타손 억제검사

쿠싱증후군이 의심되는 환자에게 외래에서 간단히 시행할 수 있는 편리한 검사로서, 덱사메타손 1 mg 을 밤 11시~12시 사이에 복용하고 다음 날 오전 8시에서 9시 사이에 혈장 코르티솔 농도를 측정한다. 혈장 코르티솔 농도가 <1.8 μg/dL 이면 쿠싱증후군 배제가 가능하며, 1.8 μg/dL 이상이면 쿠싱증후군을 시사한다. 1.8 μg/dL 을 기준하는 경우 95%의 높은 민감도를 보여 효과적인 배제는 가능하지만 특이도가 낮아서 필요시 추가적인 검사가 필요하다. 비만, 우울증, 알코올 중독증 환자의 경우에는 억제검사에서 억제가 되지 않아서 결과 해석에 좀 더 주의가 필요하다.

48시간 저용량 덱사메타손 억제검사는 덱사메타손 0.5 mg 을 6시간마다 하루 2 mg, 48시간 동안 총 4 mg 을 경구로 복용한 후 다음날 오전 8시에서 9시 사이에 혈장 코르티솔 농도를 측정한다. 1.8 μg/dL 을 기준으로 하는 경우 1% 미만의 위양성을 보여 확진 검사로 유용하게 사용될 수 있다.

페니토인(phenytoin), 리팜피신(rifampicin), 바르비튜레이트(barbiturate) 등 덱사메타손의 대사를 증가시켜 덱사메타손에 의한 코르티솔 억제가 일어나지 않게 하여 위양성을 보일 수 있어 해석에 주의가 필요하다. 이 검사 역시 혈장 총 코르티솔을 측정함으로써 임신 중이거나 경구 피임제, 에스트로겐 보충 요법시코르티솔결합글로블린을 증가시켜 혈장 총 코르티솔 농도를 증가시켜서 위양성을 보일 수 있다. 실제 경구 피임제를 복용 중인 여성의 50%에서 하룻밤 덱사메타손 억제검사에

표 9-1. 쿠싱증후군 진단을 위한 검사에 영향을 주는 약물과 상황

CYP 3A4를 유도해서 덱사메타손 대사를 증가시키는 약물
Phenobarbital, Phenytoin, Carbamazepine Primidone, Rifampin, Rifapentine Ethosuximide, Pioglitazone
CYP 3A4를 방해해서 덱사메타손 대사를 방해하는 약물
Aprepitant/fosaprepitant Itraconazole, Ritonavir Fluoxetine, Dilitazem, Cimetidine
코르티솔결합글로블린을 증가시켜서 코르티솔 결과를 높게 나오게 하는 약물
Estrogen Mitotane
소변 유리코르티솔 결과를 증가시키는 약물
Carbamazepine(증가시킴) Fenofibrate (HPLC로 측정할 경우 증가) 일부 합성 당질코르티코이드(immunoassays) 11β-HSD2를 억제하는 약물(licorice, carbenoxolone)
기타 위양성 결과를 나타낼 수 있는 경우
우울증 격렬한 운동 알코올 중독증 조절되지 않는 당뇨병 임신, 경구피임약 사용 고도 비만, 수면 무호흡증 급성 또는 만성질환, 스트레스 영양결핍, 신경성 식욕부진(anorexia nervosa)

서 위양성 결과를 보인다(표 9-1). 위와 같은 다양한 상황에서 경미하게 비정상적인 검사 결과를 해석할 경우에는 상기 약물과 상황을 배제하고 다시 검사를 시행하거나 감안해서 판단해야 한다.

임신 중에는 쿠싱증후군을 진단하는 것은 매우 어렵다. 특히, 임신 2~3기에는 소변의 유리 코르티솔이 3배 정도 증가할 수 있어 쿠싱증후군의 진단기준과 겹치게

된다. 또한 혈중 코르티솔결합글로블린이 증가하여 혈중 총 코르티솔의 농도도 증가하게 된다. 따라서 덱사메타손에 의한 억제 정도도 비임신시에 비해 감소한다. 임신 중 쿠싱증후군의 진단에 대해서는 18장에서 자세하게 다룰 예정이다.

3) 자정 혈중 또는 타액 코르티솔

정상적으로 혈중 코르티솔은 하루주기리듬(circadian rhythm) 때문에 이른 아침에 가장 높은 농도(6.5~25.4 μg/dL)를 보이고 자정에 가장 낮은 농도(<3.6 μg/dL)를 보인다. 이러한 혈중 코르티솔의 하루주기리듬은 쿠싱증후군에서 소실되어 이른 아침 코르티솔 농도는 변화가 없으나 한밤중 코르티솔 농도(환자가 깨어 있는 상태에서 밤 10시~12시 사이에 측정)가 증가하는 경향을 보인다. 이러한 이유로 오전 중 무작위로 시행한 코르티솔 농도는 진단적 가치가 없으며 자정 혈중 코르티솔 농도가 >7.5 μg/dL 인 경우 쿠싱증후군을 시사한다.

하지만 다른 동반 질환, 심리적 스트레스 상태, 채혈 등의 생리적 고코르티솔증을 유발할 수 있는 경우 위양성 소견을 보일 수 있어 해석에 주의가 필요하다. 혈중에 코르티솔은 단백과 결합한 결합형과 결합하지 않는 유리형으로 존재하며 유리형은 전체 코르티솔의 5~10%에 불과하나 생물학적 활성을 나타낸다. 그러나 현재 유리 코르티솔 측정이 가능한 검사실은 드물며 대부분의 검사실에서는 혈중 총 코르티솔을 측정하게 된다. 자정 혈중 코르티솔 측정은 밤에 채혈하여야 하는 어려움과 유리 코르티솔을 반영하지 못한다는 단점 때문에 쿠싱증후군 진단에는 자정 타액 코르티솔(midnight salivary cortisol) 측정이 선호된다.

타액 속의 코르티솔은 유리 코르티솔 형태로 존재하며 혈중 유리 코르티솔 농도를 반영한다. 여러 연구에서 쿠싱증후군 진단에 있어 자정 타액 코르티솔 농도 0.13 μg/dL (3.6 nmol/L)을 기준으로 하는 경우 95% 이상의 특이도를 보이고 있다. 타액은 쉽게 채취가 가능하고 타액내코르티솔은 상당 기간 안정적이므로 외국에서는 타액 코르티솔 측정을 쿠싱증후군 진단에 자주 사용하고 있으나 현재 국내에서는 실제 임상에서 아직 사용되고 있지 않다.

혈중과 타액 코르티솔 농도 검사는 하루주기리듬에 따라서 최소한 두 차례 이상 시행해야 한다.

2. 감별진단

가성 쿠싱증후군은 비만, 알코올중독증, 우울증, 모든 종류의 급성질환 등에서 관찰된다. 경증의 쿠싱증후군과 가성쿠싱증후군을 감별하는 검사법으로 다음의 3가지가 있는데, 이 중 1가지 이상을 이용해서 감별할 수 있다. 첫 번째로 표준 2일 저용량 덱사메타손억제검사 시 혈장 코르티솔 농도는 민감도 및 특이도가 매우 높다. 두 번째로 CRH 자극검사를 들 수 있는데, CRH 자극검사 단독으로는 유용성이 별로 없지만, 저용량 덱사메타손 억제검사와 병행할 경우 감별진단을 할 수 있다. 마지막으로 자정에 혈중 코르티솔을 환자가 깨어 있는 상태에서 측정을 했을 때 7.5 μg/dL 을 기준으로 하면 저용량덱사메타손 억제검사와 유사한 정도의 예측치를 보일 수 있다. 급성기 질환이 있을 경우 스트레스(통증이나 발열 등)로 인해 ACTH 분비의 정상적인 조절이 이루어지지 않아 덱사메타손에 억제가 되지 않을 수 있다. 의인 쿠싱증후군은 신체검사 소견으로는 감별할 수 없는 경우가 많고, 소변이나 혈액의 코르티솔기저치가 낮게 측정되는 것으로 확인할 수 있다. 또 다른 방법으로는 2차적으로 코르티솔 분비를 증가시킬 수 있는 환자의 상황이나 질환을 치료하고 코르티솔 분비가 정상화되는지 재확인해 볼 수 있다.

마지막으로 신체검사에서 명백한 쿠싱증후군의 임상소견을 가진 환자들에서 제대로 수집한 24시간 소변 유리 코르티솔이 정상 범위를 보이는 경우, 주기 쿠싱증후군(periodic/Cyclic Cushing's syndrome)을 감별하기 위해서 한 달 내에 수차례 연속 검사를 시행하여 감별할 필요가 있다. 만약 이러한 경우에도 진단을 하지 못할 때는 1년에 걸쳐서 수차례 연속 검사를 시행해 볼 수 있다.

참고문헌

1. Bansal V, El Asmar N, Selman WR, Arafah BM. Pitfalls in the diagnosis and management of Cushing's syndrome. Neurosurgical focus 2015;38:E4.
2. Findling JW, Raff H. DIAGNOSIS OF ENDOCRINE DISEASE: Differentiation of pathologic/neoplastic hypercortisolism (Cushing's syndrome) from physiologic/non-neoplastic hypercortisolism (formerly known as pseudo-Cushing's syndrome). European journal of endocrinology 2017;176:R205-R216.
3. Hong AR, Kim JH, Hong ES et al. Limited Diagnostic Utility of Plasma Adrenocorticotropic Hormone for Differentiation between Adrenal Cushing Syndrome and Cushing Disease. Endocrinology and metabolism 2015;30:297-304.
4. Hur KY, Kim JH, Kim BJ, Kim MS, Lee EJ, Kim SW. Clinical Guidelines for the Diagnosis and Treatment of Cushing's Disease in Korea. Endocrinology and metabolism 2015;30:7-18.
5. Jang YS, Lee IS, Lee JM, Choi SA, Kim GJ, Kim HS. Diagnosis of cyclic Cushing syndrome using the morning urine free cortisol to creatinine ratio. The Korean journal of internal medicine 2016;31:184-7.
6. Lacroix A, Feelders RA, Stratakis CA, Nieman LK. Cushing's syndrome. Lancet 2015;386:913-27.
7. Loriaux DL. Diagnosis and Differential Diagnosis of Cushing's Syndrome. The New England journal of medicine 2017;376:1451-9.
8. Lynnette K. Nieman, Beverly M. K. Biller, James W. Finding, John Newell-Price, Martin O. Savage, Paul M. Stewart, Victor M. Montori. The Diagnosis of Cushing's Syndrome; An Endocrine Society Clincal Practice Guideline. The Journal of Clinical Endocrinology & Metabolism, Volume 93, Issue 5 2008:1526-1540.
9. Nieman LK. Cushing's syndrome: update on signs, symptoms and biochemical screening. European journal of endocrinology 2015;173:M33-8.
10. Nieman LK. Recent Updates on the Diagnosis and Management of Cushing's Syndrome. Endocrinology and metabolism 2018;33:139-46.
11. Pappachan JM, Hariman C, Edavalath M, Waldron J, Hanna FW. Cushing's syndrome: a practical approach to diagnosis and differential diagnoses. Journal of clinical pathology 2017;70:350-9.
12. Pivonello R, De Leo M, Cozzolino A, Colao A. The Treatment of Cushing's Disease. Endocrine reviews 2015;36:385-486.

CHAPTER 10

쿠싱증후군의 감별진단
(Differential diagnosis of Cushing's syndrome)

임정수, 정춘희
연세원주의대 내과학교실

쿠싱증후군이 확진된 환자에서 원인을 찾아내는 과정은 환자의 치료 및 예후를 결정하는 매우 중요한 단계이다. 내인 쿠싱증후군의 가장 흔한 원인인 쿠싱병을 정확하게 감별 진단할 수 있는 단독 검사가 아직 없으므로 한 가지 검사 결과만으로 진단하는 것은 큰 오류를 범할 수 있다. 따라서 혈장 부신피질자극호르몬(adreno-corticotropic hormone, ACTH), 안장 자기공명영상, 고용량 덱사메타손 억제검사, 하룻밤 8 mg 덱사메타손 억제검사, 하추체정맥동채혈(inferior petrosal sinus sampling) 등의 검사 결과를 종합적으로 해석하고 신중하게 진단할 필요가 있다.

1. 혈장 ACTH

쿠싱증후군이 확진된 환자에서 감별진단을 위한 첫 단계는 혈장 ACTH 수치를 확인하는 것이다. 일반적으로 혈장 ACTH가 정상 혹은 상승된 경우에는 ACTH 의존 쿠싱증후군의 대표적인 원인인 ACTH 분비 뇌하수체종양과 이소 쿠싱증후군의 가능성을, 혈장 ACTH 수치가 정상보다 낮거나 측정이 안 될 정도로 억제된 경우에는 편측 부신덩이나 양측부신병 등의 부신 원인으로 인한 쿠싱증후군을 우선적으로 생각해볼 수 있다. 그러나 Ilias 등은 이소 쿠싱증후군 환자의 약 32% 가량에서 ACTH가 정상 수치였음을 보고한 바 있으며 부신 원인의 쿠싱증후군 환자에서도 낮은 정상 수치의 ACTH를 보이기도 하므로 혈장 ACTH가 10~20 pg/mL 사이에 있는 환자의 경우 감별진단 시 주의가 필요하다. 최근 Hong 등의 연구에서도 우리나라 부신 쿠싱증후군 환자의 상당수가 쿠싱병 환자들과 혈장 ACTH 수치가 정상 범위에서도 겹치는 것으로 나타나 혈장 ACTH만으로 쿠싱증후군의 원인을 정확히 구분하는 데 한계가 있음을 제시한 바 있다. 코르티솔 분비가 보통이거나 주기적일 경우에는 ACTH 억제가 불완전할 수 있으므로 혈장 ACTH가 정상 범위인 환자의 경우에는 CRH나 데스모프레신 자극 검사, 고용량 덱사메타손 억제검사 등이 정확한 감별을 위해 더 유용할 수 있다. 또한 혈장 ACTH를 정확히 측정하기 위해서는 검체를 빠르게 분리하고 -20도에 바로 보관해야 위음성 결과를 피할 수 있다. 또한 검사의 민감도를 올리기 위해 혈장 ACTH를 적어도 2번 이상 측정하는 것이 권고된다.

2. ACTH 의존 쿠싱증후군의 감별 진단

1) 고용량 덱사메타손 억제검사

고용량 덱사메타손 억제검사는 쿠싱병과 이소 쿠싱증후군의 감별을 위해 시행하는 검사로서, 이는 당질코르티코이드의 음성 되먹임 억제에 대해 저항성을 보이는 이소성 종양과 달리, 대부분의 코르티코트로프 종양에서는 반응성이 남아 있을 것이라는 원리를 바탕으로 한다. 전통적인 방식은 덱사메타손 2 mg 을 6시간마다 2일 동안 총 16 mg 을 투여한 후 혈중 코르티솔과 24시간 요중 유리 코르티솔을 측정하는 것이며 혈청 코르티솔이 기저치의 50% 이상 억제되면 양성으로 판정한다. 일반적으로 쿠싱병 환자의 경우 혈중 코르티솔은 기저치 대비 50% 이상, 24시간 요중 유리 코르티솔은 90% 이상 억제된다고 알려져 있다. 최근에는 밤 11시에 덱사메타손 8 mg 을 복용한 후 익일 오전 8시에 혈청 코르티솔을 측정하는 하룻밤 8 mg 덱사메타손 억제검사가 더 선호되고 있다. 하룻밤 8 mg 덱사메타손 억제검사는 24시간 소변을 모으지 않아도 된다는 간편함이 있는데다 쿠싱병 환자의 감별 진단에 있어 전통적인 방식의 고용량 덱사메타손 억제검사와 비교할 때 민감도가 비슷하거나 더 우월한 것으로 보고되었다. 그러나 거대선종으로 인한 쿠싱병의 경우 혈중 코르티솔이 억제되지 않는 경우도 있고 일부 양성 카르시노이드 종양에서도 뇌하수체 코르티코트로프 종양과 유사한 억제 반응이 나타나기도 한다. Vilar 등은 혈청 코르티솔의 억제 기준을 50%로 했을 경우 쿠싱병 환자의 78%에서 양성 소견을 보였을 뿐만 아니라 이소 쿠싱증후군 환자의 1/3가량에서도 억제 소견이 관찰되었음을 발표한 바 있다. 또한 검사의 기준치를 얼마로 정하느냐에 따라 감별진단에 대한 민감도와 특이도가 달라지는데 혈중 코르티솔이 80% 이상 억제된 것을 양성으로 판정할 경우 쿠싱병을 진단하는 특이도가 100%로 상승하였으나 민감도가 50% 미만으로 떨어지는 문제가 있었다. 따라서 고용량 덱사메타손 억제검사 단독으로 쿠싱증후군의 원인을 감별 진단하는 것은 추천되지 않는다.

2) CRH/데스모프레신 자극검사

CRH 자극검사는 쿠싱병의 원인이 되는 ACTH 분비 뇌하수체선종에서 CRH 수용체가 흔하게 발현되므로 CRH에 반응하는 반면, 이소 ACTH 분비종양은 반응하지 않는다는 원리 하에 ACTH 의존 쿠싱증후군의 원인 감별 시 활용되는 검사이다. 100 μg 혹은 1 μg/kg 의 CRH를 투여한 후 30분 이내에 기저치 대비 ACTH가 30~50% 이상, 최대 혈청 코르티솔이 14~20% 이상 증가할 때 양성이라고 판정하게 된다. 민감도와 특이도가 90% 정도로 비교적 높은 편이나 쿠싱병 환자의 10% 정도에서는 잘 반응하지 않는다고 알려져 있어 고용량 덱사메타손 억제검사 결과와 함께 해석할 필요가 있다. 또한 어느 정도의 반응을 보일 때 양성으로 판정할 것인가에 대한 합의가 부족하다는 점, 사람 혹은 양의(ovine) CRH 중 어느 것을 사용하느냐에 따라 반응이 다른 점도 제한점이라고 하겠다. 더욱이 현재 국내에서는 CRH의 가격이 비싸고 구하기가 어려워 거의 사용되지 못하고 있다.

한편, 데스모프레신은 쿠싱병에서 V2 및 V3 수용체를 선택적으로 자극함으로써 CRH와 유사하게 ACTH 및 코르티솔 분비를 자극한다고 알려져 있어서 CRH 대신 활용될 수 있는 이론적 근거를 가지고 있다. 일반적으로 데스모프레신 10 μg을 정맥 투여하여 진행하게 되는데 CRH에 비해 저렴하고 구하기 쉽다는 장점이 있고 CRH와 함께 투여할 경우 감별진단의 정확도를 올린다는 연구도 있다. ACTH 의존 쿠싱증후군 환자에서 데스모프레신이 과장된 역설(paradoxical) 반응을 유발하는 기전은 아직 명확히 밝혀져 있지 않다. 뇌하수체 V3 수용체에 작용하여 직접적으로 ACTH 분비를 유도하는 바소프레신과는 달리 데스모프레신은 V2 수용체에는 높은 친화도를 보이고 V3 수용체에 큰 영향을 미치지 않는 것처럼 보인다. 그럼에도 불구하고 V3 수용체가 코르티솔혈증으로 인해 높은 농도로 유지되는 상황에서는 상향조절(upregulation)되거나 ACTH 분비 종양에서 구조적으로 과발현되면서 일부 영향을 보인다는 것, 병적인 ACTH 분비 세포에서 V2 수용체가 비정상적으로 발현된다는 것 등이 기전에 대한 가설로 제시되고 있다. 그러나 V3 수용체가 발현된 이소 쿠싱증후군에서도 데스모프레신에 반응을 보이는 경우가 있고 쿠싱병과 이소 쿠싱증후군을 구별할 수 있는 기준치 또한 아직 명확하지 않다는 점, 그리고 몇몇 연구들에서 CRH 자극검사에 비해 민감도 및 특이도가 낮은 것으로 보고되고 있어 향후 데스모프레신 자극검사의 유용성에 대한 더 많은 연구가 필요하다.

3) 안장 자기공명영상

뇌하수체선종을 발견하는 데 있어 컴퓨터단층촬영은 자기공명영상보다 덜 민감하므로 혈장 ACTH를 비롯한 생화학검사에서 ACTH 의존 쿠싱증후군으로 확인된 환자는 안장 자기공명영상을 시행하게 된다. 일반적으로 ACTH 의존 고코르티솔증을 가진 환자가 안장 자기공명영상에서 적어도 6 mm 이상의 뇌하수체 병변을 보이면서 쿠싱병을 좀 더 시사하는 소견들, 즉 약간 상승한 ACTH 및 코르티솔 수치, 정상 칼륨 수치, 증상이 서서히 발병되는 등의 임상적 소견을 보이면 쿠싱병의 가능성이 높다고 알려져 있다.

기존 자기공명영상에 비해 3.0 테슬라의 고해상도 자기공명영상이 뇌하수체종양의 유무 및 주변구조물로의 침윤도를 확인하는 데 더 좋은 영상으로 알려져 있다. 특히 가돌리늄(gadolinium)을 이용한 동적(dynamic) 자기공명영상을 이용할 경우 비동적(non-dynamic) 자기공명영상에 비해 쿠싱증후군 환자에서의 뇌하수체 병변을 잘 발견했다고 보고되었다. 그럼에도 불구하고 쿠싱병을 유발하는 ACTH 분비 뇌하수체선종의 90% 이상이 미세선종인 데다 쿠싱병 환자의 절반 가까이는 동적 자기공명영상에서조차 종양이 보이지 않는다는 점, 일반인의 10% 내외에서 뇌하수체 우연종이 발견될 수 있다는 점 때문에 임상에서 자기공명영상만으로 코르티코트로프 종양으로 인한 쿠싱증후군으로 확진하기는 쉽지 않다. 이러한 제한점을 극복하기 위해 자기공명영상의 프로토콜을 변경하여 뇌하수체 미세선종에 대한 진단율을 높이기 위한 새로운 시도로서, spoiled gradient recalled acquisition in the steady state (SPGR) 기법이나 half dose 자기공명영상 기법이 제안되었다. SPGR 기법은 기존의 T1 강조스핀에코(T1-weighted spin echo)와 비교할 때 연조직 조영이 우수하기 때문에 미세선종의 확인에 대한 민감도를 80%까지 증가시켰다고 보고된 바 있다(80% vs. 49%).

또한 뇌하수체에 전반적으로 강하게 조영이 될 경우 자칫 미세선종이 가려지게 될 수 있다는 점에 착안하여 조영제의 용량을 절반으로 줄여서 사용하는 half dose 기법이 추천되기도 한다. 그 외에도 우리나라 쿠싱병 환자를 대상으로 한 연구에서 초기 자기공명영상에서 뇌하수체선종이 발견되지 않을 경우 시상면 동적영상(sagittal dynamic image)을 추가로 확인하는 것이 종양을 발견하는 데 효과적이었음을 보고하기도 했으나 코르티코트로프 종양의 진단에 있어 이들 영상기법들의 유용성에 대해서는 향후에도 지속적인 연구가 필요한 상태이다.

4) 하추체정맥동채혈(Inferior petrosal sinus sampling, IPSS)

ACTH 의존 쿠싱증후군의 감별진단에 있어 ACTH 분비 뇌하수체선종의 유무 및 위치를 정확히 확인하기 위해 시행되는 두 가지 중요한 검사로는 안장 자기공명영상과 IPSS가 있다. 그 중에서 IPSS는 뇌하수체 원인의 쿠싱증후군과 이소 쿠싱증후군을 감별하기 위한 표준적인 진단법으로서, 쿠싱병을 진단하는 데 있어 88~100%의 민감도와 67~100%의 특이도를 가진다고 알려져 있다. 따라서 안장 자기공명영상에서 종양이 보이지 않거나 종양이 6 mm 미만인 경우, 고용량 덱사메타손 억제검사 등의 생화학 및 영상 검사 결과나 임상소견이 서로 일치하지 않거나 모호한 경우에는 IPSS를 반드시 시행하도록 권고하고 있다(그림 10-1). 중추와 말초에서의 ACTH를 시간대별로 동시에 측정하는데 일반적으로 100 μg 혹은 1 μg/kg의 CRH를 투여하기 1분 전, 0분째부터 투여 후 3, 5, 10분째 연속적으로 채혈하는 방식으로 진행된다. 결과 해석은 기저 하추체정맥동 대 말초정맥의 ACTH 비율이 2배 이상일 경우 혹은 CRH 투여 후 하추체정맥동 대 말초정맥의 ACTH 비율이 3배 이상일 경우 쿠싱병을 진단할 수 있으며 기준보다 비율이 낮은 경우에는 이소 쿠싱증후군의 원인을 찾는 검사가 필요하다. 이차적으로는 IPSS를 통해 ACTH 분비 미세선종의 위치에 대한 추가적인 정보를 얻을 수 있으므로 쿠싱병으로 확인된 환자에서 기저 혹은 CRH 투여 후 양쪽 하추체정맥동에서의 ACTH 비율을 비교하여 한쪽이 1.4배 이상일 경우 해당 부위에서의 ACTH 분비가 더 우세한 것으로 판정할 수 있다. 그러나 종양의 위치를 확인하는 데 있어서는 IPSS보다 자기공명영상의 정확도가 더 우수한 것으로 알려져 있다. 실제로 Lim 등은 우리나라 쿠싱병 환자에서 신경외과의사가 수술 시 육안으로 확인한 종양 소견 및 조직학적 종양 소견을 자기공명영상 및 IPSS 결과와 비교했던 연구에서 고해상도 자기공명영상은 77.8%의 일치율을 보인 반면 IPSS는 38.9%의 일치율에 그쳤다고 보고한 바 있다. 따라서 쿠싱병을 유발하는 뇌하수체종양의 위치를 확인하는 데 있어서 IPSS의 유용성은 제한적이라 하겠다. 최근에는 CRH를 구하기가 어려워 10 μg 의 데스모프레신을 대신 활용하는데 결과를 해석하는 기준은 CRH 투여시와 동일하다. 데스모프레신을 이용하여 IPSS를 시행했던 몇몇 연구들에서 CRH를 투여할 때와 비슷한 민감도와 함께 우수한 특이도를 보였다고 보고한 바 있으나 연구 대상자의 숫자가 많지 않았기 때문에 향후 더 큰 규모의 연구가 필요하다.

또한 IPSS는 다른 검사들에 비해 침습적인 검사이다 보니 정맥혈전증, 폐색전증, 혈관손상 등의 합병증이 적은 빈도이지만 발생할 수 있고 일부 환자에서 위양성 혹은 위음성 결과가 보고되기도 한다. 위양성 결과는 간헐적으로 이소 ACTH 분비가 있는 환자에서 정상적인 코르티솔 수치를 보이는 기간에 검사가 시행되었거나 주기 쿠싱증후군 혹은 CRH 분비 종양을 가지고 있는 경우에도 나타날 수 있다. 위음성의 경우 1~10% 가량의 환자에서 관찰되는데 주된 원인은 하추체정맥계에 일측성 또는 양측성 해부학적 변이가 있는 경우로 하추체정맥동이 직접 내경정맥으로 배출되는 변이가 가장 흔하다. 이외에도 하추체정맥동에 제대로 카테터 삽입이 되지 않거나, 저형성된 하추체정맥동의 경우 위음성 결과가 나올 수 있다. 이러한 위음성의 오류를 줄이기 위해 IPSS 시행 전에 정맥조영사진을 확인하는 방법이나 IPSS 동안 프로락틴을 ACTH와 동시에 측정하는 방법 등이 제안되었다. Findling 등은 프로락틴을 뇌하수체 정맥 유출의 표지자로 활용하여 성공적인 카테터 삽입이 이루어졌는지 여부를 확인한 결과 IPSS 동안 ACTH 기울기가 음성이었던 쿠싱병 환자를 진단하는 데 유용했다고 발표하였다. 즉, CRH 투여 후 하추체정맥동/말초정맥의 ACTH 비가 우세한 곳과 동일한 쪽에서 측정한 기저 하추체정맥동/말초정맥의 프로락틴 비가 1.8배 이상일 경우 카테터 삽입이 성공적이라고 판정할 수 있다. 성공적인 카테터 삽입이 잘 안 되었을 경우에는 프로락틴으로 표준화한 하추체정맥동/말초정맥의 ACTH 비를 구했을 때 1.3 이상이면 쿠싱병을, 0.7 이하이면 이소 쿠싱증후군을 시사한다. 그러나 0.7~1.3 사이에 속하는 경우에 대한 임상적 의미가 명확하지 않은데다 최근 프로락틴으로 보정한 방법의 진단적 유용성에 대한 반론을 제기한 연구도 있는 바 향후 더 많은 환자를 대상으로 한 검증이 필요한 상태이다.

5) 이소 쿠싱증후군으로 확인될 경우

IPSS에서 중추성 ACTH의 기울기가 확인되지 않아 쿠싱병이 배제되면 이소 쿠싱증후군의 원인을 찾기 위한 검사가 필요하다. 이소 쿠싱증후군을 유발할 수 있는 원인으로는 기관지 카르시노이드나 소세포폐암, 췌장/흉선 카르시노이드 등이 있으며 원인이 숨어 있거나 잘 모르는 경우도 7~19%까지 보고되고 있다. 이소 ACTH 분비의 다양한 원인을 찾는 데 있어 이상적인 정확도를 보이는 단독 영상기법은 없기 때문에 흉부를 비롯한 목, 복부-골반에 대한 컴퓨터단층촬영 또는 자기공명영상, 섬광조영(scintigraphy) 등을 시행하게 된다. 특히 가장 가능성이 높은 부위는 흉부인데 종양의 위치를 확인하는 게 쉽지 않아 처음 검사에서 영상을 통해 정확하게 찾는 경우는 65%에 불과하다고 알려져 있다. 따라서 흉부 및 복부 등의 컴퓨터단층촬영을 시행할 때는 thin cut으로 진행하는 것이 추천된다. 또한 흉부에서 종양으로 의심되는 부위가 발견되더라도 감염성 병변의 가능성이 있기 때문에 진단에 유의해야 하며 ACTH 분비의 직접적인 원인인지 여부를 확인하기 위해 조직검사가 필요할 수 있다. 컴퓨터단층촬영이나 자기공명영상에서 원인이 되는 병변을 찾을 수 없는 경우에는 ^{111}In-pentreotide scan이나 양전자방출단층촬영(positron emission tomography, PET) 등의 추가적인 영상 검사를 시행하게 된다. ^{111}In-pentreotide scan은 신경내분비 종양에서 소마토스타틴 수용체가 발현된다는 원리 하에 진행하는 검사이지만 고코르티솔증이 종양의 소마토스타틴 아형 2 수용체의 수치를 억제할 수 있어 위음성을 초래할 수 있으므로 민감도가 낮아질 수 있다는 단점이 있다. ^{18}F-FDG-PET의 진단적 가치는 크지 않다고 알려져 있고 혹은 ^{11}C-5-hydroxy-tryptophan-PET 등이 ACTH를 분비하는 신경내분비종양의 진단에 더 유용하다고 하나 아직 연구가 많지 않은 상태이다. 이외에도 신경내분비종양에 대한 표지자로 알려져 있는 크로모그라닌 A 혹은 5-hydroxyindolacetic acid, 가스트린, 칼시토닌 등도 이소성 ACTH 분비 종양을 확인하는 데 도움을 줄 수 있다.

3. ACTH 비의존 쿠싱증후군의 감별 진단

현성 내인고코르티솔증(endogenous hypercortisolism) 환자에서 혈장 ACTH가 10 pg/mL 미만이면 부신 원인의 쿠싱증후군을 시사하므로 부신 컴퓨터단층촬영 또는 자기공명영상을 시행하여 부신 병변의 유형을 확인해야 한다(그림 10-1). 하지만 일반 인구의 약 5% 정도가 부신 우연종을 가지고 있기 때문에 부신 병변이 있다는 것만으로 확진되는 것은 아니다. 일반적으로 편측 종양이 있는 경우 낮은 혈중 ACTH 수치로 인해 반대쪽 부신이 위축되나 때로는 정상 크기일 수도 있다. 양성 종양은 비조영 컴퓨터단층촬영에서 10 HU 미만으로, 크기가 작은 경우가 많고 균질하고 경계가 매끈한 결절로 보인다. 반면 악성 종양은 10 HU 이상의 음영을 보이고, 직경이 6 cm 이상으로 크고 경계가 불분명하면서 균질하지 않으며 출혈이나 괴사를 동반하기도 한다. 악성이 의심되는 병변을 보이는 경우 혈청 디히드로에피안드로스테론황산염(dehydroepiandrosterone sulfate, DHEAS) 및 ^{18}F-FDG-PET

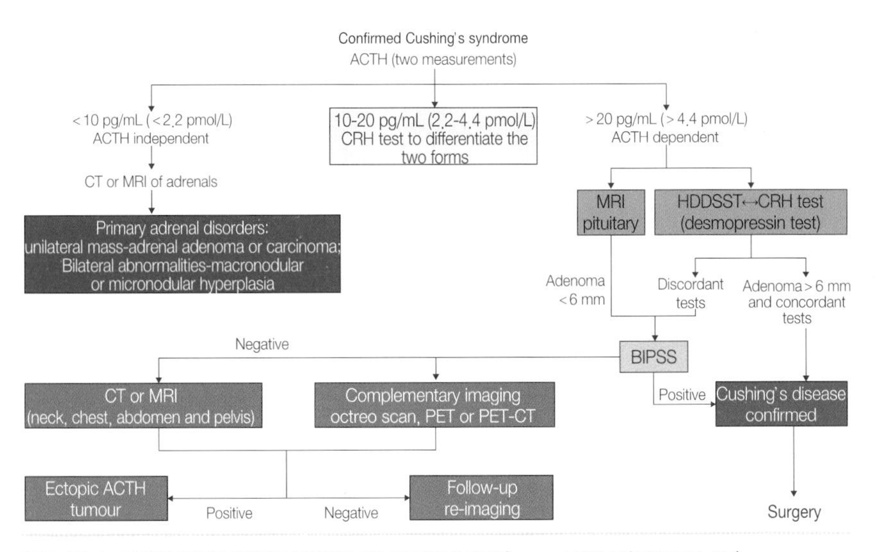

그림 10-1. 쿠싱증후군이 확진된 환자에서의 감별진단 과정(Lancet 2015;386:913-27)

등의 추가적인 검사를 시행해야 한다. 편측 종양 외에도 고코르티솔증을 유발하는 양측부신과증식(bilateral adrenal hyperplasia)이 원인인 경우도 있는데 부신 원인으로 발생하는 쿠싱증후군의 약 10~15%를 차지한다고 알려져 있다. 빈도는 매우 드물지만 여러 개의 작은 피질색소침착결절을 포함하면서 크기가 거의 정상이거나 작은 부신을 특징으로 하는 일차색소침착결절부신피질병(primary pigmented nodular adrenocortical disease, PPNAD)과, 수많은 결절로 인해 양측 부신의 직경이 5 cm에 이를 정도로 커지는 양측거대결절부신과증식(bilateral macronodular adrenal hyperplasia, BMAH) 등의 원인도 있으므로 이에 대한 감별이 필요하다.

참고문헌

1. Bansal V, El Asmar N, Selman WR, Arafah BM. Pitfalls in the diagnosis and management of Cushing's syndrome. Neurosurg Focus 2015;38:E4.
2. Boscaro M, Arnaldi G. Approach to the patient with possible Cushing's syndrome. J Clin Endocrinol Metab 2009;94:3121-31.
3. Dahia PL, Ahmed-Shuaib A, Jacobs RA, Chew SL, Honegger J, Fahlbusch R, et al. Vasopressin receptor expression and mutation analysis in corticotropin-secreting tumors. J Clin Endocrinol Metab 1996;81:1768-71.
4. De Sousa SMC, McCormack AI, McGrath S, Torpy DJ. Prolactin correction for adequacy of petrosal sinus cannulation may diminish diagnostic accuracy in Cushing's disease. Clin Endocrinol (Oxf) 2017;87:515-22.
5. Findling JW, Kehoe ME, Raff H. Identification of patients with Cushing's disease with negative pituitary adrenocorticotropin gradients during inferior petrosal sinus sampling: prolactin as an index of pituitary venous effluent. J Clin Endocrinol Metab 2004;89:6005-9.
6. Gross BA, Mindea SA, Pick AJ, Chandler JP, Batjer HH. Diagnostic approach to Cushing disease. Neurosurg Focus 2007;23:E1.
7. Hong AR, Kim JH, Hong ES, Kim IK, Park KS, Ahn CH, et al. Limited Diagnostic Utility of Plasma Adrenocorticotropic Hormone for Differentiation between Adrenal Cushing Syndrome and Cushing Disease. Endocrinol Metab (Seoul) 2015;30:297-304.

8. Hur KY, Kim JH, Kim BJ, Kim MS, Lee EJ, Kim SW. Clinical Guidelines for the Diagnosis and Treatment of Cushing's Disease in Korea. Endocrinol Metab (Seoul) 2015;30:7-18.
9. Ilias I, Torpy DJ, Pacak K, Mullen N, Wesley RA, Nieman LK. Cushing's syndrome due to ectopic corticotropin secretion: twenty years' experience at the National Institutes of Health. J Clin Endocrinol Metab 2005;90:4955-62.
10. Lacroix A, Feelders RA, Stratakis CA, Nieman LK. Cushing's syndrome. Lancet 2015;386:913-27.
11. Lim JS, Lee SK, Kim SH, Lee EJ, Kim SH. Intraoperative multiple-staged resection and tumor tissue identification using frozen sections provide the best result for the accurate localization and complete resection of tumors in Cushing's disease. Endocrine 2011;40:452-61.
12. Lindsay JR, Nieman LK. Differential diagnosis and imaging in Cushing's syndrome. Endocrinol Metab Clin North Am 2005;34:403-21.
13. Patronas N, Bulakbasi N, Stratakis CA, Lafferty A, Oldfield EH, Doppman J, et al. Spoiled gradient recalled acquisition in the steady state technique is superior to conventional postcontrast spin echo technique for magnetic resonance imaging detection of adrenocorticotropin-secreting pituitary tumors. J Clin Endocrinol Metab 2003;88:1565-9.
14. Pecori Giraldi F, Cavallo LM, Tortora F, Pivonello R, Colao A, Cappabianca P, et al. The role of inferior petrosal sinus sampling in ACTH-dependent Cushing's syndrome: review and joint opinion statement by members of the Italian Society for Endocrinology, Italian Society for Neurosurgery, and Italian Society for Neuroradiology. Neurosurg Focus 2015;38:E5.
15. Rabadan-Diehl C, Makara G, Kiss A, Lolait S, Zelena D, Ochedalski T, et al. Regulation of pituitary V1b vasopressin receptor messenger ribonucleic acid by adrenalectomy and glucocorticoid administration. Endocrinology 1997;138:5189-94.
16. Sharma ST, Committee AAS. An Individualized Approach to the Evaluation of Cushing Syndrome. Endocr Pract 2017;23:726-37.
17. Sharma ST, Raff H, Nieman LK. Prolactin as a marker of successful catheterization during IPSS in patients with ACTH-dependent Cushing's syndrome. J Clin Endocrinol Metab 2011;96:3687-94.
18. Utz A, Biller BM. The role of bilateral inferior petrosal sinus sampling in the diagnosis of Cushing's syndrome. Arq Bras Endocrinol Metabol 2007;51:1329-38.
19. Vassiliadi DA, Tsagarakis S. DIAGNOSIS OF ENDOCRINE DISEASE: The role of the desmopressin test in the diagnosis and follow-up of Cushing's syndrome. Eur J Endocrinol 2018;178:R201-R14.
20. Vilar L, Freitas Mda C, Faria M, Montenegro R, Casulari LA, Naves L, et al. Pitfalls in the diagnosis of Cushing's syndrome. Arq Bras Endocrinol Metabol 2007;51:1207-16.

CHAPTER 11

무증상 고코르티솔증 (Subclinical Hypercortisolism)

이승훈, 고정민
울산의대 내과학교실

1. 정의

무증상 고코르티솔증은 분명한 코르티솔 과다의 전형적인 증상 혹은 징후(예를 들어, 자색 선조, 쉽게 멍듦, 몸통쪽 근육 허약, 홍조)가 없이 시상하부-뇌하수체-부신(hypothalamic-pituitary-adrenal, HPA) 축에 변화가 있는 상태로 정의된다. 과거에는 무증상 쿠싱증후군(subclinical Cushing's syndrome)으로 불려졌으나, 질병의 자연 경과에 따르면 임상적으로 분명한 고코르티솔증으로 가는 것이 드물기 때문에 무증상 고코르티솔증 혹은 자발적 코르티솔 분비(autonomous cortisol secretion)라는 용어를 쓰는 것으로 권고되고 있다.

무증상 고코르티솔증은 최근 높은 유병률 때문에 많은 관심을 받고 있다. 통일된 진단 기준이 없어서 정확한 유병률은 아니지만 무증상 고코르티솔증은 다른 목적으로 영상 검사를 하다가 발견되는 부신우연종(adrenal incidentaloma, AI) 환자의 5~30%에서 존재한다. 같은 진단기준은 아니지만 한국인 부신우연종 환자를 대상으로 한 연구에서 보면 Ahn 등은 1,005명 중 4.4%, Hong 등은 1,149명 중 7.1%에서 발견되었다고 보고하였다. 부신우연종이 성인의 4~7%에서 발생한다는 것을 감안하면, 무증상 고코르티솔증의 유병률은 0.2~2.0%로 추정된다.

2. 임상적 중요성

Dalmazi 등은 리뷰를 통하여 무증상 고코르티솔증은 분명한 코르티솔 과다의 전형적인 증상 혹은 징후가 없음에도 불구하고, 미묘한 코르티솔 과다의 장기간 노출에 의해 약 2/3 환자에서 고혈압이, 약 1/3 환자에서 당뇨병이, 그 외에도 골다공증 및 척추 골절, 비만, 지질대사 이상과 같은 동반 질환들이 연관되어 있다고 보고하고 있다. 더욱이, 무증상 고코르티솔증 환자를 장기간 경과 관찰한 결과에 따르면 높은 심혈관 질환 발생 및 사망률이 보고되고 있다.

1) 고혈압

고혈압은 무증상 고코르티솔증의 가장 흔한 임상적인 특징이다. 당질코르티코이드에 의한 고혈압의 기전은 연구 중에 있지만 혈관확장제와 혈관수축제 간의 불균형, 염류코르티코이드 수용체의 활성화, 혈관내피세포의 이상, 좌심실 기능 이상 등으로 설명할 수 있다. 최근 Brancos 등은 26개 연구의 메타분석을 통하여 무증상 고코르티솔증 환자에서 수술적인 치료를 통하여 고혈압(21개 연구 분석)이 60.5% (95% 신뢰구간: 50~71%) 호전되었다는 결과를 발표하였다. 수축기 혈압(8개 연구 분석)은 12.7 mmHg (95% 신뢰구간: 7.1~18.3 mmHg), 이완기혈압(7개 연구 분석)은 9.3 mmHg (95% 신뢰구간: 73.9~14.8 mmHg)을 감소되었다. 또한, 보존적인 치료에 비해 수술적인 치료에 의해 고혈압(9개 연구 분석)이 호전되는 상대적인 위험도가 11배 (95% 신뢰구간: 4.3~27.8배)였다. 무증상 고코르티솔증과 고혈압 간의 관계는 완벽히 이해되고 있지 않지만 당질코르티코이드의 혈관에 대한 직접적인 영향 외에도 당대사의 장애나 허리둘레 증가와 같은 간접적인 기전도 관여할 가능성이 있다.

2) 당뇨병

무증상 고코르티솔증은 인슐린 저항성부터 2형 당뇨병까지 다양한 당 대사 이상과 연관되어 있다. 2형 당뇨병은 무증상 고코르티솔증 환자의 약 1/3에서 발견된다. 당질코르티코이드에 의한 2형 당뇨병의 기전은 포도당신합성, 말초기관에서의 당 섭취, 췌장 β세포에서 인슐린 분비와 같은 직접적인 영향 이외에도 내장지방 축적과 같은 간접적인 기전도 관여할 가능성이 있다. Brancos 등의 메타분석 결과에 따르면 무증상 고코르티솔증 환자에서 수술적인 치료에 의해 당뇨병(20개 연구 분석)이 51.5% (95% 신뢰구간: 39~64%) 호전되었다. 공복혈당(4개 연구 분석)은 7.99 mmol/L (95% 신뢰구간: 2.09~13.9 mmol/L), 당화혈색소(3개 연구 분석)는 0.96% (95% 신뢰구간: 0.49~1.43%) 감소되었다. 또한, 보존적인 치료에 비해 수술적인 치료가 당뇨병(8개 연구 분석)을 호전시키는 상대적인 위험도가 3.9배 (95% 신뢰구간: 1.5~9.9배)였다.

3) 심혈관대사이상

당대사의 이상, 내장지방 축적, 이상지질혈증은 무증상 고코르티솔증 환자에서 심혈관대사 이상을 나타나게 한다. Lee 등이 발표한 국내 및 Morelli 등이 발표한 국외 연구에서 덱사메타손 억제 후 코르티솔 농도와 대사증후군의 여러 구성인자 개수 간의 양의 상관관계를 보였다.

Brancos 등의 메타분석 결과에 따르면 무증상 고코르티솔증 환자에서 수술적인 치료가 비만(16개 연구 분석)을 45% (95% 신뢰구간: 32~57%) 호전시켰다. 체질량지수(7개 연구 분석)는 1.96 kg/m^2 (95% 신뢰구간: 0.59~3.32 kg/m^2) 감소되었다. 그러나, 보존적인 치료에 비해 수술적인 치료가 비만(4개 연구 분석)을 개선시키는 효과는 통계적으로 유의하지는 않았다(상대 위험도: 3.4배, 95% 신뢰구간:

0.95~12.0배).

Brancos 등의 메타분석 결과에 따르면 무증상 고코르티솔증 환자에서 수술적인 치료가 이상지질혈증(13개 연구 분석)에 미치는 영향이 제일 적어 24% (95% 신뢰구간: 13.0~35.5%) 호전시켰다. 중성지방, 저밀도 콜레스테롤, 고밀도 콜레스테롤에 대한 3개의 연구 결과에서는 유의한 변화가 없었다. 보존적인 치료에 비해 수술적인 치료가 이상지질혈증(7개 연구 분석)을 개선시키는 효과도 통계적으로 유의하지 않았다(상대 위험도: 2.6배, 95% 신뢰구간: 0.97~7.2배).

심혈관 대사이상 발생에 비록 코르티솔 자체가 독립적이고 중요한 역할을 하나 나이, 과체중 혹은 비만, 2형 당뇨병 가족력, 신체 활동, 식사의 양과 질 또한 영향을 끼친다는 것을 감안해야 한다. 또한 코르티솔 노출 기간 역시 고려해야 하는 인자 중 하나이다.

4) 골다공증 및 골다공증 골절

당질코르티코이드의 뼈에 대한 해로운 영향은 외인 혹은 내인 고코르티솔증의 환자에서 잘 알려져 있다. 당질코르티코이드-유발 골다공증(glucocorticoid-induced osteoporosis, GIO)은 골흡수의 증가 및 골형성의 감소를 특징으로 하며 가장 흔한 합병증은 척추 골절 위험의 증가이다. 임상적으로 분명한 쿠싱증후군 환자에서는 골밀도의 감소 및 골다공증 골절 위험이 증가한다.

무증상 고코르티솔증과 골밀도 간의 영향을 본 연구 결과들에 따르면 무증상 고코르티솔증의 척추 소주골 골밀도 감소에 대한 영향은 잘 증명되고 있다. 또한, 대퇴골 피질골 골밀도 감소에도 영향을 끼치는 것으로 알려져 있다. 특히 코르티솔 농도가 증가된 경우에는 골소실이 증가한다는 연구 결과도 있다. 골전환에 대해서는 논란의 여지는 있지만 골형성과 골흡수 간의 uncoupling이 있으며 특히 골형성에 더 영향을 미치는 것으로 보고되고 있다.

골전환 및 골밀도에 대한 다양한 결과에 비해 무증상 고코르티솔증과 골절 위험 증가 간의 연관 관계에 대해서는 대부분 일치한 결과들을 보여주고 있다. 무증상 고코르티솔증 환자에서 척추 골절의 유병률이 46.3%~82.4%로 보고되고 있으며, 추적연구에 따르면 24~48%에서 새로운 척추 골절이 발생하였으며 부신절제술 이후에는 새로운 척추골절 발생이 30% 정도 감소하였다. 흥미롭게도 새로운 척추 골절은 나이, 성별, 골밀도, 그 외 교란 요인들을 보정하고도 무증상 고코르티솔증에 의해 12.3배 이상 증가하였다. 이러한 골절 위험의 증가 정도는 쿠싱증후군에서 보고되는 것과 유사하다. 그러나, 무증상 고코르티솔증은 무증상이기 때문에 고코르티솔에 노출된 기간이 쿠싱증후군 환자에 비해 길었을 가능성이 있는데, 이러한 맥락에서 질병의 기간과 골밀도 간에 역의 상관관계를 보고한 결과도 있다.

무증상 고코르티솔증 환자에서 골밀도의 감소는 골절 위험을 잘 예측하지 못하는데 이는 무증상 고코르티솔증에서도 임상적으로 분명한 쿠싱증후군 환자에서처럼 골질(골의 미세구조)의 감소가 골절의 주요기전이라는 것을 의미한다. 무증상 고코르티솔증 환자에서는 이러한 골질의 감소를 볼 수 있는 척추 변형 지수(spinal deformity index, SDI) 증가 혹은 소주골 지수(trabecular bone score, TBS)의 감소가 관찰되었다.

5) 심혈관계 질환

무증상 고코르티솔증과 관계된 동반질환들(고혈압, 2형 당뇨병, 비만, 이상지질혈증) 간의 연관관계들을 미루어 볼 때 무증상 고코르티솔증 환자에서 심혈관계 프로필이 실제로 변화될 것이라고 추측할 수 있다.

Dalmazi 등이 2012년에 발표한 338명의 부신우연종 환자연구에서는 1 mg 하룻밤 덱사메타손 억제 검사(1 mg overnight dexamethasone suppression test, 1 mg-DST) 결과에 따라 다음과 같이 (1) 비기능성 군(1 mg-DST 후 코르티솔 농도: <1.8 μg/dL), (2) 중간 표현형군(1 mg-DST 후 코르티솔 농도: 1.8~5.0 μg/dL), (3) 무증상 고코르티솔증 군: 1 mg-DST 후 코르티솔 농도가 > 5.0 μg/dL) 세가지 군으로 나누었다. 심근경색의 유병률은 비기능성 군에서 2.9%, 중간 표현형군에서 11.9%, 무증상 고코르티솔증군에서 26.3%이었다. 반면에 뇌졸중의 유병률은 적은 수의 환자 때문인지 차이가 없었다. 관상동맥질환의 발생 간의 연관성은 중간 표현형 군에서 교차비 4.1 (95% 신뢰구간: 1.5~11.4)이었고, 무증상 고코르티솔증군에서는 오즈 비는 6.1 (95% 신뢰구간: 1.4~25.6)이었다. 두 개의 군과 심혈관질환과의 연관성은 다른 알려진 위험인자들과는 독립적이었다. Dalmazi 등이 2014년에 발표한 평균 7.5±3.2년의 관찰 기간 동안에 198명의 부신우연종 환자 중 무증상 고코르티솔증 환자나 시간에 따라 코르티솔이 증가하는 악화군의 환자에서는 높은 심혈관 질환의 발생률을 보였다. 심혈관 질환의 높은 발생률은 다른 위험인자들과는 독립적으로 높은 코르티솔 농도와 위험 비 1.1 (95% 신뢰구간: 1.1~1.2)로 상관관계가 있었다. Morelli 등이 2014년에 발표된 이탈리아의 다기관 연구 206명의 후향적 연구 분석에서는 1 mg-DST 후 코르티솔 농도 >5 ㎍/dL 혹은 낮은 ACTH, 24시간 소변 유리 코르티솔의 증가, 1 mg-DST 후 코르티솔 농도 >3 ㎍/dL 중에 적어도 2가지 이상을 무증상 고코르티솔증 정의하였다. 5년 이상의 관찰기간 동안에 무증상 고코르티솔증은 심혈관계 질환의 높은 발생률과 관련이 있었다(오즈 비: 3.1, 95% 신뢰구간: 1.1~9.0).

종합적으로, 코르티솔은 심혈관 질환의 발생에 중요한 역할을 하며, 미미한 코르티솔증가에 의한 영향은 노출된 기간이 중요하다. 또한 코르티솔 증가가 진행하는 환자들에서 심혈관 질환이 증가한다는 사실은 비기능성부신우연종 환자에서도 주의 깊은 추적 관찰이 필요하다는 것을 제시한다.

6) 사망률

Dalmazi 등이 2014년에 발표한 198명의 부신우연종 환자의 평균 7.5±3.2년의 관찰 기간 동안에 무증상 고코르티솔증 환자나 시간에 따라 코르티솔이 증가하는 악화군의 환자에서는 낮은 생존율을 보였다. 심혈관-특이적 사망률을 하위분석한 결과에서는 비기능성 부신우연종 환자의 생존율 97.5%에 비해 무증상 고코르티솔증 환자는 78.4%, 시간에 따라 코르티솔이 증가하는 악화군의 환자에서는 60%로 생존율이 낮다는 것을 보여주었다. 높은 코르티솔 농도와 모든 원인의 사망률과는 위험 비 1.1 (95% 신뢰구간: 1.1~1.2)로 유의한 상관관계가 있었다. Debono 등이 2014년에 발표한 206명의 환자를 평균 4.2±2.3년의 관찰한 연구에서도 1 mg-DST 후 코르티솔 농도 <1.8 ㎍/dL 인 군에 비해, 1 mg-DST 후 코르티솔 농도가 1.8~5.0 ㎍/dL 인 군은 위험 비 12.0 (95% 신뢰구간: 1.6~92.6)으로 1 mg-DST 후 코르티솔 농도가 >5.0 ㎍/dL 인 군은 위험 비 22.0 (95% 신뢰구간: 2.6~188.3)으로 높은 사망률과 관련이 있었다. 흥미롭게도 영국인들에서 추출한 사망률과 비교 시 부신우연종 환자에서 코르티솔의 영향과 관련이 있을 것으로 추측되는 심혈관계 질환 및 감염성 합병증으로 인한 높은 사망률을 보였다.

3. 진단

1) 무증상 고코르티솔증 진단의 어려움

무증상 고코르티솔증의 정의는 잘 받아들여지고 있으나, 진단하기 위한 임상적인 혹은 생화학적 기준에 대한 의견 일치는 없다. 무증상 고코르티솔증 진단은 여러 가지 이유로 어렵다. 첫째, 코르티솔 분비는 같은 개인에서도 다양하다. 둘째, 시상하부-뇌하수체-부신 축의 검사 특히 ACTH 및 24시간 유리 코르티솔의 신뢰도가 떨어지며 덱사메타손 억제 검사 결과에 영향을 미칠 수 있는 동반질환(당뇨병, 비만) 혹은 약제 때문이다. 셋째, 임상적인 최적표준이 없다는 점이다.

무증상 고코르티솔증 진단의 최적표준(gold standard)으로 제안되고 있는 것들은 (1) 시상하부-뇌하수체-부신 축 활성도 지표들의 조합, (2) iodocholesterol scintigraphy에서 일치하는 일측성 방사성 추적자의 섭취, (3) 부신절제술 후 부신기능부전의 발생, (4) 코르티솔 과다에 의한 동반질환(골다공증, 고혈압, 당뇨병)들의 동시 존재 여부, (5) 부신절제술 후 혈압, 콜레스테롤, 체중, 공복혈당의 유의한 호전 발생 여부 등이다.

2) 시상하부-뇌하수체-부신 축 활성도 지표

(1) 덱사메타손 억제 후 코르티솔검사

1 mg-DST 혹은 3 mg-DST 후 코르티솔 억제가 되지 않은 것을 기준으로 한다. 현재까지는 1 mg-DST가 단독 혹은 다른 지표들과 조합하여 가장 많이 사용하는 검사이긴 하지만 결정점에 대해서는 아직 논란이 있다. 최근 유럽내분비학회(European society of endocrinology, ESE)와 부신 종양을 위한 유럽네트워크(European network for the study of adrenal tumors, ENSAT)에서 공동으로 제시한 권고안에서는 1 mg-DST 후 코르티솔의 결정점으로 1.8 ㎍/dL 및 5.0 ㎍/dL을 제시하였다. 1 mg-DST 후 코르티솔 농도가 ≤ 1.8 ㎍/dL 인 경우는 autonomous cortisol secretion을 제외, 1.9~5.0 ㎍/dL 인 경우는 possible autonomous cortisol secretion >5.0 ㎍/dL 인 경우는 autonomous cortisol secretion으로 정의하였다.

3 mg-DST 혹은 8 mg-DST 검사를 권유하는 연구자도 있으나 좀 더 좋은 정확성을 보이지는 못하고 있다. 유사하게 저용량 덱사메타손 억제검사(low dose dexamethasone suppression test, LDDST) 사용할 수 있으나, 알코올중독, 신경정신과 질환, 당뇨병이 있는 환자에서만 좀 더 정확할 수 있고 다른 경우는 좀 더 좋은 정확성을 보이지 않으며 검사를 위해서는 입원을 해야 한다는 번거로움이 있다.

(2) 24시간 소변 유리 코르티솔

적은 수의 연구에서 무증상 고코르티솔증 환자에서 24시간 소변 유리 코르티솔이 증가한다는 것을 보고하고 있다. 일반적으로는 24시간 소변 유리 코르티솔은 적은 양의 코르티솔의 증가를 반영할 수 없고 측정과 관계된 기술적인 문제로 단독으로는 적당한 선별 검사가 아니고 반드시 다른 지표들과 조합해서 사용하여야 한다.

(3) 코르티솔 분비 하루주기 리듬의 소실

몇몇 연구에서 무증상 고코르티솔증 환자에서 높은 자정 혈청 코르티솔 농도를 가지고 있다는 것이 보고되고 있어 진단에 유용한 도구로 기대되나 입원해서 사용하는 번거로움이 있어 몇몇 제한된 환자들에서 확진 검사에 사용하는 것으로 권고되고 있다. 자정 타액 코르티솔 농도도 편리하고 비침습적인 검사이며 입원이 필요없다는 점에서 기대가 되나, 검사 방법의 표준화 및 결정점에 대한 확실한 연구가 나올 때까지는 진단에 사용하지 말아야 할 것이다.

(4) ACTH 농도

부신 쿠싱증후군과 같은 ACTH 비의존 코르티솔 과다 상태에서는 일반적으로 ACTH가 낮다. 그러나, ACTH 비의존 코르티솔 과다 상태에서도 ACTH 농도가 정상인 경우가 있어 ACTH 단독으로는 무증상 고코르티솔증의 진단을 할 정도로 충분히 예민하지 않은 검사이다. ACTH 농도가 20 pg/mL (4.4 pmol/liter) 이상이거나 10 pg/mL (2.2 pmol/liter) 미만의 경우에는 각각 ACTH-의존 혹은 ACTH-비의존 무증상 고코르티솔증임을 의미한다. ACTH 농도가 10~20 pg/mL (2.2~4.4 pmol/liter)의 경우에는 CRH-자극 ACTH 농도를 측정하여 30 pg/mL (6.6 pmol/liter) 미만의 경우에는 ACTH-의존 무증상 고코르티솔증을 제외시킬 수 있다.

(5) Dehydroepiandrosterone-sulfate (DHEA-S)

DHEA-S는 부신에서 분비되는 안드로겐으로 ACTH에 의해 조절된다. 코르티솔 과다 분비에 따른 ACTH의 분비의 지속적인 억제는 DHEA-S 농도를 감소시킨다. 따라서, DHEA-S 감소는 무증상 고코르티솔증의 하나의 지표로 제시되고 있으나, 성별에 따른 차이가 존재하며 나이가 들면 감소하는 경향이 있다. Lee 등은 수술 후 부신기능부전 발생 여부를 예측하는데 1 mg- DST 후 코르티솔 농도에 낮은 ACTH 농도 혹은 낮은 DHEA-S 농도의 조합을 무증상 고코르티솔증의 진단 기준으로 제시한 바 있다. 또한 Dennedy 등은 성별과 나이를 보정한 DHEA-S의

참고치와 DHEA-S 농도비를 이용하여 무증상 고코르티솔증을 민감도 100%, 특이도 91.9%로 진단할 수 있다고 발표하였다.

3) 무증상 고코르티솔증 진단법의 정확성(표 11-1)

소수의 연구들만이 시상하부-뇌하수체-부신 축 활성도 지표의 조합들의 무증상 고코르티솔증의 진단에 대한 민감도와 특이도에 대해서 확인하였다. 이러한 연구들은 무증상 고코르티솔증의 진단 최적표준으로 제시할 만한 임상적, 생화학적, 혹은 기능적인 지표가 없다는 점에서 그 한계가 있다.

4. 치료 및 경과관찰(그림 11-1)

무증상 고코르티솔증의 치료는 수술이나, 어떤 환자에서 수술을 하는 것이 이득인지에 대해서는 아직 잘 알려져 있지 않다. 수술을 결정하기 위해 고려해야 하는 인자들은 1 mg-DST 후 코르티솔 농도, 코르티솔과 연관되어 있을 것이라 생각되는 동반 질환(고혈압, 포도당불내성/2형 당뇨병, 비만, 이상지질혈증, 골다공증 및 골다공증 골절)여부, 진행 및 조절 정도, 환자의 나이, 말단기관의 손상 여부 등이 있다. 환자의 수술은 이러한 것을 모두 고려하여 개별화하여야 한다. 최근 유럽내분비학회와 부신 종양을 위한 유럽네트워크(ENSAT)의 공동 권고안에서 그 내용을 다루고 있어 이를 중심으로 서술하고자 한다.

1) 1 mg-DST 후 코르티솔 ≤ 1.8 μg/dL: 정상

Autonomous cortisol secretion을 완전히 제외할 수 있는 수치이다. 따라서, 동반질환 유무에 관계없이 수술적 제거를 고려할 필요 없으며 수술하지 않은 환자에서 1 mg-DST 검사의 재검이나 동반 질환에 대한 재확인이 필요 없다.

표 11-1. 무증상고코르티솔증 진단법의 정확성

1저자,발표년도	N	DST (SN/SP)	DEX 용량, 결정점	CCR (SN/SP)	ACTH (SN/SP)	UFC (SN/SP)	DHEA-S (SN/SP)	최적표준
Mantero, 2000	1004	73/90	1mg,5 ㎍/dL	43/83	79/85	76/88	N/A	≥ 2 of CRH, CCR, ACTH, UFC, DST
Libè, 2002	64	91/98	1mg,5 ㎍/dL	N/A	41/96	33/96	N/A	≥ 2 of CRH, CCR, ACTH, UFC, DST
Masserini, 2009	103	86.4/96.3	1mg,3 ㎍/dL	22.7/87.7	86.4/95.3	31.8/92.6	N/A	DST + ACTH or CCR
Nunes, 2009	48	N/A	1mg, 2.2 ㎍/dL 1mg, 2.2 ㎍/dL	77/69* 77/68†	N/A	N/A	N/A	DST + ACTH or CCR
Barzon, 2001	83	44/100 75/72	1mg, 5 ㎍/dL 1mg, 1.8 ㎍/dL	N/A	N/A	N/A	N/A	Scintigraphy
Valli, 2001	31	58/83 63/75 100/67	1mg, 5 ㎍/dL 1mg, 3 ㎍/dL 1mg, 2.2 ㎍/dL	N/A	N/A	N/A	N/A	Scintigraphy
Eller-Vainicher, 2010	60	33.3/85.7 59/52.4 79.5/23.8	1mg, 5 ㎍/dL 1mg, 3 ㎍/dL 1mg, 1.8 ㎍/dL	64.1/81[‡]	64.1/38	48.7/81	N/A	수술후부신기능부전
Morelli, 2010	231	23.8/93.3 52.4/81.4 71.4/49.5	1mg, 5 ㎍/dL 1mg, 3 ㎍/dL 1mg, 1.8 ㎍/dL	N/A	52.4/60.5	42.9/80	N/A	합병증[‖]
Eller-Vainicher 2010	55	21.7/96.9 91.3/56.3	1mg, 5 ㎍/dL 1mg, 2.0 ㎍/dL	65.2/65.6[§]	N/A	N/A	N/A	수술 후 대사 호전[¶]

표 11-1. 무증상고코르티솔증 진단법의 정확성 <계속>

1저자,발표년도	N	DST (SN/SP)	DEX 용량, 결정점	CCR (SN/SP)	ACTH (SN/SP)	UFC (SN/SP)	DHEA-S (SN/SP)	최적표준
Lee, 2015	46	100.0/81.8 87.9/87.9 54.5/100.0	1mg, 2.2㎍/dL 1mg, 3.0㎍/dL 1mg, 5.0㎍/dL	N/A	36.4/95.5	N/A	66.7/74.2**	수술후부신기능부전
Lee, 2015	119	29.6/85.3 21.1/90.0 7.0/96.4	1mg, 2.2㎍/dL 1mg, 3.0㎍/dL 1mg, 5.0㎍/dL	N/A	15.5/89.2	N/A	54.9/31.6	합병증††
Dennedy, 2017	29	>99/82.9 92.5/88.6	1mg, 1.8㎍/dL 1mg, 2.1㎍/dL	N/A	N/A	69/67‡‡	100/91.9§§	≥ 2 of UFC, CCR,DST

DST= cortisol level after a DST, DEX = dexamethasone, CRH = blunted response to CRH, CCR = altered circadian cortisol rhythm (elevated MSeC or MSaC levels),MSeC = midnight serum cortisol, MsaC= midnight salivary cortisol, ACTH = low ACTH levels <10 pg/mL (2.2 pmol/liter), UFC = 24-h UFC levels above the upper limit of the normal range, DHEA-S = Dehydroepiandrosterone-sulfate, N/A = data not available, SN = sensitivity (%), SP = specificity (%).

*MSaC levels cutoff, 1.7 ㎍/liter (47 nmol/liter); †MSeC levels cutoff, 4.9 ㎍/dL (135 nmol/liter); ‡MSeC cutoff, 4.0 ㎍/dL (110 nmol/liter); §MSeC cutoff, 5.4 ㎍/dL (149 nmol/liter); || Concomitant presence of vertebral fractures, arterial hypertension, and type 2 diabetes mellitus; ¶ Improvement after surgery of at least two out of the following possible complications of SH: blood pressure, fasting glucose, body weight, and cholesterol levels; ** Low DHEA-S level <80 ㎍/dL (< 2.17μmol/liter) in male, <35 ㎍/dl (< 0.95μmol/liter)in female; †† ≥ 4 of five component of metabolic syndrome (abdominal obesity, hypertriglyceridemia, low HDL-cholesterol, high blood pressure, and hyperglycemia) and low bone mass (Low bone mass was defined as 'low bone mineral density for chronological age'in premenopausal women and men of <50 years of age when Z-score was ≤-2.0 and as 'osteoporosis' in postmenopausal women and men of ≥ 50 years of age when T-score was ≤-2.5 or when the use of anti-osteoporoticmedications, ‡‡UFC ratio (UFC level/upper limit of the reference range) > 1.01, §§DHEA-S ratio < 1.12 (DHEA-S level/lower limit of the age and sex matched reference range).

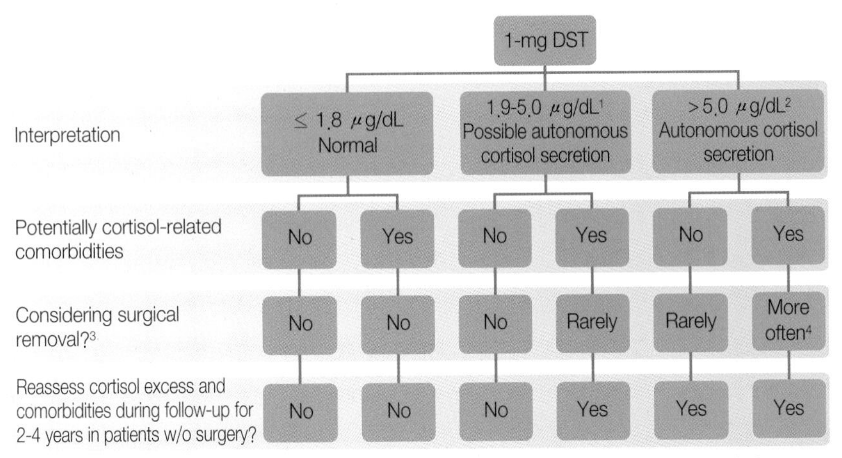

1. The majority, but not all, panel members preferred additional biochemical tests to confirm cortisol secretory autonomy and assess the degree of cortisol secretion. In all patients with comorbidities, we suggest to measure basal morning plasma ACTH and to repeat the 1mg-DST in 3-12 months.
2. We suggest additional biochemical tests to confirm cortisol secretory autonomy (plasma ACTH) and to better judge the degree of cortisol secretion (24-h urinary free cortisol ± midnight salivary cortisol). We also suggest to repeat the 1mg-DST in 3-12 months.
3. The decision to undertake surgery should be individualized taking into account factors that are linked to surgical outcome, such as patient' s age, duration and evolution of comorbidities and their degree of control, and presence and extent of end organ damage. In all patients considered for surgery, ACTH-independency of cortisol excess should be confirmed by a suppressed or low basal morning plasma ACTH.
4. Overall, the group agreed that there is an indication of surgery in a patient with the presence of at least two potentially cortisol-related comorbidities (e.g. Type 2 diabetes, hypertension, obesity, osteoporosis), of which at least one is poorly controlled by medical measures.

그림 11-1. 부신 우연종 환자에서 자발적 코르티솔 분비에 대한 접근 및 치료

2) 1 mg-DST 후 코르티솔 1.9~5.0 ㎍/dL: Possible autonomous cortisol secretion

이 환자군에 대해서는 동반질환으로 알려져 있는 고혈압과 2형 당뇨병에 대한 선별 검사 및 이들 질환에 대한 치료를 권하고 있다. 권고안에 참여하였던 패널의 일부는 코르티솔 분비의 자발성 및 코르티솔 분비 정도를 볼 수 있는 추가적인 검사를 권유하고 있는데, 특히 동반질환이 있는 환자에서는 아침 ACTH 농도 및 3~12개월 후에 1 mg-DST 재검을 권유하고 있다. 현재까지의 제한적인 연구 결과들로 인하여 수술이 도움이 될 것으로 판단되는 환자는 잘 알려져 있지 않다. 패널의 일부는 나이가 젊으면서 동반질환(고혈압, 2형 당뇨병, 비만, 골다공증)이 하나

라도 있다면 수술을 권유하고 있다. 다만, 수술을 고려하고 있다면 억제된 혹은 낮은 아침 ACTH 농도를 확인하여 ACTH-비의존적인 것을 확인할 것을 권유하고 있다. 수술하지 않은 환자에서 동반질환이 있다면 1 mg-DST 검사의 재검 및 동반질환에 대한 재확인이 필요하다.

3) 1mg-DST 후 코르티솔 〉 5.0 ㎍/dL: Autonomous cortisol secretion

이 환자군에 대해서는 동반질환으로 알려져 있는 고혈압, 제2형 당뇨병, 무증상 척추 골절에 대한 선별 검사 및 이들 질환에 대한 치료를 권하고 있다. 코르티솔 분비의 자발성(아침 ACTH 농도) 및 코르티솔 분비 정도(24시간 소변 유리 코르티솔± 자정 타액 코르티솔 농도)를 볼 수 있는 추가적인 검사 및 3~12개월 후에 1 mg-DST 재검이 권유되고 있다. 현재까지의 제한적인 연구 결과들로 인하여 수술이 도움이 될 것으로 판단되는 환자는 잘 알려져 있지 않다. 전반적으로 적어도 2개 이상의 동반질환(고혈압, 2형 당뇨병, 비만, 골다공증)이 있으며 이러한 동반질환들 중 적어도 한 개 이상이 내과적인 치료에 잘 조절되지 않는다면 수술의 적응증이 된다는 것에는 동의하고 있다. 또한 수술을 고려하고 있다면 억제된 혹은 낮은 아침 ACTH 농도를 확인하여 ACTH-비의존적인 것을 확인할 것을 권유하고 있다. 수술하지 않은 환자에서 동반질환 유무와 무관하게 1 mg-DST 검사의 재검 및 동반질환에 대한 재확인이 필요하다.

5. 요약

무증상 고코르티솔증은 코르티솔 과다에 의한 몇몇 동반질환과 연관되어 있는 것으로 보이며, 심혈관질환 위험 증가로 인한 사망률 증가와 연관되어 있는 것으로 보여지고 있다. 수술적인 치료는 이러한 동반질환을 개선시키는 것으로 알려져 있으나, 이를 진단할 수 있는 최적표준의 부재로 인해 수술에 의해 이득을 받을 수 있는 환자를 찾을 수 있는 진단법이 현재는 절대적으로 부족하다. 이를 위해 대단위, 전향적, 무작위 연구가 필요할 것으로 판단된다.

참고문헌

1. Ahn SH, Kim JH, Baek SH, et al. Characteristics of Adrenal Incidentalomas in a Large, Prospective Computed Tomography-Based Multicenter Study: The COAR Study in Korea. Yonsei Med J 2018;59:501-10.
2. Bancos I, Alahdab F, Crowley RK, et al. THERAPY OF ENDOCRINE DISEASE: Improvement of cardiovascular risk factors after adrenalectomy in patients with adrenal tumors and subclinical Cushing's syndrome: a systematic review and meta-analysis. Eur J Endocrinol 2016;175:R283-R295.
3. Barzon L, Fallo F, Sonino N, et al. Overnight dexamethasone suppression of cortisol is associated with radiocholesterol uptake patterns in adrenal incidentalomas. Eur J Endocrinol 2001;145:223–4.
4. Chiodini I, Vainicher CE, Morelli V, et al. MECHANISMS IN ENDOCRINOLOGY: Endogenous subclinical hypercortisolism and bone: a clinical review. Eur J Endocrinol 2016;175:R265-R282.
5. Chiodini I. Clinical review: Diagnosis and treatment of subclinical hypercortisolism. J ClinEndocrinolMetab 2011;96:1223-36.
6. Debono M, Bradburn M, Bull M, et al. Cortisol as a marker for increased mortality in patients with incidental adrenocortical adenomas. Journal of Clinical Endocrinology and Metabolism 2014;99:4462–70.
7. Dennedy MC, Annamalai AK, Prankerd-Smith O, et al. Low DHEAS: A Sensitive and Specific Test for the Detection of Subclinical Hypercortisolism in Adrenal Incidentalomas. J ClinEndocrinolMetab 2017;102:786-92.
8. Di Dalmazi G, Pasquali R, Beuschlein F, et al. Subclinical hypercortisolism: a state, a syndrome, or a disease? Eur J Endocrinol 2015;173:M61-71.
9. Di Dalmazi G, Vicennati V, Garelli S, et al. Cardiovascular events and mortality in patients with adrenal incidentalomas that are either non-secreting or associated with intermediate phenotype or subclinical Cushing's syndrome: a 15-year retrospective study. Lancet. Diabetes & Endocrinology 2014;2:396–405.
10. Di Dalmazi G, Vicennati V, Rinaldi E, et al. Progressively increased patterns of subclinical cortisol hypersecretion in adrenal incidentalomas differently predict major metabolic and cardiovascular outcomes: a large cross-sectional study. Eur J Endocrinol 2012;166:669-77.

11. Eller-Vainicher C, Morelli V, Salcuni AS, et al. Accuracy of several parameters of hypothalamic-pituitary-adrenal axis activity in predicting beforesurgery the metabolic effects of the removal of an adrenal incidentaloma. Eur J Endocrinol 2010;163:925-35.
12. Eller-Vainicher C, Morelli V, Salcuni AS, et al. Postsurgical hypocortisolism after removal of an adrenal incidentaloma: is it predictable by an accurate endocrinological work-up before surgery? Eur J Endocrinol 2010;162:91-9.
13. Fassnacht M, Arlt W, Bancos I, et al. Management of adrenal incidentalomas: European Society of Endocrinology Clinical Practice Guideline in collaboration with the European Network for the Study of Adrenal Tumors. Eur J Endocrinol 2016;175:G1-G34.
14. Hong AR, Kim JH, Park KS, et al. Optimal follow-up strategies for adrenal incidentalomas: reappraisal of the 2016 ESE-ENSAT guidelines in real clinical practice. Eur J Endocrinol 2017;177:475-83.
15. Lee SH, Song KH, Kim J, et al. New diagnostic criteria for subclinical hypercortisolism using postsurgical hypocortisolism: the Co-work of Adrenal Research study. ClinEndocrinol (Oxf) 2017;86:10-8.
16. Libe' R, Dall'Asta C, Barbetta L, et al. Long-term follow-up study of patients with adrenal incidentalomas. Eur J Endocrinol 2002;147:489–94.
17. Mantero F, Terzolo M, Arnaldi G, et al. A survey on adrenal incidentaloma in Italy. Study Group on Adrenal Tumors of the Italian Society of Endocrinology. J ClinEndocrinolMetab 2000;85:637-44.
18. Masserini B, Morelli V, Bergamaschi S, et al. The limited role of midnight salivary cortisol in the diagnosis of subclinical hypercortisolism in patients with adrenal incidentalomas. Eur J Endocrinol 2009;160:87–92.
19. Morelli V, Masserini B, Salcuni AS, et al. Subclinical hypercortisolism: correlation between biochemical diagnostic criteria and clinical aspects. ClinEndocrinol (Oxf) 2010;73:161-6.
20. Morelli V, Reimondo G, Giordano R, et al. Long-termfollow-up in adrenal incidentalomas: an Italian multicenter study.Journal of Clinical Endocrinology and Metabolism 2014;99:827–34.
21. Nunes ML, Vattaut S, Corcuff JB, et al. Late-night salivary cortisol for diagnosis of overt and subclinical Cushing's syndrome in hospitalized and ambulatory patients. J ClinEndocrinolMetab 2009;94:456–62.
22. Valli N, Catargi B, Ronci N, et al. Biochemical screening for subclinical cortisol-secreting adenomas amongst adrenalnincidentalomas. Eur J Endocrinol 2001;144:401-8.

CHAPTER 12

쿠싱병에 대한 수술적 관리
Surgical management of Cushing's disease

김의현
연세의대 신경외과학교실

수술적인 종양제거술은 쿠싱병의 치료에 있어 일차적인 치료법으로 시행된다. 특히 다른 기능성 뇌하수체 선종에 비해 약물치료의 효용성이 상대적으로 적은 쿠싱병에 있어, 수술적 치료를 통해 관해에 이르게 하려는 노력이 더욱 중요하다고 할 수 있다.

1. 수술 전 단계

1) 쿠싱병의 진단 확인

쿠싱증후군(Cushing's syndrome)은 코르티솔 과다로 인한 일련의 특징적인 신체적인 변화를 야기하게 되는데 부신피질자극호르몬(ACTH)-의존성과 비의존성으로 구분할 수 있다. 부신피질자극호르몬-의존성의 경우 부신피질자극호르몬은 대부분 뇌하수체 선종에서 분비되나, 폐암이나 카르시노이드종양(carcinoid tumor)

등에서 분비되는 경우도 있으며, 드물게 부신피질호르몬유호르몬리(corticotropin-releasing hormone)-분비성 종양의 가능성도 있어 감별이 필요하다. 부신피질자극호르몬-비의존성인 경우 대부분 부신의 종양이 고코르티솔증의 원인이 된다. 쿠싱증후군 환자는 체중 증가를 보이고, 얼굴이 달덩이처럼 둥글게 되고(moon face), 비정상적으로 목 뒤에 지방이 축적되며(buffalo hump), 배에 지방이 축적되어 뚱뚱해지는 반면 팔다리는 오히려 가늘어지는 중심성 비만(central obesity)을 보인다. 얼굴이 붉고 피부가 얇고, 내당능 장애(glucose intolerance)와 고혈압, 골다공증, 골절과 같은 신체 변화가 동반된다. 여성의 경우 월경 장애 및 불임을, 남성은 성욕 감퇴를 보인다. 몸에 잔털이 많이 나는 다모증과 배에 자주색 선조가 있는 경우도 많으며, 감염에 취약하다. 우울증이나 과민성 등의 심리적 증상이 나타날 수 있고 심한 경우 정신병 증상까지 보일 수 있다. 이러한 고코르티솔증의 원인에 대한 감별을 위해서, 또한 쿠싱병의 확진을 위해서도 일련의 내분비 검사들이 필요하다. 쿠싱증후군을 유발하는 다양한 원인 병소를 확인하기 위해서 하추체정맥동검사(inferior petrosal sinus sampling, IPSS), 전신 양전자방출단층촬영(positron emission tomography) 등이 필요할 수 있다. 수술의는 수술을 결정하기 전에 위의 사항들을 직접 확인해야 하고, 모든 검사들이 뇌하수체 선종에 의한 쿠싱증후군에 부합하는지 점검해야 한다.

2) 영상 검사

다양한 내분비 검사들을 통해 쿠싱병이 의심되면, 자기공명영상(magnetic resonance imaging, MRI)를 통해 뇌하수체선종의 유무를 확인하게 되는데, 다른 종류의 뇌하수체선종과는 달리 MRI를 통한 진단이 어려운 경우를 흔히 접하게 된다. 미세선종(microadenoma)의 빈도가 높은 쿠싱병에 있어서, 단순 두개골 촬영(X-ray)과 전산화단층촬영(computed tomography, CT)의 유용성은 상대적으로 낮다고 볼 수 있다. 하지만, 쿠싱병 역시 거대선종(macroadenoma)일 경우 뇌하수체 종양의 크기가 커짐에 따라 단순 두개골 촬영에서도 터키안 확장(sellar enlargement) 및 미란(erosion)을 관찰할 수 있으며, 전산화 단층 촬영에서도 5 mm 이상의 선종의 경우 80–90%에서 종양을 진단할 수 있다고 알려져 있고, 석회화 및 종양내 출혈의 유무를 확인하는데 큰 도움이 된다.

다양한 시퀀스를 포함한 MRI 검사는 뇌하수체 안에 존재하는 종양의 유무를 확인하기 위해 가장 정확한 검사이며, 쿠싱병의 진단에 필수적이라고 하겠다(그림 12-1). 일반적으로 T1강조 영상에서 뇌하수체선종은 대부분 동신호강도(isointense)를 보이며, 시상단면(sagittal plane)에서 뇌하수체후엽을 확인할 수 있으나, 종양의 크기가 커질수록 확인이 어려워진다. 또한, T2강조 영상에서 뇌하수체선종 자체의 성상에 따라 다양한 신호를 보일 수 있으며, 종양내 출혈을 확인하는데 용이하다. 특히 시신경 및 뇌혈관 등 안장위공간(suprasellar space)의 다양한 해부학적 구조를 확인하는데 유용하다. 종양의 진단에 있어서는 T1강조 영상에서의 조영 증강 유무 및 강도가 중요한데, 뇌하수체 조직은 뇌혈관장벽(blood brain barrier)이 없기 때문에 강한 조영 증강을 보이게 되어 단순한 조영증강 여부만으로 종양을 진단할 수 없다. 정상 뇌하수체 조직에 비해 상대적으로 낮은 정도의 조영 증강을 지연적으로 보이는 뇌하수체 선종을 확인하기 위해서는 같은 부위를 일정 시간 간격으로 촬영을 하는 다이나믹 시퀀스(dynamic sequence)가 큰 도움이 되며, 크기가 작은 미세선종이 많은 쿠싱병에서 그 필요성이 크다고 할 수 있다. 대부분의 종양은 위에서 언급한 자기공명영상의 표준 시퀀스에서 그 존재를 확인할 수 있으나, 쿠싱병의 경우 일반적인 MRI에서 종양이 확인이 어려운 경우가 있으며, 이러한 경우 수술 중 종양이 확인되지 않거나, 조직 검사상에서조차 종양 조직이 확인되지 않는 경우가 있어 일반적으로 수술 성공률이 떨어지는 것으로 알려져 있다. 따라서, 최근 SPGR (spoiled gradient echo) 영상 등의 새로운 촬영기법을 통해 진단율을 높이려는 노력이 계속되고 있다.

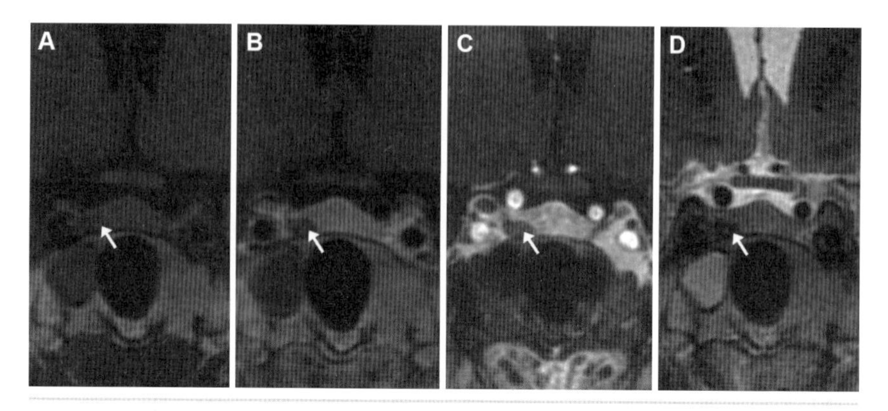

그림 12-1. 뇌 자기공명영상 검사. (A) T1강조 영상에서 종양은 동신호강도(isointense)를 보여 정상 뇌하수체와 구분이 어려우나, (B) 조영 증강 T1 강조 영상에서 종양의 종영 증강이 정상 뇌하수체에 비해 상대적으로 덜 강한 정도로 지연되어 나타나는 것이 특징이다. (C) SPGR (spoiled gradient echo) 영상은 더욱 정밀한 영상을 제공함으로써 종양 진단율이 높이고 있으며, (D) T2강조 영상에서는 종양의 성상을 보여주면서 특히 안장위 해부학적 구조물을 잘 확인할 수 있다.

뇌하수체 선종은 일반적으로 직경이 1 cm 보다 작은 종양을 미세선종(microadenoma), 1 cm 이상의 종양을 거대선종(macroadenoma)으로 정의한다. 종양의 크기와 범위를 기술하기 위해 가장 임상적으로 흔히 사용되는 분류법은 Hardy 분류 체계이며, 종양의 크기와 침범 정도에 따라 0–5등급으로, 그리고 침범된 부위에 따라 A–E로 분류한다. 또한, 뇌하수체의 양측에 위치한 해면정맥동의 침범 정도는 Knosp 분류 체계에 의해 정의될 수 있는데, 이는 수술 전 자기공명영상의 시상 단면에서의 해면정맥동 안에 위치한 내경동맥과 두개강안에 위치한 내경동맥을 기준으로 종양의 상대적인 침범 범위를 기술하도록 되어 있으나, MRI 소견을 통해 수술 중에 확인되는 해면정맥동 침범 여부를 완전히 예측할 수 없다는 점에서 한계점은 분명 가지고 있다.

2. 쿠싱병의 수술적 치료

1) 뇌하수체 종양 수술의 역사

뇌하수체 종양에 대한 수술은 19세기 말에 개두술을 통해 처음 시도되었으나, 뇌하수체로의 접근의 어려움이 많았기에 Herman Schloffer, Theodor Kocher, Allen Kanavel, Oskar Hirsch, Albert Halstead, Harvey Cushing 등에 의해 비강을 통한 접근법이 지속적으로 시도되게 되었으며, 이러한 지속적인 노력이 현재의 경접형골 접근법의 기초가 되었다. 뇌하수체 종양은 주로 전두하 접근법(sub-frontal approach)이나 전두-측두접근법(frontotemporal approach) 등의 경두개골 접근법으로 제거될 수 있으나 Jules Hardy가 수술현미경을 경접형골 접근법에 사용하기 시작하면서 뇌하수체 종양 수술에 큰 전환점이 되었으며, 미세 선종의 제거, 정상 뇌하수체 기능의 보존이 가능하게 되었다. 최근 내시경 수술 방법이 도입되어 뇌하수체 종양 수술에 적용되기 시작하면서, 경접형골 접근법의 적용 범위가 더욱 넓어지게 되었다.

2) 경접형골 접근법에 의한 종양 제거술

경접형골 접근법은 현미경, 내시경을 통해 모두 이루어질 수 있으며, 서로는 각각의 장단점을 가지기에 상호 보완적인 역할을 수행한다. 하지만, 두 테크닉 각각의 특징에 따라 수술 방법에 있어 차별화가 이루어져야 한다. 크게 비강 단계, 접형동 단계, 안장 단계를 거쳐 종양에 이르게 되며, 자동항법장치(navigation)를 사용하는 것이 복잡한 해부학적 구조나, 재수술 등에 있어서 많은 도움이 된다. 비강을 거쳐 접형골의 앞쪽 벽을 열어준 후에, 뒤쪽벽에 해당하는 안장 바닥뼈(sellar floor)를 열게 되면, 뇌하수체 및 종양에 접근할 수 있는 수막이 노출된다. 수막 절개 후, 뇌하수체 선종의 경우 항상 정상 뇌하수체와 종양의 경계를 확인하는 것이 첫 단계이어야 하며, 거대선종의 경우 안쪽의 종양을 일부 제거하여 감압함으로써 경계를 분리하는 과정이 용이해질 수 있다. 이러한 정상 뇌하수체 조직과 종양 조직이 분리될 수 있는 것은 뇌하수체 선종의 크기가 커지면서 가성피막(pseudocapsule)이 발달되기 때문이며, 종양세포가 가성피막을 침투하여 존재할 가능성이 높아서, 수술 시에 가성피막을 항상 제거하도록 시도해야 하며, 미세선종에서 특히 이러한 가성피막을 이용하면 일괄절제(en bloc resection)할 수 있는 가능성이 높으며, 가성피막의 제거가 쿠싱병에서 내분비적 관해율을 높이는 것으로 증명된 바 있다. 뇌하수체 기능의 보존을 위해 정상 뇌하수체 조직은 종양 제거 시에 항상 보호하면서 종양을 절제하도록 한다. 특히, 뇌하수체 선종을 경접형골 접근법으로 제거하는 경우, 뇌척수액 누수는 다양한 부위에서 다양한 크기의 결손으로 인해 발생할 수 있으며, 각 경우에 맞추어 다양한 재료와 방법을 사용하여 완벽하게 막도록 한다.

3) 경두개골 접근법에 의한 종양 제거술

경접형골 접근법으로 인해 뇌하수체 종양의 제거를 위해 경두개술이 필요한 경우는 매우 드물어졌지만, 초거대선종(giant pituitary adenoma)이나 두개저를 광범위하게 침범하는 뇌하수체 종양의 경우 여전히 중요한 역할을 수행한다. 다양한 경로로 뇌하수체로 접근할 수 있으며, 전두측두 접근법(frontotemporal), 전두하 접근법(subfrontal), 두개안와관골 접근법(cranioorbitozygomatic), 안와상열쇠구멍 접근법(supraorbital keyhole), 양전두반구간 접근법(bifrontal interhemispheric), 경뇌량 접근법(transcallosal), 그리고 경추체골 접근법(transpetrosal) 등이 포함된다.

4) 경접형골 접근법의 합병증

경접형골 수술에서의 뇌척수액 비루는 가장 주의를 요하는 합병증이며, 수막염의 발생과 관련하여 즉각적인 적절한 처치가 반드시 필요하다. 수술 재료와 기술의 발달로 인해 수술 후 뇌척수액 비루의 빈도가 예전에 비해 많이 감소하였으나, 여전히 경접형골 수술의 사망(mortality)과 관련되어 가장 흔한 원인이 된다. 특히, 내시경의 발달에 힘입어 다양한 두개저 종양을 비강을 통해 제거할 수 있는 확장된 개념의 경접형골 접근법 수술이 가능하게 되었으나, 이 경우 뇌척수액 비루의 발생 확률이 더욱 높음에 유의해야 한다. 수술 후 뇌척수액 비루가 발생하는 경우 직접적인 결손 부위 복원을 통해 뇌척수액 비루를 해결하는 것이 가장 이상적인 방법이다. 수술 중 주로 출혈에 의한 시신경 압박이나 시신경에 혈액을 공급하는 혈관 손상으로 인해 시신경 손상이 발생할 수 있으며, 뇌척수액 비루 등으로 수막염(meningitis)이 동반되는 경우에도 시신경 기능 저하의 위험성이 있다.

뇌하수체선종의 수술 중 뇌하수체 기능을 보존하기 위해 수술의는 정상뇌하수체 조직을 최대한 완전하게 보존하도록 노력해야 하며, 특히 뇌하수체줄기(pituitary stalk) 부근의 뇌하수체 종양을 제거할 때 각별한 주의를 요한다. 이러한 원칙으로 수술이 이루어졌을 때, 일반적으로 뇌하수체선종 수술 후 뇌하수체 기능은 대부분의 경우 보존되며, 특히 수술 전 고코르티솔증으로 인한 직접적인 범발성 뇌하수체기능저하증(panhypopituitarism)은 회복될 가능성이 높다. 이러한 뇌하수체 기능의 회복은 수술 후 수개월에서 수년간에 걸쳐 이루어지게 되며, 특히 방사선수술이나 방사선치료가 시행된 경우에는 뇌하수체 기능저하가 지연적으로 발생할 수 있어서 장기간의 내분비학적인 추적 관찰이 반드시 필요하다. 수술 중 뇌하수체 후엽의 손상에 특별히 주의해야 하며, 수술 중 손상이 없다면 수술 직후 발생한 요붕증은 대부분 회복된다.

내경동맥의 손상은 경접형골 수술 중 발생할 수 있는 가장 위험한 합병증이며, 특히 재발된 종양에 대한 수술 중에 또 방사선치료를 이전에 시행 받았던 경우에 그 손상 가능성이 높다. 내경동맥 손상이 우려되는 수술을 계획할 때에는 수술 전 혈관조영술을 시행하여 혈관 상태 확인 및 측부순환(collateral)에 대한 평가를 미리 시행하도록 하며, 혈관 손상이 발생하면 우선 다양한 수술 재료 및 생체 조직을 사용하여 압박(tamponade)을 통해 지혈을 시행한다. 이후 바로 수술실 안에서 또는 혈관조영술이 가능한 장소로 환자를 이송하여 혈관조영술을 시행하여, 혈관 손상 여부 및 그 손상 정도 및 위치, 측부순환을 평가한 후에 스텐트를 사용하여 파열 부위를 막음으로써 지혈을 시도할 수 있고, 어려운 경우 측부순환 평가 결과에 따라 내경동맥 폐색이나 혈관우회로술(bypass surgery)이 필요하다.

뇌하수체 초거대선종(giant pituitary adenoma) 등에서 종양이 제3뇌실과 그 양측에 위치한 시상하부를 압박하는 경우 수술 중 시상하부 손상의 가능성을 염두에 두어야 하며, 특히 시상하부에 혈액을 공급하는 천공혈관의 손상 및 수술 후 출혈로 인한 뇌혈관연축(vasospasm)으로 인해 발생하는 경우가 많다. 시상하부의 기능장애의 증상은 기억력 감퇴, 섭식장애로부터 체온조절장애, 의식장애, 그리고 사망에 이르기까지 다양하다.

후각 소실(anosmia), 비점막 유착(synechia), 비중격 천공(septal perforation), 비출혈(epistaxis), 빈 코 증후군(empty nose syndrome), 부비동염(sinusitis) 등의 비과적인 합병증은 경접형골 접근법에 따르는 흔한 합병증이며, 수술 후 주기적인 내시경 검사를 통해 합병증의 진행 유무를 확인하고 관리하는 것이 중요하다.

뇌하수체선종 수술 후 전해질의 불균형은 다양한 원인으로 발생할 수 있으며, 특히 저나트륨혈증이 지연적으로 발생할 수 있는데, 대개 수술 후 4–7일째에 발생하는 것으로 알려져 있다. 뇌하수체선종 수술 후 저나트륨혈증의 발생 빈도는 3.6–19.8% 정도로 알려져 있으며, 전해질 보충과 수분 제한을 통해 교정한다. 특히 저코르티솔증이나 갑상선기능저하증이 저나트륨혈증의 원인일 가능성을 확인해야 한다. 저나트륨혈증의 갑작스러운 교정 시에 삼투압성 탈수초 증후군(osmotic demyelination syndrome)이 발생하여 사지마비, 발작, 혼수상태 또는 사망 등의 심각한 뇌신경 합병증이 발생할 수 있으므로, 첫 24시간 동안 10–12 mEq/L 이상, 그리고 첫 48시간 동안 18 mEq/L 이상 교정되지 않도록 주의한다.

뇌하수체 거대선종 수술 중 직접적인 외력에 의해서나, arachnoid pouch가 안장위(suprasellar) 구조물로부터 분리되는 과정에서 혈관의 손상에 의해 발생한다. 이 경우 안장위수조(suprasellar cistern)에 지주막하출혈이 발생하게 되고, 지연적으로 8–10일 후 뇌혈관연축(cerebral vasospasm)에 발생할 수 있어 뇌경색의 위험이 높아진다. 지주막하출혈 발생 시 뇌혈관연축의 위험성은 35% 정도로 보고되고 있으며, 많은 경우에서 저나트륨혈증이 선행되어 뇌혈관연축의 경고 사인

(warning sign)으로서의 역할도 보고되고 있다. 뇌혈관연축에 대해 적극적으로 치료해야 하며, 뇌혈관조영술을 시행하여 파파베린(papaverine) 등의 혈관근 이완제 주입을 시도할 수 있다.

3. 쿠싱병의 수술적 치료 후 평가 및 관리

1) 수술 평가

성공적으로 종양이 전절제된 후, 오히려 혈중 코르티솔이 부족해짐으로써 발생하는 다양한 증상들에 대해 수술의는 숙지할 필요가 있다. 저코르티솔증을 우려하여 무조건 수술 후 당질코르티코이드를 복용하게 하는 것보다, 최근 이러한 혈중 코르티솔의 감소를 성공적인 수술의 척도 혹은 조기 예측 인자로 사용하는 것이 일반적이다. 단, 이 경우 짧은 시간 간격으로 혈중 코르티솔과 부신피질자극호르몬을 측정하면서, 환자의 상태를 집중치료실에서 관찰하는 것이 필수적이다. 일단, 이러한 혈중 코르티솔의 감소를 확인한 후에는 당질코르티코이드의 복용을 시작하며, 정상 HPA axis의 기능 회복을 기다리게 된다.

2) 수술 후 관해 및 재발

성공적으로 종양이 전절제 되는 경우, 조기 관해율은 65-98%까지 기대할 수 있으나, 역시 20-35%는 수술 후 내분비적인 관해에 이르지 못하는 것으로 보고되고 있다. 수술 후 관해에 이르지 못하는 환자에게서 잔존 종양이 MRI에서 확인되고, 또한 잔존 종양이 수술적으로 접근되어 제거될 수 있다면, 조기에 재수술을 통해 제거를 시도하는 것이 권유된다. 잔존 종양이 확인되지 않는 경우, 지연적으로 관해에 이를 가능성을 기대하고 단기간 경과 관찰을 할 수 있으나, 결국 관해에 이르지 못하는 경우에는 정상 뇌하수체의 부분 혹은 전 절제술까지 시도할 수 있으며, 양측 부신 절제술은 마지막으로 고려될 수 있는 극단적인 치료법이다.

경접형골 접근법으로 관해에 이러렀다고 해도, 2-35%의 환자에서 재발의 가능성이 있는 것으로 보고되고 있다. 이러한 다양한 결과는 각 기관의 관해 기준과 추적 관찰 기간이 다르기 때문인데, 오랜 추적 관찰 기간 동안 많은 대상자를 대상으로 한 몇몇 연구 결과를 근거로, 20-25%의 환자가 재발을 경험하는 것으로 알려져 있다. 또한, 약 이 중 15% 정도는 수술 직후 관해로 판정받은 환자에서의 재발인 것으로 보고되고 있다. 첫 수술의 관해율에 비해 재발된 쿠싱병 환자에서의 수술 후 관해율이 떨어지며(71% vs. 42%), 수술 후 재발률 역시 첫 수술 후 재발률에 비해 높은 것으로 알려져 있다. 대부분의 경우 재발은 5년 이내에 확인되는 것으로 알려져 있으나, 수술 후 30년까지도 보고되기도 하기에, 장기적인 추적 관찰에 의한 감시(surveillance)는 필수적이다.

참고문헌

1. Alexandraki KI, Kaltsas GA, Isidori AM, et al. Long-term remission and recurrence rates in Cushing's disease: predictive factors in a single-centre study. European journal of endocrinology 2013;168:639-48.
2. Aranda G, Ensenat J, Mora M, et al. Long-term remission and recurrence rate in a cohort of Cushing's disease: the need for long-term follow-up. Pituitary 2015;18:142-9.
3. Dallapiazza RF, Oldfield EH, Jane JA. Surgical management of Cushing's disease. Pituitary 2015;18:211-6.
4. Daly AF, Beckers A. Update on the treatment of pituitary adenomas: familial and genetic considerations. Acta clinica Belgica 2008;63:418-24.
5. Dimopoulou C, Schopohl J, Rachinger W, et al. Long-term remission and recurrence rates after first and second transsphenoidal surgery for Cushing's disease: care reality in the Munich Metropolitan Region. European journal of endocrinology 2014;170:283-92.
6. Donovan LE, Corenblum B. The natural history of the pituitary incidentaloma. Archives of internal medicine 1995;155:181-3.
7. Ezzat S, Asa SL, Couldwell WT, et al. The prevalence of pituitary adenomas: a systematic review. Cancer 2004;101:613-9.

8. Gittleman H, Ostrom QT, Farah PD, et al. Descriptive epidemiology of pituitary tumors in the United States, 2004-2009. Journal of neurosurgery 2014;121:527-35.
9. Hardy J. Transphenoidal microsurgery of the normal and pathological pituitary. Clinical neurosurgery 1969;16:185-217.
10. Kim EH, Ku CR, Lee EJ, Kim SH. Extracapsular en bloc resection in pituitary adenoma surgery. Pituitary 2015;18:397-404.
11. Kim EH, Oh MC, Kim SH. Angiographically documented cerebral vasospasm following transsphenoidal surgery for pituitary tumors. Pituitary 2013;16:260-9.
12. Kim EH, Oh MC, Kim SH. Application of low-field intraoperative magnetic resonance imaging in transsphenoidal surgery for pituitary adenomas: technical points to improve the visibility of the tumor resection margin. Acta neurochirurgica 2013;155:485-93.
13. Kim EH, Oh MC, Lee EJ, Kim SH. Predicting long-term remission by measuring immediate postoperative growth hormone levels and oral glucose tolerance test in acromegaly. Neurosurgery 2012;70:1106-13.
14. Lambert JK, Goldberg L, Fayngold S, Kostadinov J, Post KD, Geer EB. Predictors of mortality and long-term outcomes in treated Cushing's disease: a study of 346 patients. The Journal of Clinical Endocrinology & Metabolism 2013;98:1022-30.
15. Lee EJ, Ahn JY, Noh T, Kim SH, Kim TS, Kim SH. Tumor tissue identification in the pseudocapsule of pituitary adenoma: should the pseudocapsule be removed for total resection of pituitary adenoma? Neurosurgery 2009;64:62-69.
16. Lim JS, Lee SK, Kim SH, Lee EJ, Kim SH. Intraoperative multiple-staged resection and tumor tissue identification using frozen sections provide the best result for the accurate localization and complete resection of tumors in Cushing's disease. Endocrine 2011;40:452-61.
17. Lopes MBS. The 2017 World Health Organization classification of tumors of the pituitary gland: a summary Acta neuropathologica 2017;134:521-35.
18. Mindermann T, Wilson CB. Age-related and gender-related occurrence of pituitary adenomas. Clinical endocrinology 1994;41:359-64.
19. Nakane T, Kuwayama A, Watanabe M, et al. Long term results of transsphenoidal adenomectomy in patients with Cushing's disease. Neurosurgery 1987;21:218-22.
20. Partington MD, Davis DH, Laws ER, Jr., Scheithauer BW. Pituitary adenomas in childhood and adolescence. Results of transsphenoidal surgery. Journal of neurosurgery 1994;80:209-16.
21. Rhoton AL, Jr. The sellar region. Neurosurgery 2002;51:S335-74.
22. Sol YL, Lee SK, Choi HS, Lee YH, Kim J, Kim SH. Evaluation of MRI criteria for cavernous sinus invasion in pituitary macroadenoma. Journal of neuroimaging : official journal of the American Society of Neuroimaging 2014;24:498-503.

23. Starke RM, Reames DL, Chen C-J, Laws ER, Jane Jr JA. Endoscopic transsphenoidal surgery for cushing disease: techniques, outcomes, and predictors of remission. Neurosurgery 2012;72:240-7.
24. Vitale G, Tortora F, Baldelli R, et al. Pituitary magnetic resonance imaging in Cushing's disease. Endocrine 2017;55:691-6.
25. Wagenmakers M, Boogaarts H, Roerink S, et al. Endoscopic transsphenoidal pituitary surgery: a good and safe primary treatment option for Cushing's disease, even in case of macroadenomas or invasive adenomas. European journal of endocrinology 2013;169:329-37.
26. Wilson CB. A decade of pituitary microsurgery. The Herbert Olivecrona lecture. Journal of neurosurgery 1984;61:814-33.
27. Yamada S, Fukuhara N, Nishioka H, et al. Surgical management and outcomes in patients with Cushing disease with negative pituitary magnetic resonance imaging. World neurosurgery 2012;77:525-32.
28. Youmans JR, Winn HR. Youmans neurological surgery. Philadelphia: Elsevier/Saunders; 2011.

CHAPTER
13

쿠싱증후군의 수술적 치료
Surgical management of Cushing's syndrome

설지영
충남의대 외과학교실

쿠싱증후군의 원인이 종양이라면, 그 위치가 어디에 있던 종양의 제거가 최선의 치료 방법이다.

부신절제술은 부신선종과 같은 부신피질자극호르몬(ACTH) 비의존 쿠싱증후군의 일차 치료일 뿐만 아니라 다른 치료에 실패한 ACTH 의존 쿠싱증후군의 증상을 효과적으로 완화하기 위한 방법으로도 사용된다. 수술 술기 및 수술 기구의 발전으로 이제 부신절제술의 대부분을 복강경 부신절제술로 시행한다. 복강경 부신절제술의 장점은 개복수술에 비하여 통증이 적고, 입원 기간이 짧으며, 출혈의 양이 적고, 수술 후 합병증이 적다는 것이다.

1. 부신 수술 방법

1) 복강경 부신 절제술

(1) 복강경 경복강 부신절제술(Laparoscopic trans-abdominal adrenalectomy)

마취 후 요도관을 꼽고 부신 병변 측이 위로 올라가도록 측와위를 취한 다음, 젖

꼭지부터 골반까지, 배꼽부터 척추 중앙까지 노출하여 수술한다. 투관침은 대부분 3개로 수술이 가능하다.

(2) 복강경 측부 후복막 부신절제술(Laparoscopic lateral retroperitoneal adrenalectomy)

환자를 병변 측이 위로 올라가도록 측와위를 취한 뒤 복막을 뚫지 않고 후복막을 박리하여 수술하는 방법이다.

(3) 복강경 후복막 부신절제술(Laparoscopic posterior retroperitoneal adrenalectomy)

마취 후 환자를 완전 엎드린 자세, 복와위(prone position)로 눕힌 후 척추주변 근육과 중간겨드랑선 사이에 투관침 세 개를 이용하여 수술한다. 장점으로는 경복막 부신절제술에 통증이 적고, 복막을 열지 않음으로써 장유착의 가능성이 적으며, 복막을 열지 않아 비장, 간과 같은 장기의 박리가 필요 없고, 양측 부신을 동시에 수술할 경우 환자의 포지션 변경이 필요 없다는 것이다. 수술 공간이 협소하여 고도 비만이거나, 부신종양의 크기가 크면 기술적으로 수술이 어렵다는 단점이 있어서 종양 크기 5-6 cm 이하에서 사용하는 것이 좋다.

(4) 단일공 부신절제술(Single-port minimally invasive adrenalectomy)/ 로봇 부신절제술(Robot-assisted laparoscopic adrenalectomy)

최근에는 복강경 수술의 발전으로 다중포트 복강경 수술보다 더 최소침습수술의 형태로 사용한다. 2.5-3 cm 절개를 가한 후 단일공 수술을 위한 포트를 사용하여 수술을 하거나, 기존의 다빈치 로봇 혹은 가장 최신의 다빈치 단일공 플랫폼을 사용하여 수술할 수 있다. 이런 수술들이 전통적인 다중포트 복강경 부신절제술에 비하여 통증이 적고, 입원기간이 짧다고 보고도 되었지만, 복강경 부신절제술과 로봇수술을 비교한 최근 연구를 보면 복강경 부신절제술에 비하여 로봇부신절제술의 장점이 별로 없고, 수술 후 합병증도 차이가 없으며, 오히려 로봇수술 비용이 우리나라의 경우 복강경 수술에 비하여 몇 배 이상 비싸기 때문에 비용 효용면에서는 이득이 없다.

(4) 패스트 트랙 부신절제술(Fast-track (outpatient) laparoscopic adrenalectomy)

점점 외과의사의 복강경 수술 경험이 늘고 수술의 결과가 향상되면서 입원 없이 일일수술로 가능하다는 증례보고가 나오고 있다. 이를 패스트 트랙 부신절제술이라고 하며, 그 적응증을 갈색세포종이 없는 젊은 환자, 6 cm 미만의 종양, 수술 결과가 좋을 것으로 예상되는 환자에 국한하고 있으나, 우리나라의 경우 여러 장애요인이 많아 시행되기는 어려울 것으로 보인다.

2) 개복 부신절제술

(1) 개복 경복강/후복막 부신절제술(Open trans-abdominal adrenalectomy)/(Retroperitoneal open adrenalectomy)

개복 부신절제술은 환자의 포지션에 따라 앙와위, 측위, 복와위 각각에서 복막을 열고 들어가는 경복막 수술, 복막을 열지 않고 접근하는 후복막 수술이 가능하다. 개복 부신절제술의 적응증은 복강경수술의 금기증이 있거나, 부신종양의 크기가 8-10 cm 이상 큰 경우, 그리고 크기와 무관하게 부신피질암이 있을 경우이다. 부신피질암의 치료에는 수평자세인 앙와위로 경복막 접근을 하는 개복 부신절제술이 우선 선택되어야 하는데, 이렇게 함으로써 더 완전한 절제가 가능하고, 국소 재발과 복막 전이 가능성이 더 떨어지기 때문이다. 659명의 부신절제술 후 합병증을 추적 조사한 스웨덴 국가데이터베이스에 따르면 복강경, 로봇 수술 중 개복술로의 전환률은 5.6%였고, 두 가지 요인, 즉 종양의 크기와 악성종양이 개복술로 전환되는 가장 의미 있는 예측 인자였다. 종양의 크기가 5 cm 이상 큰 경우 14%에서 개복술로 전환이 되었다. 그러나 5 cm 의 크기가 절대적인 기준은 아니며, 크기가 큰 부신종양이라 하더라도 개복술에 대한 결정은 정확한 수술 전 평가와 숙련된 외과의에 따라 달라질 수 있다.

2. 수술 전 준비

1) 예방적 항생제

2) 고혈압 및 혈당 조절

3) 심부정맥혈전증 예방

쿠싱증후군 환자는 응고항진상태(hypercoagulable state)이므로 수술 후 약 5%의 환자에서 정맥 혈전색전증(venous thromboembolism)이 발생할 가능성이 있다. 투여 용량, 투여 기간은 정해진 바가 없지만 화학적 혈전 예방책을 고려해 볼 수 있다.

4) 스트레스 용량의 당질코르티코이드 투여

정상 부신은 하루에 약 200 mg 의 코르티솔을 분비하고, 극도의 스트레스 상태에서는 하루에 500 mg 까지도 분비하는 것으로 알려져 있다. 급성 스트레스 상태에서 혈장 내 코르티솔 농도가 22 mg/dL 이상이면 뇌하수체-부신 축의 기능이 정상이라고 봐도 된다. 메이저 수술의 경우 평균 혈중 코르티솔 농도가 47 mg/dL 이며, 마이너수술(탈장 등)의 경우 28 mg/dL 정도이다.

메이저 수술 시 코르티솔 농도는 75-150 mg 까지도 올라갈 수 있으며, 이는 마취 유도 직후에 나타나고, 수술 후 48시간 이내에 돌아온다. 이 짧은 기간의 코르티솔 증가가 있어야 스트레스에 의한 저혈압과 쇼크를 막을 수 있다. 투여 원칙은 극도의 스트레스 상황에서 부신에서 분비되는 양과 동일하게 투여하는 것으로, 일반적으로는 수술 당일 200-300 mg/70 kg 의 hydrocortisone을 나누어 투여하고, low dose replacement program에서는 IV hydrocortisone 25 mg 을 마취유도 직전에 투여하고 다음 24시간 동안 100 mg 을 지속적으로 투여하는 방법도 있다. 또 다른 방법은 hydrocortisone을 100 mg IV 투여한 후 지속적으로 정맥투여(continuous IV infusion)를 200 mg/24 h 하는 방법 등 각 병원마다 다르다. Hydrocortisone을 고용량으로 투여하는 경우 염류코르티코이드 기능을 같이하므로 염류코르티코이드를 따로 투여할 필요가 없다.

3. 적응증에 따른 수술(Approach by indication)

1) 코르티솔 분비 선종의 단측 부신절제술(Unilateral adrenalectomy for cortisol-producing adenoma)

부신 선종에 의한 일차성 부신 쿠싱증후군의 경우 단측 부신절제만으로도 90% 이상 완치를 보이며, 예후가 매우 좋다. 원인을 제거하면 고코르티솔증은 사라지지만, 장기간 과도한 코르티솔에 노출된 임상 결과 자체를 바로 되돌릴 수는 없다. 골밀도, 신체조성 및 염증에 대한 악영향은 오래 지속될 수 있어서, 이런 증상의 완화는 보통 수개월에서 길게는 수년까지 걸릴 수도 있다.

ACTH 비의존 쿠싱증후군 원인 중 하나인 부신선종에 의한 쿠싱증후군에서는 장기간 ACTH 가 억제되어 나타나는 반대쪽 부신의 위축으로 시상하부-뇌하수체-부신 축(이하 HPA axis)의 되먹임 기능이 작동하지 않아, 단측 부신절제술 후 부신기능부전(adrenal insufficiency)가 거의 모든 예에서 나타난다. HPA axis기능의 회복은 92%의 환자에서, 회복되는 평균시간은 보통 6개월에서 2.5년까지도 걸렸다. 정상 HPA axis 회복은 쿠싱병의 1.4년, 이소 쿠싱증후군 0.6년보다 부신종양에 의한 경우가 2.5년으로 가장 길었다는 보고도 있다. 수술 후 스테로이드 용량을 너무 일찍 줄이면 스테로이드금단증후군(steroid withdrawal syndrome)이 나타날 수도 있는데, 관절통, 전신통증, 피곤, 오심, 식욕 감퇴, 밤낮의 리듬이 바뀌고, 우울 등의 증상이 나타난다. 이 경우 스테로이드 용량을 증가시켜 치료한다. 더 심한 경우 부신위기(adrenal crisis)이 올 수 있기 때문에 내분비내과 전문의의 추적검사가 필수이다.

2) 부신피질암(Adrenocortical carcinoma)의 개복 경복막 수술(Open trans-abdominal adrenalectomy)

부신피질암의 치료는 개복술을 통한 광범위 절제술이 가장 중요하다. 경험이 많은 외과의가 행하는 경우 완전절제가 70%의 환자에서 가능하다. 크기가 작고 stage I-II의 국소질환인 경우 복강경 부신절제술을 시행하기도 하지만, 후에 복막

전이 발병률이 더 높다는 보고도 있으므로, 수술 방법 선택에 매우 신중해야 하고, 수술 전 병기 결정이 정확해야 한다.

부신피질암은 미미 진단 당시 크기가 매우 크고(평균 크기 9–13 cm), 주위 침윤으로 이미 부신의 경계를 넘어선 경우가 많으며, 1/3의 환자에서 이미 간이나 폐에 원격전이가 발견되기도 한다. 되도록이면 개복수술을 하는 것을 권한다.

수술은 침윤된 주위 장기 혹은 주변 림프절을 포함한 일괄절제(en bloc resection)를 해야 한다. 부검 소견에서 약 2/3~3/4 환자에서 림프절 전이가 발견되었고, 더욱이 주위 림프절 전이 소견이 나쁜 예후 인자임이 밝혀졌지만, 부신피질암의 수술 시 림프절 절제술의 치료적 역할에 대해서는 아직 논란의 여지가 있다. 그럼에도 불구하고 국소진행암(T3 and T4)의 경우 주변 림프절 전이가 많이 발견되므로 림프절 절제술을 고려해야 한다. 우측 부신피질암이 9 cm 이상의 큰 종양인 경우 하대정맥으로 혹은 우측 심장으로 직접 침윤됐을 가능성이 있어 주의를 요한다. 혈관 내 종양 색전(tumor emboli)이 보이는 경우 심폐우회술(cardiopulmonary bypass)을 시행하여 제거하기도 한다. 5년 생존율은 평균 약 15–20% 로 예후가 좋지 않으나, 수술로 완전 절제를 한 경우 5년 생존율이 40%까지도 오를 수 있다. 다만, 성공적 절제를 했다 하더라도 2년 이내 국소 재발과 전이 가능성이 40–65%에서 발견될 수 있다.

큰 종양크기로 인한 물리적인 압박 증후가 나타나서 혹은 호르몬 과다분비를 막기 위하여 종양감축술(debulking surgery)이 사용되기도 하는데, 부신피질암을 불완전 절제할 경우 여명이 중앙값 12개월 이내로 매우 짧다. 진단 당시 발견된 간, 폐 전이를 같이 제거하는 경우 장기 생존율이 증가한다. 재발된 환자도 단독 전이, 무병 기간이 12개월이 넘거나 국소주위 재발 혹은 폐 재발이 있는 환자 등 적응증을 잘 적용하여 선택된 환자에서 재수술을 시행해 볼 수 있고, 성공적 절제가 되면 양호한 장기 생존 가능성도 기대할 수 있다.

3) 양측성 결절성 부신과증식 쿠싱증후군(Cushing's syndrome with bilateral nodular adrenocortical hyperplasia)

보통 양측 부신에 발생하고, 부신 피질에 결절을 보이며, 고코르티솔증을 보이는 쿠싱증후군을 유발하는 질환은 드물지만, 크게 3가지 유형으로 나눠볼 수 있다. 하나는 ACTH-dependent bilateral macronodular adrenal hyperplasia, 또 하나는 ACTH-independent micronodular adrenal hyperplasia(일차색소침착결절 부신피질질환, primary pigmented nodular adrenocortical disease) (PPNAD), 마지막으로는 일차양측거대결절 부신과증식[primary bilateral macronodular adrenal hyperplasia(이하 BMAH)]이다.

(1) ACTH 의존성 양측 거대결절 부신과증식증(ACTH-dependent bilateral macronodular adrenal hyperplasia)

이 질환은 뇌하수체 쿠싱병이나 이소성 ACTH 증후군처럼 장기간 ACTH가 부신을 자극하여 양쪽 부신에 거대결절 부신과증식이 발생하는 것으로, 일차양측거대결절 부신과증식(BMAH)과 다른 점은 BMAH는 부신의 크기가 매우 커지고 불규칙한 모양을 보이는 것에 비하여 부신의 크기가 그렇게 커지지 않는다는 것이다.
고코르티솔증 치료의 다른 방법이 모두 실패한 환자의 마지막 치료로, 고코르티솔증을 광범위하고 빠르게 치료하기 위한 안전한 하나의 치료 방법으로 양측 부신절제술(bilateral adrenalectomy)을 시행해 왔다. 양측 부신절제술을 시행한 대부분의 환자에서 완전 생화학적 관해를 보여주면서 임상적 질환이 호전되었고, 건강관련 삶의 질이 수술 전보다는 약간 증가되었으나, 양측부신절제술 후 사망률은 약 17%로 보고되었다. 양측 부신절제술의 단점은 평생 스테로이드(당질코르티코이드와 염류코르티코이드) 치료가 필요하다는 것과 부신급성발증(adrenal crisis)의 위험도가 높다는 것, 그리고 넬슨증후군(Nelson syndrome) 부신위기가 중앙값 21%로 높다는 것이다.
이러한 단점들 때문에 양측부신절제술의 적응증을 표준치료에 반응이 없는 환자,

이소성쿠싱증후군 환자에서 약물치료에 반응하지 않고 심한 임상상을 보이는 응급상황, 표준임상지침에 맞는 선택적인 환자에게 제한적으로 사용하는 것이 좋다.

(2) 일차색소침착결절 부신피질질환(Primary pigmented nodular adrenocortical disease, PPNAD)

PPNAD는 PRKAR1A 생식세포 돌연변이에 의해 나타나고, ACTH 비의존 쿠싱증후군 질환군 중 1% 미만의 빈도를 보이는 드문 질환이다. 대개 10대 후반, 20대 초에 진단되며, 유전자 변이에 의해 양측 부신 모두 침범되어 형태학적 변화가 생기는 질환이다. 발견되면 양측부신절제술이 원인을 완전히 제거하고 임상적 형태를 바꾸는 최선의 치료 방법이다. 최근 일차양측거대결절 부신과증식(BMAH)에서 단측부신절제술을 시행한 경험을 이 질환에 응용하여, 경미한 증상을 보이는 PPNAD 환자에서 선택적으로 단측부신절제술을 시행하는 것에 대한 결과들이 나오고 있다. 그러나 워낙 환자의 수가 적고, 연구가 후향적이고, 작은 관찰연구라는 것, 추적조사 기간이 짧고 연구자마다 다양하게 포함되어 있어, 앞으로 어떤 결과가 나올지 그에 따라 앞으로 어떤 수술을 해야 할지는 아직 풀어나가야 할 숙제로 남아 있다. 그러나 젊은 나이에 발견되어 앞으로 살 날이 많다는 것, 양측부신을 절제하였을 때 부신기능부전이 자주 나타나고, 심지어 부신위기 가능성을 평생 안고 살아야 하는 등 삶의 질이 떨어지는 것, 나중에 시행하는 반대쪽 부신절제술의 위험도가 그리 높지 않다는 것, 그리고 최근 병태생리에 대한 분자생물학적 원인이 많이 밝혀지고 있고 그에 따라 치료약물에 대한 연구가 활발히 진행되고 있는 것을 감안하면 단측부신절제술을 경한 표현형의 선택적인 환자에서 시행 후 경미한 증상은 약물로 치료하면서 시간을 벌어주는 것도 좋은 방법이라 생각된다.

(3) 일차양측거대결절 부신과증식[Primary bilateral macronodular adrenal hyperplasia (BMAH)]

대부분 양측 부신의 과증식을 일으키는 것은 ACTH 과량 분비에 의한 것이 대부분이나, 드물게는 ACTH에 관계없이 양측 부신에 결절이 커지면서 그 종양에서 코르티솔이 과량 분비되어 쿠싱증후군 현상을 보일 때가 있다. 이를 일차양측거대결절부신과증식(BMAH) 이라고 하는데, 쿠싱증후군의 가이드라인에서는 여전히 BMAH의 경우, 양측 부신절제술을 하라고 권고하고 있지만, 증거의 질이 낮고, 환자 수가 적어서 믿을 만한 데이터는 아니다.

최근 BMAH 환자 일부에서 코르티솔 형성에 관여하는 다양한 호르몬들의 수용체가 부신에서 이상발현(aberrant expression)되면서 코르티솔이 다량 만들어지고 분비되는 원인이 되기도 한다고 보고되었다. 따라서 이 질환은 앞으로 이상수용체의 발현이 있는 군과 이상수용체의 발현이 없는 군으로 나누어 치료가 될 수 있을 것이다.

이상수용체가 없고 명백한 쿠싱증후군의 증상이 심하게 보이는 경우 양측부신절제술을, 코르티솔 증가 정도와 쿠싱증후군의 증상이 경미한 경우는 단측부신절제술을 시행하고 관찰하면서 환자의 반응 정도에 따라 약물 및 수술적 치료 여부를 다시 판단하는 것도 방법이다. 만일 부신에서 이상수용체가 발견되면 앞으로 수술을 하지 않더라도 수용체길항제 등의 약물로 치료가 가능하다 할 수 있겠으나, 문제는 어느 호르몬의 수용체가 이상발현 되었는지 찾는 것이 아직은 매우 어려운 일이다. 앞으로 많은 연구가 필요한 부분이다.

양측 부신절제술이 BMAH 환자의 고코르티솔증을 치료하는 최선의 방법으로 여겨져 왔으나, 최근 경한 고코르티솔증이 있는 경우 단측부신절제술을 시행하는 것이 차선책으로 대두되고 있다.

단측 부신절제술을 시행한 연구에서 부신절제술 후 7개월에서 137개월 동안의 추적검사에서 대부분의 환자가 고코르티솔증이 사라졌음을 보고 하였다. 재발은 두 증례보고에서 15명 중 2명, 12명 중 1명에서 있었고, 반대측 부신절제술이 필요했던 고코르티솔증이 지속된 경우는 세 연구에서 보고되었는데, 종합하면 32명 중 3명에서 있었다.

단측부신절제술 시행 시 문제가 되는 부분은 제거해야 할 부신의 선택이다. 코르티솔 분비를 많이 하는 종양을 알아내기 위하여 [Iodine-131] 6-Beta-Iodo-methy1-19- Norcholesterol (I-131 NP-59) 부신섬광조영(adrenal scintigrapy)을 BMAH진단에 사용하는 것이 유용하지만, 영상의 해상도가 낮고, 동위원소 구하기가 쉽지 않아 제한적이다. 부신정맥혈(adrenal venous sampling) 채취가 사용되고 있지만, 간혹 부신정맥의 해부학적 구조 때문에 실패하는 경우도 있다. 만일 어느 쪽 부신이 더 많은 코르티솔을 분비하는지에 대한 명백한 증거가 없으면, 우선 크기가 큰 종양을 제거하고 코르티솔을 측정하여 확인하는 방법이 선호되고 있다. BMAH에서 단측 부신절제술을 시행한 후 부신기능부전의 빈도는 16-40%였고, 나중에 완전하게 HPA axis 기능 회복이 되었다. 그러나 아직 장기간의 추적조사 결과는 없는 상태이다.

(4) 무증상 쿠싱증후군(Subclinical Cushing syndrome)

무증상 쿠싱증후군이란 우연히 발견된 부신종양 검사에서 코르티솔 과다분비의 생화학적 증거는 보이지만 쿠싱증후군의 명백한 증상, 증후를 보이지 않는 것을 말한다. 무증상 쿠싱증후군의 정확한 정의, 즉 검사 수치나 임상 특성에 대한 객관적인 평가 가이드라인은 없는 상태이나, 유럽내분비학회(European Society of Endocrinology, ESE)에서는 코르티솔이 많이 높지는 않지만 그래도 정상보다 높게 자가분비(low-grade autonomous cortisol excess)를 보이고 이로 인해 다른 질환이 병발되는 상태이므로 '무증상(subclinical)'이라는 용어는 피하는 것이 좋다는 견해를 피력하고 있다.

무증상 쿠싱증후군의 환자들은 정상인에 비하여 고혈압, 이상지질혈증, 당내성 감소 등이 더 많이 나타나고, 심혈관계 질환과 그로 인한 사망률이 증가된다. 한쪽 부신의 종양이 보이나 무증상이었던 쿠싱증후군인 환자에서 부신절제술을 시행했던 후향적 연구 결과 일부의 환자들에서 비만, 고혈압, 당뇨병, 이상지질혈증 등이 호전되었음을 보고하고 있다. 45명을 대상으로 수술과 경과 관찰을 비교한 무작위 대조연구에서도 고혈압과 다른 대사 관련 문제들이 호전되는 것을 관찰하였다.

ESE는 부신에 종양이 보이고, DST (dexamethasone suppression test)에서 억제가 안되고, 최소 고코르티솔증과 관계있을 가능성이 높은 질환(고혈압, 당내성/당뇨병, 비만, 이상지질혈증, 골다공증) 중 두 개 이상이 있는 환자라면 단측부신절제술을 시행할 수도 있다고 하였다. 또한 3-4 cm 이상의 큰 종양이 있거나 지속적인 영상 검사에서 크기가 커지는 경우는 무증상 쿠싱증후군 환자도 단측부신절제술을 시행할 것을 권한다.

4. 요약

부신절제술은 부신피질 선종으로 인한 쿠싱증후군에서 안전하고 효과적인 치료의 한 방법이며, 부신암, 국소 침윤이 명백한 경우를 제외하고 부신의 수술적 제거는 복강경 접근이 가장 유용하다. 지속적인 수술 술기의 발전에도 복강경 부신절제술이 아직까지 다른 로봇 등의 술기에 비하여 효율성이나 비용효용성 면에서도 우수하다.

한 쪽 부신 선종에 의한 쿠싱증후군은 단측부신절제술이 최선의 치료법이다.

쿠싱증후군 원인에 대한 분자생물학적 연구가 진행되면서 동시에 표적치료제에 대한 연구도 증가되고 있어서 향후 양측 부신절제술은 기존 치료에 반응하지 않는 환자, 응급 상황, 그리고 표준임상지침에 맞는 선택적인 환자에서 매우 제한적으로 사용될 것으로 생각된다.

부신피질암의 치료는 경험이 많은 외과의가 시행해야 하며, 개복술을 통한 광범위 절제술이 가장 중요하다.

양측거대결절부신과증식(primary bilateral macronodular adrenal hyperplasia, BMAH)은 드물지만, 부신 내 호르몬 수용체의 이상 발현이 원인일수 있으므로 현재 시점에서 확인할 수 있는 데까지 시행하고, 수술을 해야 하는 경우에는 단측부신절제술이 치료의 한 방법일 수 있다.

참고 문헌

1. 강우형, 김범수, 최윤백. Comparison of Laparoscpic Transperitoneal vs. Retroperitoneal Adrenalectomy. J Minim Invasive Surg 2010;13:22-5.
2. 변운용, 설지영. Laparoscopic Adrenalectomy: A Comparison of Lateral Transperitoneal vs. Posterior Retroperitoneal Approach. J Minim Invasive Surg 2010;13:123-8.
3. 이정민, 김미경, 고승현, 고정민, 김보연 등. 부신우연종의 진료지침: 대한내분비학회 진료지침제정 위원회. 2017;92: 4-16.
4. Creemers SG, Hofland LJ, Lamberts SW, Feelders RA. Cushing's syndrome: an update on current pharmacotherapy and future directions. Expert Opin Pharmacother 2015;16:1829-44.
5. Han N, Aung H. Editor's Pick: Adrenal Cortical Carcinoma: Clinical Perspectives. EMJ Urol 2017;5:64-70.
6. Kulkarni A, Rastogi G, Bhargava A. Anesthetic Management Of Resection Of A Cortisol Secreting Tumour: Cushing's Syndrome, Perioperative steroid replacement. The Internet Journal of Anesthesiology 2006;14:.
7. Kyrilli A, Lytrivi M, Bouquegneau MS, et al. Unilateral Adrenalectomy Could Be a Valid Option for Primary Nodular Adrenal Disease: Evidence From Twins. J Endocr Soc 2018;3:129-134.
8. Lacroix A, Feelders R, Stratakis CA, Nieman LK. Cushing's syndrome. Lancet 2015;386:913-27.
9. Nieman LK, Biller BM, Findling JW, Murad MH, Newell-Price J et. al. Treatment of Cushing's Syndrome: An Endocrine Society Clinical Practice Guideline. J Clin Endocrinol Metab 2015;100:2807-31.
10. Nieman LK. Recent Updates on the Diagnosis and Management of Cushing's Syndrome. Endocrinol Metab 2018:33:139-46.
11. Nixon AM, Aggeli C, Tserkezis C, Zografos GN. Surgical Considerations in Subclinical Cushing's Syndrome. When is it Time to Operate?
12. Prajapati OP, Verma AK, Mishra A, Agarwal G, Agarwal A, Mishra SK. Bilateral adrenalectomy for Cushing's syndrome: Pros and cons. Indian J Endocrinol Metab 2015;19:834-40.
13. Thompson, L.H., Nordenström, E., Almquist, M. et al. Risk factors for complications after adrenalectomy: results from a comprehensive national database. Langenbecks Arch Surg 2017;402:315.
14. Zavatta G, Dalamazi GD. Recent Advances on Subclinical Hypercortisolism. Endocrinology and Metabolism Clinics 2018;47:375-83.

CHAPTER 14

뇌정위 방사선수술 및 방사선치료
(Stereotactic Radiosurgery/Radiation Therapy)

손문준 인제의대 신경외과학교실
노정현 인제의대 내과학교실

쿠싱병은 부신피질자극호르몬(ACTH)을 과다 분비하는 원인이 뇌하수체 종양에 의한 질환을 말한다. 뇌하수체 종양에 대한 우선적으로 선택되는 효과적인 일차 치료법은 외과적 절제술이다. 외과적 절제술은 경비적 접근으로 미세현미경 혹은 내시경을 이용해서 종양을 제거하는 방법이 가장 대표적인 1차 치료법이다. 외과적 수술에 따른 관해율의 결과는 69~92%까지 다양하게 보고되고 있다. 미세선종에 의한 쿠싱병인 경우에는 첫 수술로 70~90%의 성공률이 기대되며, 거대선종의 경우에는 50~65%로 관해 성공률이 낮아진다.

그렇다면 수술 후 재발성 종양이나 수술로 완전절제가 안 되는 잔여 종양의 환자에서는 2차 보조치료가 필요하다. 대표적인 2차 치료법으로 사용되고 있는 치료법은 방사선치료 혹은 뇌정위 방사선수술이다. 수술적으로 관해를 보였던 환자의 10% (미세선종)가 5년 이내에 재발된다고 보고되고 있으며 거대선종의 경우 재발률은 30% 이상으로 높아진다. 2차수술의 성공률은 약 55% 가량으로 보고되고 있다. 따라서 추가적인 외과수술이 어려운 환자이거나 전신마취와 외과적 수술을 시행하기 어려운 고위험군 환자에서는 방사선조사가 중요한 보조치료법 혹은 1차 치료법으로 선택되기도 한다.

쿠싱병에 대한 방사선 치료는 의학기술의 발달에 따라서 오랫동안 사용되었던 고식적인 방사선 치료법에서 점차 정위 방사선 치료 혹은 정위 방사선 수술법으로 치료의 패러다임이 변화되어 왔다. 정위 방사선 치료 또는 뇌정위 방사선 수술법은 정밀 방사선 수술장비를 이용하여 정상 조직에 미치는 방사선 조사량을 최소화하면서 종양에만 선택적으로 방사선 빔을 조사하여 치료비율을 효과적으로 향상시키고 있어서 중요한 2차 치료법으로 사용되고 있다.

1. 방사선치료

고식적인 방사선 치료법은 뇌하수체 수술이 실패한 쿠싱병 환자에게서 오랫동안 사용되어 왔던 대표적인 보조치료법이다. 마스크 프레임을 이용하여 환자의 머리를 고정시키고 선형가속기를 이용하여 매일 1.8 Gy 의 방사선을 평일 5일 동안에 연속적으로 조사하는 분할 방사선 치료법이다. 총 누적 방사선량은 45~50 Gy 까지 25~30회 분할 조사하는 방법이다. 전체 치료기간은 5~6주가량 소요되며 경우에 따라서는 65 Gy 로 최대 조사량을 높일 수도 있다. 방사선을 조사하는 포트는 양측 2개와 관상면 한 개를 이용하여 병변에 크기에 따라서 $4\times4\times4\ cm^3$~$8\times8\times8\ cm^3$ 범위에 조사하는 방법이다.

1) 치료 결과

우선 내분비 관해와 관련된 방사선치료의 결과는 다음과 같다. 국내 보고에 의하면 이러한 방사선 치료법으로 4명 중 3명의 환자에서 임상 증상과 호르몬 수치가 정상화되었다고 발표하였다. 일반적으로 방사선치료에 따른 내분비 관해율은 50~80%로 다양하게 보고되고 있는데 성인 환자에서는 약 50%의 관해율을 나타내는 반면에 소아 환자의 경우에는 80%로 보다 높은 관해율을 보인다. 내분비 관해는 방사선치료 후 18개월이 경과한 시점 이후에 관해를 나타내며 방사선치료 반응이 정위 방사선 수술에 비해 관해가 나타나는 시기가 지연되는 결과를 보인다. 코티졸 분비가 정상화되기까지 6~60개월이 소요되기도 한다고 보고되고 있다. 방사선 치료 후 18개월 시점에 50% 환자가 관해에 도달한다고 알려져 있으며 치료반응은 방사선선량의 세기와 시간에 비례하여 증가하는데 총 방사선치료 선량이 40 Gy 이하에서는 치료 효과가 낮은 것으로 알려져 있다. 내분비 관해와는 달리 방사선치료에 따른 뇌하수체 종양의 영상학적인 종양의 성장 억제효과(국소 안정화)는 93~98%로 보고되고 있다.

2) 합병증

뇌하수체기능저하증이 가장 흔히 발생하는 합병증이며, 병소에 조사된 방사선량과 용적, 그리고 시일이 경과할수록 증가하는 것으로 알려져 있다. 뇌하수체에만 국소적으로 방사선조사를 한 경우보다 터키안 전체에 방사선을 조사한 경우에서 그 발생빈도가 증가한다고 알려져 있다. 방사선치료에 따른 발생 빈도는 5년 경과 시에 62%이며, 10년 경과 시에 76%로 보고되고 있다. 방사선 치료에 따른 터키안 주변의 뇌신경병증과 뇌혈관병증 발생할 수 있다. 뇌신경병증으로는 시신경, 동안신경, 외전신경 병증의 합병증 발생이 보고되고 있고, 뇌혈관 합병증의 상대위험 사망률은 4.1%로 알려져 있다. 방사선치료에 따른 폐색성 뇌동맥손상의 원인으로 종양에 의한 혈관압박이나 방사선 조사에 의한 동맥벽 손상 등이 원인이다. 혈관손상을 유발하는 가설은 방사선 조사에 의한 혈관벽의 탈분극반응으로 동맥벽의 여과 기능이 소실되며 내피에 지방이 침작하고 염증반응과 혈전으로 전형적인 동맥경화 변화가 나타난다. 이로 인하여 혈관주위의 영양공급 소혈관의 직접적인 손상에 따른 영향이라고 알려져 있다. 전형적인 심혈관 위험요인들이 동반되어 있는 경우에는 방사선치료에 따른 뇌혈관 손상의 상대위험도는 1.5배 4배로 증가한다고 알려져 있다. 뇌하수체 종양에 대한 방사선치료의 허혈성 뇌졸중의 평균 발생빈도는 6.7%로 알려져 있다(0~11.6%). 방사선 치료 범위내에 포함된 정상 뇌부위에서 2차성 악성신생물의 발생 위험도는 10년에 2%로 보고되고 있다.

2. 정위 방사선수술

1) 치료 패러다임의 변화

뇌정위 방사선 수술은 1951년 스웨덴 신경외과 의사 Leksell에 의해 처음 소개되었으며 다양한 뇌질환에서 신경외과 수술법을 대체할 수 있는 비관혈적 치료법으로 발전해 왔다. 뇌정위 방사선 수술은 고용량의 이온화된 방사선을 정확하게 뇌병변 표적에 국재화하는 뇌정위법을 이용하며 부채꼴 모양으로 넓게 나누어서 분포된 방사선 빔을 뇌병변 표적에 국소적으로 집중시켜 고용량의 방사선량을 조사함으로써 뇌병변의 국소완치를 치료 목표로 한다. 대표적인 방사선 수술법으로는 1967년 최초의 감마나이프 방사선 수술기가 개발되어 임상에 사용되기 시작하여 1984년 201개의 코발트 소스를 이용한 감마나이프가 상용화되기 시작하였다. 그리하여 1980년대 이후에는 본격적으로 뇌 병소에 대하여 고선량 방사선의 일회조사로 치료효과를 향상시키면서도 기존의 방사선 치료법에서 한계점으로 대두되었던 인접부위 정상 뇌조직이나 뇌신경에 대한 방사선 손상을 최소하는 치료법으로 감마나이프 방사선수술이 보급되면서 활발하게 발전해 오고 있다.

국내에서는 1990년 처음 감마이나프 수술법이 도입되었으며, 2000년대에 이르러서는 선형가속기를 이용한 방사선 수술이 상용화됨에 따라서 사이버나이프, 노발리스, 트루빔 등의 다양한 방사선 수술 전용 선용가속기가 임상에 사용되고 있다. 또한 양성자 치료도 국내에 도입되어 활발하게 사용되고 있다. 뇌정위 방사선 수술은 대부분은 일회 조사 방식의 치료를 사용해 왔으나, 2004년경부터는 5회 이내의 저분할 방식의 방사선 수술법의 개념으로 발전하였다(그림 14-1). 그리하여 치료하고자 하는 종양의 종류, 크기, 위치 및 합병증의 위험성 등을 고려하여 다양한 저분

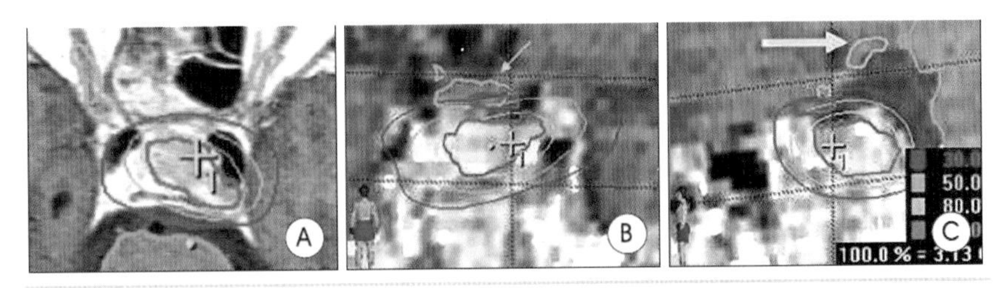

그림 14-1. 뇌정위 분할방사선수술(선형가속기, 노발리스)-Brainscan 수술계획 사진(분홍색선: 뇌하수체종양- 종양용적(GTV), 노란색 선: 80% 등고선량 사용, 십자 표시: 중심점, 노란색 화살표: 시신경교차, 하늘색 화살표: 시각로)

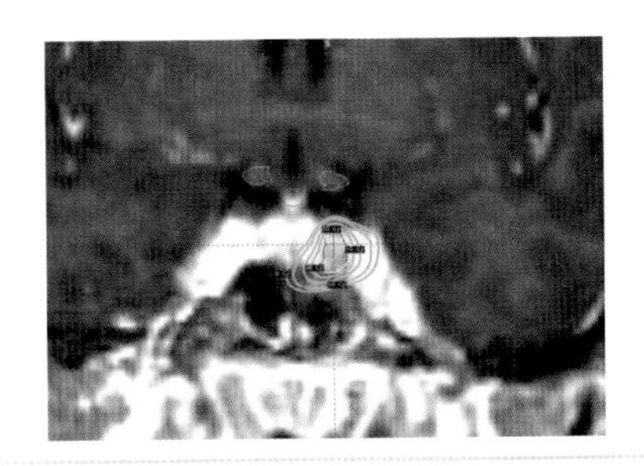

그림 14-2. 감마나이프 아이콘(Leksell Gamma Knife® Icon™)을 이용한 뇌하수체 종양에 대한 뇌정위방사선수술 계획 사진(하늘색 선: 시각로, 보라색 선: 뇌하수체 줄기, 남색선: 뇌하수체 종양, 노란색-연두색선: 계획체적용적(PTV) 여백없이 50% 등고선량 사용)

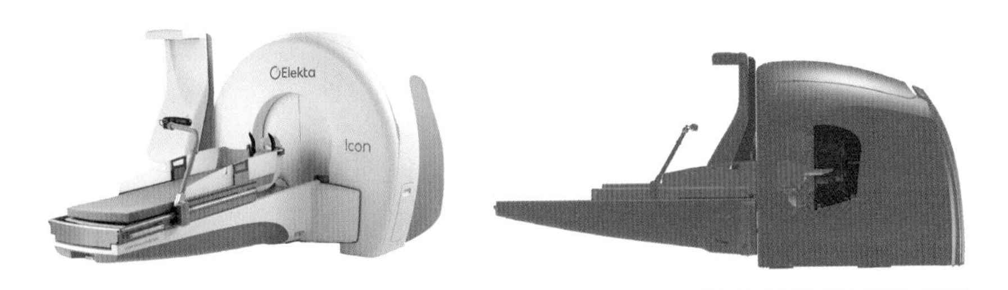

그림 14-3. 감마나이프 아이콘(Leksell Gamma Knife® Icon™)

할-방사선량 치료법이 사용되고 있다(그림 14-2). 감마나이프 수술장비도 지속적으로 발전하여 2006년경에는 감마나이프 퍼펙션이 보급되었고, 최근에는 감마나이프 아이콘(그림 14-3)이 도입되면서 저분할 뇌정위 방사선 수술이 더 활발하게 사용되고 있다.

2) 치료목적

쿠싱병에서의 방사선 수술의 치료목적은 과다 분비되는 부신피질자극호르몬으로 인한 코르티솔 이상 분비에 대한 내분비적인 관해와 종양의 영상학적인 국소치유의 두 가지이다. ① 내분비 관해의 경우, 판정 기준은 혈청 코르티솔이 정상화(<50 nmol/L)되거나 소변중 단백질 미결합 코르티솔 수치의 정상화(<55 nmol/24 hr)되었을 때로 정의하며, 요중 유리 코르티솔 수치의 정상화 기준을 흔하게 사용한다. 그러나, 문헌에 따라서 정상화 수치기준의 변이 차이가 있어서 이에 따른 관해율 결과의 차이를 보인다. ② 종양의 국소치유(local tumor control)는 주로 MRI 영상으로 영상학적 종양 치유평가하고 있다. 종양의 용적이 변화 없이 안정적이거나 감소한 경우에 국소 완치되었다고 판정하고 있다.

3) 치료결과

감마나이프 방사선 수술의 검토 논문에서 내분비 관해에 결과는 35~83%로 다양한 결과를 보이고 있다. MRI 도입 이전 시기에는 내분비 관해율이 높게 보고되는 반면에 뇌하수체기능저하증의 발생률이 증가하였다. 감마나이프 방사선 수술을 이용한 쿠싱병에 대한 국내 초기 임상결과에서도 내분비 관해는 40~50%로 보고되고 있다. 내분비병증의 재발은 방사선수술 후 24~40개월에 발생하였으며 추적관찰기간이 작은 문헌에서는 관해율이 높게 발표되었다. 방사선 수술은 주로 일회 조사로 치료 주변방사선량은 14.7~32 Gy 까지 범주였으며 평균 20~25 Gy 가 주로 사용되었다. 뇌정위 방사선수술에 따른 영상학적인 종양의 국소완치율은 평균 90% 이상에서 나타나며 68~100%까지로 다양하게 보고되고 있다. 최근 일련의 의학기술의 발달은 치료계획 영상 및 플랫폼의 발달과 방사선 수술 장비의 발전과 함께 기능성 뇌하수체종양에 대한 정위방사선 수술의 임상 치료 결과를 향상시키고 있다.

4) 합병증

(1) 뇌하수체기능저하증

방사선 수술과 관련해서 가장 흔하게 발생할 수 있는 합병증으로 발생 빈도는 30~58.3%로 다양하게 보고되고 있다. 25 Gy 의 중간 주변 방사선용량(6~30 Gy)을 이용하여 치료한 경우에 뇌하수체기능저하증의 총 누적 발생률은 58.3%였고, 전체 발생률은 3년에 10%, 5년에 21%, 10년에 53.3% 정도로 보고하고 있다. 합병증이 발생하는 시기의 중간값은 61개월이다(12~160개월). 뇌하수체기능저하증은 특히 종양이 해면정맥동을 침윤한 경우에 새로 발생하거나 진행하는 것과 밀접한 관련이 있었으며 통계적으로도 유의하였다고 보고되고 있다. 뇌하수체기능저하증의 결핍이 나타나는 빈도는 갑상선자극호르몬, 성장호르몬, 성선자극호르몬, 부신피질자극호르몬 결핍 순이었다.

20세기 중반에 스웨덴 카로린스카 병원에서 최초로 감마나이프 방사선 수술이 시행되었던 당시에 72%로 높은 뇌하수체기능저하증이 발생률이 보고되었다. 이러한 높은 합병증의 발생은 과거 초기 도입 당시에는 최근에 비해 매우 높은 방사선량을 사용하였고 치료계획에 이용된 영상도 과거 단순방사선촬영 혹은 CT 영상 등을 이용하였던 것에 그 원인이 있다. 다른 선량의 방사선량 사용과, 과거 미세 수술받은 경우 나이 등에 의해서도 영향을 받기 때문에 방사선 수술로 인한 뇌하수체기능저하증 발생 원인을 치료에 의한 결과로만 단순하게 판단할 수는 없다.

(2) 뇌신경병증

터키안장 부위의 방사선수술로 뇌신경병증 발생 위험성이 있는 뇌신경에는 대표적으로 시신경이 있으며 해면정맥동내로 위치한 동안신경, 활차신경, 삼차신경과 외전신경이 있다. 시신경은 방사선 손상에 가장 취약한 구조물로 보수적 관점에서는

8~10 Gy 이하의 방사선량이 허용되나, 부분용적효과를 고려할 때 12 Gy 이상까지도 최대 견딤 선량이라는 보고도 있다. 부분 용적에 조사된 최대 12 Gy 이하의 방사선 수술에서 시신경병증이 발생할 위험성은 1.1%로 위험도가 낮은 범주로 보고되고 있다. 해면정맥동내의 뇌신경병증은 대부분 일시적이며, 반복적인 방사선 수술시에 신경병증의 위험도가 높아진다.

(3) 뇌실질 및 뇌혈관(내경동맥) 손상

일반적으로 드물다고 알려져 있으나 증례 보고 방사선 조사에 따른 폐색성 동맥의 병리 소견은 폐색성 혈관염, 내피세포의 부종, 혈전을 동반한 괴사나 내피하층의 포말성 세포를 동반한 내피세포비후 등이 그것이다. 특히 동맥경화나, 고혈압, 고지혈증, 갑상선기능저하증이 있는 환자군에서 위험성을 가속시키는 인자로 알려져 있다. 방사선량의 증가와도 관련 있으나 방사선 조사량이 혈관염 등 합병증을 유발하는 수준보다 적은 조사량에서도 국소적인 혈관염이 발생한다고 보고되고 있어서 면역기전도 혈관병증 발생의 또 다른 병인으로 기여한다고 알려져 있다. 이런 경우에서는 면역복합체(C1q)가 발견되거나 면역억제제 투여로 증상 호전을 기대할 수 있다고 한다. 터키안 주변 방사선 수술에 따른 뇌실질 손상으로 측두엽 손상 및 방사선 괴사가 발생할 수 있다. 위험도를 줄이기 위해서는 세기 조절 방사선 빔 형성 경로를 조절하거나 해면정맥동 위치의 내경동맥으로 조사되는 방사선 조사량이나 조사 부위를 30~50% 이내로 제한하는 것이 제시되고 있다.

(4) 이차성 신생물

방사선 수술과 관련해서 이차성 신생물의 발생에 대한 정확한 빈도는 밝혀지지 않았다. 국제적으로 방사선 수술의 시행 건수를 고려할 때 고식적인 방사선치료 요법과 비해 그 발생 빈도는 매우 드물다고 보고되고 있다.

3. 전안장 정위방사선수술(Whole-Sellar Stereotactic Radiosurgery)

최근 발표된 국제적 다기관 후향 코호트 연구 결과에서 전안장 정위방사선수술의 치료 성적을 보고하였다. 총 279명의 쿠싱병 환자에서 MRI 영상으로 뇌하수체종양을 확인하기 어려운 환자 68명을 대상으로 성향점수매칭(propensity score matching)을 통해서 치료 결과를 분석하였다.

치료의 적응증은 MRI 영상에서 확인되지 않는 재발성/지속성 기능성 뇌하수체종양환자와 치료 개시 이전에 종양이 경막과 인접 정맥동을 침윤하였던 환자를 대상으로 하였다. 그리하여 전체 68명 환자에 대하여 이차 보조치료법으로 전안장 정위방사선수술을 적용하였다. 대상환자에서 내분비 추적관찰 기간은 5.3년이었고 전안장 방사선수술의 평균치료용적은 2.6 cm^3 이었으며 평균 주변방사선량은 22.4 Gy를 사용하였다.

임상 결과는 내분비 관해가 5년 추적관찰기간에 75.9%였고 관해를 이루기까지의 기간은 12개월(중간값)이었다. 그리하여 5년 내분비 관해율은 75.9%였고 재발없는 5년 생존율은 86.0%에 이르렀다. 특히 치료 용적이 1.6 cm^3 미만의 경우 더 짧은 기간내에 내분비 관해가 나타났으며 이는 통계적으로도 유의하였다($p<0.05$). 임상결과는 종양에 대한 치료주변경계와 최대 치료선량을 줄일수록 통계적으로 유의하게 재발이 증가하였다($p<0.05$).

새로 발생한 뇌하수체 호르몬 결핍의 발생은 22.7%(15명)에서 발생하였다. 뇌하수체종양을 영상에서 명확하게 구분할 수 있던 210명의 환자에서의 전안장 감마나이프 방사선수술을 시행하여 비교하였는데, 내분비 관해율, 관해에 이르는 기간, 재발없는 생존율 또는 새로운 내분비병증의 발생에 있어서 두 군간의 차이가 유의한 차이가 없었다고 보고하고 있다. 그리하여, 전안장 감마나이프 방사선수술로 MRI 영상에서 명확하게 구분되지 않는 쿠싱병과 침윤성 선종이 처음 수술 당시 의심되는 쿠싱병 환자로 효과적으로 치료하였다고 보고하고 있다.

4. 요약

뇌정위방사선수술은 기능성 뇌하수체 종양에 의한 쿠싱병을 치료하는 효과적이고 비교적 안전한 2차 치료법이며, 외과적 종양절제술 적용이 어려운 고위험군 환자에서도 비교적 안전하게 적용 가능한 대안적 1차 치료법으로 사용되고 있다. 정위방사선수술은 기존의 방사선치료에 비해서 내분비관해에 이르는 기간을 단축시킬 수 있을 뿐 아니라 장기간 추적 관찰 결과에서 뇌하수체기능저하증의 합병증 발생 빈도를 줄이는 기대효과를 갖는 대표적인 2차 치료법으로 사용되고 있다. 전안장 정위방사선수술을 시행받은 환자는 새로운 뇌하수체 호르몬 결핍의 발생률이나 예후에서 뇌하수체 선종만을 표적으로 치료한 방사선 수술 환자와 그 임상치료 결과 및 합병증의 발생빈도에서도 차이 없는 효과적인 결과가 보고되고 있다. 최근 일련의 수술장비, 의학기술의 발달로 정위 방사선치료 및 방사선 수술법이 빠르게 발전하고 있으며 치료효과도 과거에 비해 크게 향상되고 있다. 이를 통하여 치료에 수반되는 합병증을 줄이면서도 안전하고 효과적인 최적의 치료 프로토콜을 위한 다양한 치료법 적용을 위한 노력이 지속적으로 이루어지고 있다.

참고문헌

1. 김선환. 뇌종약학. 서울: 군자출판사; 2018; 236-7.
2. 손문준. 정위기능신경외과학. 제2판. 서울: 아이비기획; 2017; 560-1.
3. 이선일. 정위기능신경외과학. 제2판. 서울: 아이비기획; 2017; 536-7.
4. Blevins LS Jr., Sanai N, Kunwar S, et al. An approach to the management of patients with residual Cushing's disease. J Neurooncol 2009;94:313-9.
5. Brada M, Ashley S, Ford D, et al. Cerebrovascular mortality in patients with pituitary adenoma. Clinical Endocrinology 2002;57:713-7.
6. Castinetti F, Regis J, Dufour H et al. Role of stereotactic radiosurgery in the management of pituitary adenomas. Nat. Rev. Endocrinol 2010;6:214-23.
7. Choi JY, Chang JH, Chang JW, et al. Radiological and hormonal responses of functioning pituitary

adenomas after gamma knife radiosurgery. Yonsei Med J 2003;44:602-7.

8. Cohen-Inbar O, Ramesh A, Xu Z et al. Gamma knife radiosurgery in patients with persistent acromegaly or Cushing's disease: long-term risk of hypopituitarism. Clin Endocrinol (Oxf) 2016;84:524-31.
9. Estrada J1, Boronat M, Mielgo M et al. The long-term outcome of pituitary irradiation after unsuccessful transsphenoidal surgery in Cushing's disease. Engl J Med 1997;336:172-7.
10. Kwon Y, Whang CJ. The role of Gamma Knife Radiosurgery for the treatment of Pituitary adenomas. J Korean Neurosurg Soc 1995;24:1037-46.
11. Park HJ, Yee GT, Choi CY et al. Fractionated stereoactic radiosurgery(FSRS) for sellar and parasellar tumors adjacent to optic apparatus. J Korean Neurosurg. Soc 2004;36:281-5.
12. Shepard MJ, Mehta GU, Xu Z et al. Technique of Whole-Sellar Stereotactic Radiosurgery for Cushing Disease: Results from a Multicenter, International Cohort Study. World Neurosurg 2018;116:e670-e679.
13. Stafford SL, Pollock BE, Leavitt JA, et al. A study on the radiation tolerance of the optic nerves and chiasm after stereotactic radiosurgery. Int J Radiat Oncol Biol Phys 2003;55:1177-81.
14. Starke RM, Williams BJ, Vance ML et al. Radiotherapy and stereotactic radiosurgery for the treatment of Cushing's disease: an evidence-based review. Curr Opin Endocrinol Diabetes Obes 17:356-64.
15. Tritos NA, Biller BMK: Update on radiation therapy in patients with Cushing's disease. Pituitary 2015;18:263-8.
16. Van Westrhenen A, Muskens IS, Verhoeff JJC et al. Ischemic stroke after radiation therapy for pituitary adenomas: a systematic review J Neurooncol 2017;135:1-11.
17. Weintraub NL, Jones KW, Manka D. Understanding radiation-induced vascular disease. J Am Coll Cardiol 2010;55:1237-9.
18. Yoon SC, Jang HS, Kim SH et al. Radiation therapy for pituitary adenoma. J Korean Soc Ther Radiol 1991;9:185-94.

CHAPTER 15

쿠싱증후군의 내과적 치료
(Medical management of Cushing's syndrome)

진상욱 경희의대 내분비내과학교실
김병준 가천의대 내분비내과학교실

쿠싱증후군은 만성적인 코르티솔의 과다분비로 인해 발생하는 다양한 임상 증상과 징후의 집합으로 정의한다. 일반적으로 가장 흔한 원인은 과도한 부신피질호르몬 제제 사용으로 인한 의인 쿠싱증후군이며 내인 쿠싱증후군은 과도한 부신피질자극호르몬(adrenocorticotropic hormone, ACTH) 생성으로 인한 ACTH 의존 쿠싱증후군(쿠싱병) 및 ACTH 비의존 쿠싱증후군으로 분류한다. ACTH 의존 쿠싱증후군은 주로 ACTH 분비성 뇌하수체 종양에 의해 발생하며 이외에도 드물지만 이소성 ACTH 분비 증후군에 의해서도 발생한다. ACTH 비의존 쿠싱증후군의 경우 주로 일측성 부신종양이 원인이며 양측성 부신비대 또는 부신 악성종양에 의해서도 발생하는 것으로 보고되고 있다. 쿠싱증후군의 치료 목표는 코르티솔 분비의 정상화이며 종양의 수술적 제거를 최우선으로 고려한다. 만일 수술로 완치되지 않거나 수술을 진행하기 어려울 경우 내과적 치료, 방사선 치료, 또는 양측 부신 절제술 등을 고려할 수 있다. 내과적 치료는 약리 기전에 따라 ① ACTH 분비 억제, ② 코르티솔 합성 억제, ③ 당질코르티코이드 수용체 길항 등으로 구분할 수 있다.

1. ACTH 분비 억제

ACTH 분비성 뇌하수체 종양을 표적으로 하여 종양에서의 과도한 ACTH 분비를 억제하고 나아가 종양 크기의 감소를 목표로 하는 치료이다. ACTH 분비성 뇌하수체 종양세포에는 다양한 수용체들이 존재하는데 이 중에서 소마토스타틴 및 도파민 수용체를 이용한 치료제가 사용되고 있다.

소마토스타틴은 시상하부 및 췌도 등에서 분비되며 시상하부에서 분비되는 형태는 14개의 아미노산으로 이루어져 있고 췌도의 델타세포에서의 분비되는 소마토스타틴은 28개의 아미노산으로 구성되어있다. 소마토스타틴은 세포막에 위치한 소마토스타틴 수용체(somatostatin receptor, SSTR)에 결합하여 호르몬의 분비를 억제하며 현재까지 총 다섯 종류의 아형이 확인되었다. 이들 수용체 아형 중에서 SSTR2는 고코르티솔증에 의해 수용체의 발현량이 감소하는 반면 SSTR5의 발현은 혈중 코르티솔 농도에 영향을 받지 않는 것으로 알려져 있다. 따라서 고코르티솔증을 동반하는 ACTH 분비성 뇌하수체 종양 세포에는 SSTR5가 가장 많이 발현되는 것으로 알려져 있다. 이를 근거로 SSTR2에 주로 결합하여 호르몬 분비 억제 효과를 유도하는 octreotide 또는 lanreotide 등의 소마토스타틴 유사체는 ACTH 분비성 뇌하수체 종양에 의한 쿠싱증후군 치료에서 큰 효과를 보이지 못하며 대신 SSTR5에 대한 결합력이 높은 pasireotide를 쿠싱증후군에서 사용할 수 있다.

Pasireotide는 1047 Da 의 분자량을 가지며 [(2-aminoethyl) aminocarbonyloxy]-L-proline, phenylglycine 및 tyrosine (benzyl)의 cyclohexapeptide 구조로 이루어진 소마토스타틴 유사체다. 기존에 개발된 octreotide 및 lanreotide 등의 소마토스타틴 유사체들과 비교하여 SSTR5, SSTR1 및 SSTR3에 각각 40배, 30배 및 5배 이상 결합력이 높고 SSTR2에 대해서는 약 2.5배 정도의 낮은 결합력을 가지고 있다. Pasireotide는 피하 주사로 하루 2회 투여하는 pasireotide diaspartate와 근육 주사로 4주에 1회 투여하는 pasireotide LAR (pasireotide pamoate)의 두 가지 제형이 있다. pasireotide LAR은 최초 투여 후 약 24시간이

지난 시점에서 첫 번째 혈중 최고 농도를 보이고 이후 7일째까지 감소하다 다시 증가하여 21일째에서 두 번째 혈중 최고 농도를 보이는 약물 역동학을 가진다. 4주 간격으로 투여 시 3회 투여 후 혈중 농도가 안정적으로 유지된다.

Pasireotide는 세포 및 동물 실험 등을 통해 쿠싱병에 의한 ACTH 및 코르티솔 과다 분비 억제와 증상 완화 효과가 있음을 확인하였다. 이후 2상 연구에서 15일간의 pasireotide 600 µg 1일 2회 피하 주사를 시행하여 76%의 쿠싱병 환자에서 요중 유리코르티솔의 감소를 확인하였다. 요중 유리코르티솔의 감소가 확인된 환자들의 17%에서는 정상 범위까지 회복되었으며 혈청 코르티솔 및 ACTH 역시 감소하였다. 162명의 쿠싱병 환자를 대상으로 진행한 3상 연구는 pasireotide 600 µg 또는 900 µg 을 1일 2회 피하주사의 형태로 6개월간 투여하였으며 각각 15% 및 26%의 환자에서 요중 유리코르티솔이 정상 범위로 감소하였고, 12개월까지 관찰 기간을 연장한 결과 19%의 환자에서 혈청 코르티솔이 정상 범위 내에서 조절됨을 확인하였다. 2018년에는 150명의 쿠싱병 환자를 대상으로 pasireotide LAR 10 또는 30 mg을 4주 간격으로 근육 주사로 7개월간 투여한 결과 약 40%의 환자에서 요중 유리코르티솔의 정상화 및 20% 이상의 종양 크기 감소 효과가 있었음을 보고하였다. 이러한 결과들을 바탕으로 pasireotide는 미국 및 유럽에서 쿠싱병 치료 약제로 승인을 획득한 바 있다.

소마토스타틴 유사체의 부작용은 췌장 및 위장관에서의 펩타이드 분비 및 연동운동 억제와 관련이 있는 것으로 알려져 있다. 오심, 설사, 복통, 위장관마비, 담즙 찌꺼기, 담낭 결석 등이 발생할 수 있으며 대부분 경미하고 약제를 중단하거나 용량 감량 시 완화된다. 소수의 환자에서 서맥이 발생했다는 보고도 있다. octreotide 또는 lanreotide의 경우 SSTR2가 췌장의 알파세포에도 발현되는 것으로 보고되어 환자의 혈당 조절 상태에는 큰 영향을 미치지 않는다. 그러나 말단비대증 환자들을 대상으로 octreotide LAR와 비교하여 pasireotide LAR를 사용했던 환자군에서 고혈당 발생 또는 당뇨병으로 이환되는 빈도가 높았고 쿠싱병의 경우에도 pasireotide를 사용한 환자군에서 대조군에 비해 고혈당의 발생 빈도가 높으면서 새롭게 당뇨병 약제를 사용한 환자의 비율도 40~50% 정도로 확인되었다. 다만 당뇨병성 케토산혈증이나 고혈당성 고삼투압상태 등의 고혈당에 의한 급성 합병증 발생은 보고되지 않았다. 이러한 변화는 pasireotide와 높은 결합력을 보이는 SSTR5가 베타세포 및 glucagon-like peptide (GLP-1)을 분비하는 세포에서도 발현하면서 인슐린의 분비를 감소시키기 때문으로 여겨지고 있다. 그러나 인슐린 감수성에는 큰 영향을 미치지 않음이 보고되어 고혈당 발생 시 일반적인 2형 당뇨병 치료와 동일하게 metformin을 1차 치료제로 사용할 수 있고 이후 dipeptidyl-peptidase-4 (DPP-4) inhibitors 또는 GLP-1 receptor agonists 등의 추가가 권고된다.

Cabergoline은 도파민 D2 수용체에 결합하는 강력한 도파민 작용제로 주로 유즙분비호르몬(prolactin, PRL)이 과도하게 분비되는 PRL 분비성 뇌하수체 종양의 치료에 사용되는 약제이다. 도파민 D2 수용체는 세포 실험을 통해 약 60%의 ACTH 분비성 뇌하수체 종양에서도 발현됨이 보고되어 쿠싱병의 치료제로 사용할 수 있는 근거가 되고 있다. 0.5~7.0 mg/1주 용량으로 사용하여 약 40%의 환자에서 완치가 보고되었고 치료 효과를 보인 환자에서 혈압, 허리둘레, 혈당, 인슐린 저항성의 개선 및 종양 크기 감소 등의 증상 완화가 동반되었다. 이들 환자를 12개월간 추가로 관찰한 연구에서도 40%의 환자에서 요중 유리코르티솔이 정상범위 내에서 계속 유지되어 장기간의 효과가 있음을 확인하였다. 하지만 이전 연구들과 반대로 쿠싱병에서 cabergoline 사용 시 치료 효과를 확인하지 못한 연구 결과들도 보고되고 있어 cabergoline의 쿠싱병 치료효과에 대한 추가 연구가 필요하다. 약제 사용 시 무기력증, 어지럼증 및 오심 등의 부작용 발생도 보고되었으나 경미한 수준이었다. 심장 판막 질환 발생과 같은 부작용 발생의 우려도 제기되고 있으나 쿠싱병 환자에서 cabergoline 사용 시 심장 판막 기능 이상이 보고된 바는 없었다. 이러한 판막 관련 부작용은 고용량의 cabergoline을 사용하는 파킨슨병 치료 시에 주로 발생하는 것으로 알려졌다.

Temozolomide는 세포 사멸을 통한 종양 크기 감소 및 괴사를 유도하는 알킬화 항암화학제제(alkylating chemoagents)로 DNA 손상을 복구하는 기능을 가지고 있는 O-6-methylguanine DNA methyltransferase (MGMT) 효소의 발현 감소를 통해 치료 효과를 나타내는 것으로 알려져 있다. 주로 악성(aggressive) 뇌하수체 종양에 의한 쿠싱병 환자에게서 사용한 이전 연구 결과들을 종합해보면 약 50~70%의 환자에서 코르티솔 수치 및 종양 크기가 감소함을 확인하였다. Temozolomide는 150~200 mg/m^2/day 의 용량으로 사용하며 흔한 부작용으로는 오심, 구토, 피로감 및 범혈구감소증 등이 보고되었다. 종양 세포 내의 MGMT 수치를 통해 temolozomide 사용에 대한 반응을 예측할 수 있다는 보고가 있으며 기존의 치료 방법에 대해 반응이 좋지 않거나 계속 재발하는 쿠싱병 환자에게서 치료 옵션으로 고려할 수 있다.

2. 코르티솔 합성 억제

코르티솔의 합성 억제를 통한 치료는 코르티솔이 부신 피질에서 합성되는 과정에 관여하는 다양한 효소들의 활성을 억제함으로써 고코르티솔증과 이로 인한 증상의 개선을 유도한다. 흔히 사용되는 약제로는 ketoconazole, metyrapone 및 mitotane 등이 있으며 최근 개발되어 임상연구가 진행중인 신약으로는 osilodrostat 및 levoketoconazole 등이 있다.

Ketoconazole은 과거 오랜 기간동안 항진균제로 사용되었던 약제이다. 부신 피질에서의 스테로이드 합성에 관여하는 17α-hydroxylase 및 11β-hydroxylase 등의 cytochrome P450 효소 활성을 억제하여 코르티솔의 합성을 감소시킨다. 하루 200~1,200 mg 까지 경구로 복용하며 다양한 원인에 의한 쿠싱증후군 환자의 약 50%에서 코르티솔 수치의 정상화가 보고되었다. 약제 사용 기간 동안 ACTH 수치의 보상적인 증가는 관찰되지 않으며 다만 ACTH 분비성 뇌하수체 종양에 의한 쿠싱병 환자의 경우 ketoconazole 사용 시 약 33%의 환자에서 뇌하수체 종양 크기 증가가 보고된 바 있다. 간독성 및 남성 환자에서의 남성호르몬 감소와 여성형 유방 등의 부작용이 발생할 수 있다. 간독성의 경우 약제 용량에 비의존적으로 발생하며 최초 사용 60일 이내에 주로 나타나는 것으로 보고되고 있다. 정상 상한치 3배 이내의 간수치 증가 시에는 약제 중단 없이 경과 관찰이 가능하며 그 이상 증가 시 약제 중단 또는 감량을 고려하고 이럴 경우 3개월 내에 대부분 호전된다. 따라서 약제 사용 기간 중에는 정기적인 간기능 평가가 반드시 필요하다. 또한 위장관 내에서의 원활한 약제 흡수를 위해서는 적절한 위산도의 유지가 중요하며 프로톤 펌프 억제제 등의 위산분비 억제제를 사용할 경우 약제 흡수에 지장이 있을 수 있다. Ketoconazole은 30년 이상 허가초과의약품(off-label)으로 쿠싱증후군 환자에게서 사용되어 왔으며 2014년 유럽에서 쿠싱증후군 치료제로 사용이 승인된 바 있다.

Metyrapone은 11β-hydroxylase 및 18-hydroxylase 효소를 억제하는 효과를 가지고 있으며 이를 통해 혈중 코르티솔 및 알도스테론 수치를 감소시키고 이에 대한 보상 작용으로 이들의 전구물질을 증가시킨다. 이전 연구에서 전체 사용자의 약 25%에서 소화기계 부작용 및 다모증 등이 발생했고 이외에도 고혈압, 피부 발진, 전신 무력감 및 어지러움 등의 발생도 보고된 바 있다. 250~6,000 mg 까지 사용 가능하며 하루 4회 분복하고 최초 복용 후 2시간 이내에 코르티솔 수치가 감소하는 것으로 보고되었다.

Mitotane은 부신피질암에서 사용하는 항암제로 쿠싱증후군 치료에서도 사용이 가능한 약제이다. 스테로이드 합성 과정에서 콜레스테롤이 pregnenolone으로 변환되는 과정을 억제하며 이외에도 11β-hydroxylase 및 18-hydroxylase 효소의 활성을 억제한다. 느린 약리 과정을 거치는 관계로 약제 사용 후 약 2~3개월의 기간이 경과 후 혈중 농도에 도달하며 부신피질기능부전이 동반될 수 있어 hydrocortisone 등의 스테로이드 보충을 같이 시행하는 차단 및 보충요법으로 처방해야 한다. 또한, 사용 초기에는 필수적으로 혈중 약물 농도를 측정해야 하며 이른 아침 채혈을 통한 측정이 권고된다. 혈중 약물 농도와 24시간 요중 유리코르티솔 사이에는 음의 상관관계가 있고 혈중 약물 농도를 8.5 mg/L 이상으로 유지할 것을 제안한 연구 결과도 있다.

Osilodrostat는 원래 알도스테론 합성을 억제하는 약제로 개발되었으나 11β-hydroxylase의 활성을 억제하여 코르티솔의 생산을 감소시키는 특성을 이용해 쿠싱증후군의 약물치료제로 연구가 진행되었다. 세포 시험을 통해 유사한 약리작용을 가진 metyrapone보다 비교적 강한 코르티솔 합성 억제력을 가지고 있음이 보고되었고 12명의 쿠싱병 환자를 대상으로 10주간 사용 후 효과를 관찰한 연구 결과 약 92%의 환자에서 요중 유리코르티솔 수치가 정상화되었다. 이들 환자를 22주까지 연장하여 진행한 2상 연구에서 79%의 환자에서 치료 효과가 유지되었다. 최초 용량은 하루 4 mg 으로 식사와 상관없이 2회 분복하며 최대 100 mg 까지 사용할 수 있다. 오심, 설사 등의 소화기계 부작용은 흔하지 않으며 부신기능저하, 남성호르몬 증가 및 다모증 등의 증상이 유발되는 경우가 보고되고 있다. 현재 3상 연구가 진행 중에 있다.

Levoketoconazole은 기존의 ketoconazole이 2S, 4R 및 2R, 4S 이성질체(enantiomer)가 각각 50:50 비율로 혼합된 화학적 구조를 가짐과 달리 순수하게 2S, 4R 이성질체로만 구성되어 간독성이 적으면서 코르티솔 합성 과정에 관여하는 다양한 효소들의 활성에 대한 억제력이 강할 것으로 기대되는 약제이다. 일반인을 대상으로 4일간 400 mg 을 1일 1회 복용 후 분석한 결과에서 2R, 4S 이성질체에 비해 3배 이상 높은 최대 혈장 농도를 확인하였다. 지금까지 쿠싱병 환자 대상의 연구 결과는 발표된 바가 없으나 2형 당뇨병 환자에서의 코르티솔 감소 효과 확인을 위해 진행했던 위약대비 무작위 대조 연구 결과에서는 위약사용군과 비교하여 하루 200~600 mg 의 levoketoconazole를 2주간 사용한 환자군에서 유의한 수준의 코르티솔 감소 효과를 보이지 않았고 소화기계 부작용 및 두통 등의 발생 비율이 높았다. 현재 쿠싱증후군 환자를 대상으로 3상 연구가 진행 중이다(NCT03277690).

3. 당질코르티코이드 수용체 길항

쿠싱증후군 치료 시 사용되는 당질코르티코이드 수용체 길항제는 당질코르티코이드 수용체에 경쟁적인 결합을 통해 코르티솔의 말초 조직에서의 작용을 억제하여 증상을 조절하는 기전을 가지고 있다. Mifepristone은 미국에서 시행된 3상 연구를 통해 50명의 쿠싱증후군 환자에서 6개월간 사용 후(300~1,200 mg) 87%의 대상 환자에서 혈당 조절, 인슐린 감수성, 체중 및 허리둘레 등의 유의한 개선 효과를 확인하였다. 오심, 피로감, 두통, 칼륨수치 저하 등의 부작용이 동반되었으며 약제의 특성상 약 60%의 환자에서 ACTH 및 코르티솔 수치는 증가하였다. 따라서 약제 효과 확인을 위한 표지자로써 ACTH 및 코르티솔은 사용할 수 없고 증상 및 대사지표의 개선 정도 등을 통해 약제의 효과를 평가한다. 관찰 기간을 평균 11.3개월까지 연장하여 분석한 결과 72%의 환자에서 2배 이상의 ACTH 증가가 관찰되었고 이는 mifepristone 용량과 유의한 양의 상관관계를 보였다. 종양 크기의 변화도 관찰되었으며 2명에서 크기 감소, 거대종양을 가진 3명에서 크기 증가가 확인되었다. Mifepristone가 가지는 당질코르티코이드 수용체에 대한 강력한 결합력으로 인해 부신기능부전이 발생할 수 있으며 이 경우 dexamethasone을 사용한 호르몬 보충이 권고된다. 미국 FDA에서는 2012년 쿠싱증후군에 의한 고혈당 치료에 mifepristone의 사용을 승인한 바 있으며 향후 조절되지 않는 내인 쿠싱증후군 환자에서 증상 완화 시 사용 할 수 있는 유용한 치료 옵션으로 기대된다. 현재 3상 임상 연구가 진행 중이다.

4. 병합요법

쿠싱증후군 치료에 있어 병합요법은 약제 용량을 및 부작용을 줄이면서 약제 상호간의 상승작용을 통해 치료 효과를 높일 수 있다는 장점이 있다. 그러나 아직 소수의 제한된 증례 보고 수준의 자료만이 있어 효과가 증명된 병합요법은 없으며 약제 특성 및 환자의 상태를 고려한 신중한 시행이 필요하다. cabergoline과 keto-conazole의 병합요법은 뇌하수체에서의 ACTH 및 부신에서의 코르티솔 분비를 모두 억제할 수 있다는 장점이 있으며 소규모 연구들의 결과를 종합해보면 cabergoline 치료를 시행 받고 있던 쿠싱병 환자에서 ketoconazole을 추가하여 약 67~100%의 환자에서 요중 유리코르티솔의 정상화를 확인하였다. 소마토스타틴 유사체와 ketocoanzole의 병합요법 역시 유사한 장점을 기대할 수 있으나 octreotide와 ketoconazole의 병합요법은 연구마다 다른 결과를 보고하여 치료 효과가 아직 확인되지 않았다. pasireotide와 ketoconazole의 경우도 QT prolongation 등의 부작용이 우려되어 사용이 쉽지 않다. 반면에 pasireotide와 cabergoline의 병합요법은 ACTH 분비성 뇌하수체 종양 세포에서 SSTR5 및 도파민 D2 수용체가 같이 발현된다는 연구 결과와 함께 두 수용체가 hetero-oligomerization를 형성하여 수용체의 기능적 활성도가 증가한다는 연구결과를 바탕으로 하고 있다. 이에 pasireotide를 사용 중인 쿠싱병 환자에서 cabergoline을 추가한 결과 요중 유리코르티솔이 정상화된 환자의 수가 늘었다는 소규모 연구 결과가 보고된 바 있다.

5. 개발중인 신약

쿠싱병을 유발하는 ACTH 분비성 뇌하수체 종양의 병태생리에 있어 동물 실험을 통해 retinoblastoma (Rb)의 세포주기로의 신호전달 과정에 관여하는 cyclin-dependent kinase (CDK)와 ACTH 분비성 뇌하수체 종양의 발생 간의 연관성 및 이러한 CDK2의 활성화 아단위(activating subunit)인 cyclin E 단백질이 ACTH 분비성 뇌하수체 종양에서 많이 분비됨이 보고되었다. 이를 기초로 CDK2/cyclin E에 대한 억제 효과를 보이는 R-roscovitine이 동물 실험을 통해 종양에서의 ACTH 분비를 억제함이 보고되었으며 현재 쿠싱병 환자에서의 2상 연구가 진행 중이다. 또한 ACTH 분비성 뇌하수체 종양 세포에 발현하는 표피성장인자 수용체(epithelial growth factor receptor, EGFR)가 ACTH의 전구물질인 pro-opiomelanocortin (POMC)의 분비에 관여하고 이를 조절하는 ubiquitin specific peptidase 8 (USP8)이 ACTH 분비성 뇌하수체 종양의 병태생리와 연관되어 있음이 보고되었다. EGFR의 활성화를 통해 POMC의 발현 및 ACTH 분비가 증가됨에 기초하여 EGFR tyrosine kinase 억제제인 gefitinib를 사용한 세포 및 동물실험에서 세포사멸 유도를 통한 ACTH 분비 및 종양 크기 감소 효과 그리고 지방 축적, 비만 및 고혈당의 개선을 확인하였다.

참고문헌

1. Barbot M, Albiger N, Ceccato F, Zilio M, Frigo AC, Denaro L, et al. Combination therapy for Cushing's disease: effectiveness of two schedules of treatment: should we start with cabergoline or ketoconazole? Pituitary 2014;17:109-17.
2. Baudry C, Coste J, Bou Khalil R, Silvera S, Guignat L, Guibourdenche J, et al. Efficiency and tolerance of mitotane in Cushing's disease in 76 patients from a single center. Eur J Endocrinol 2012;167:473-81.
3. Bertagna X, Pivonello R, Fleseriu M, Zhang Y, Robinson P, Taylor A, et al. LCI699, a potent 11beta-hydroxylase inhibitor, normalizes urinary cortisol in patients with Cushing's disease: results from a multicenter, proof-of-concept study. The Journal of clinical endocrinology and metabolism 2014;99:1375-83.
4. Biller BM, Grossman AB, Stewart PM, Melmed S, Bertagna X, Bertherat J, et al. Treatment of adrenocorticotropin-dependent Cushing's syndrome: a consensus statement. The Journal of clinical endocrinology and metabolism 2008;93:2454-62.
5. Boscaro M, Bertherat J, Findling J, Fleseriu M, Atkinson AB, Petersenn S, et al. Extended treatment of Cushing's disease with pasireotide: results from a 2-year, Phase II study. Pituitary 2014;17:320-6.
6. Bruns C, Lewis I, Briner U, Meno-Tetang G, and Weckbecker G. SOM230: a novel somatostatin peptidomimetic with broad somatotropin release inhibiting factor (SRIF) receptor binding and a unique antisecretory profile. Eur J Endocrinol 2002;146:707-16.
7. Burman P, Eden-Engstrom B, Ekman B, Karlsson FA, Schwarcz E, and Wahlberg J. Limited value of cabergoline in Cushing's disease: a prospective study of a 6-week treatment in 20 patients. Eur J Endocrinol 2016;174:17-24.
8. Castillo V, Theodoropoulou M, Stalla J, Gallelli MF, Cabrera-Blatter MF, Haedo MR, et al. Effect of SOM230 (pasireotide) on corticotropic cells: action in dogs with Cushing's disease. Neuroendocrinol-

ogy 2011;94:124-36.

9. Castinetti F, Guignat L, Giraud P, Muller M, Kamenicky P, Drui D, et al. Ketoconazole in Cushing's disease: is it worth a try? The Journal of clinical endocrinology and metabolism 2014;99:1623-30.
10. Castinetti F, Morange I, Jaquet P, Conte-Devolx B, and Brue T. Ketoconazole revisited: a preoperative or postoperative treatment in Cushing's disease. Eur J Endocrinol 2008;158:91-9.
11. Ciato D, Mumbach AG, Paez-Pereda M, and Stalla GK. Currently used and investigational drugs for Cushing s disease. Expert opinion on investigational drugs 2017;26:75-84.
12. Colao A, Bronstein MD, Freda P, Gu F, Shen CC, Gadelha M, et al. Pasireotide versus octreotide in acromegaly: a head-to-head superiority study. The Journal of clinical endocrinology and metabolism 2014;99:791-9.
13. Colao A, De Block C, Gaztambide MS, Kumar S, Seufert J, and Casanueva FF. Managing hyperglycemia in patients with Cushing's disease treated with pasireotide: medical expert recommendations. Pituitary 2014;17:180-6.
14. Colao A, Petersenn S, Newell-Price J, Findling JW, Gu F, Maldonado M, et al. A 12-month phase 3 study of pasireotide in Cushing's disease. N Engl J Med 2012;366:914-24.
15. Cuevas-Ramos D, and Fleseriu M. Somatostatin receptor ligands and resistance to treatment in pituitary adenomas. J Mol Endocrinol 2014;52:R223-40.
16. de Bruin C, Feelders RA, Waaijers AM, van Koetsveld PM, Sprij-Mooij DM, Lamberts SW, et al. Differential regulation of human dopamine D2 and somatostatin receptor subtype expression by glucocorticoids in vitro. J Mol Endocrinol 2009;42:47-56.
17. de Bruin C, Pereira AM, Feelders RA, Romijn JA, Roelfsema F, Sprij-Mooij DM, et al. Coexpression of dopamine and somatostatin receptor subtypes in corticotroph adenomas. The Journal of clinical endocrinology and metabolism 2009;94:1118-24.
18. Dietrich H, Hu K, Ruffin M, Song D, Bouillaud E, Wang Y, et al. Safety, tolerability, and pharmacokinetics of a single dose of pasireotide long-acting release in healthy volunteers: a single-center Phase I study. Eur J Endocrinol 2012;166:821-8.
19. Feelders RA, and Hofland LJ. Medical treatment of Cushing's disease. The Journal of clinical endocrinology and metabolism 2013;98:425-38.
20. Feelders RA, de Bruin C, Pereira AM, Romijn JA, Netea-Maier RT, Hermus AR, et al. Pasireotide alone or with cabergoline and ketoconazole in Cushing's disease. N Engl J Med. 2010;362:1846-8.
21. Feelders RA, Newell-Price J, Pivonello R, Nieman LK, Hofland LJ, and Lacroix A. Advances in the medical treatment of Cushing's syndrome. The lancet Diabetes & endocrinology 2018.
22. Fleseriu M, and Petersenn S. Medical therapy for Cushing's disease: adrenal steroidogenesis inhibitors and glucocorticoid receptor blockers. Pituitary 2015;18:245-52.
23. Fleseriu M, Biller BM, Findling JW, Molitch ME, Schteingart DE, and Gross C. Mifepristone, a glu-

cocorticoid receptor antagonist, produces clinical and metabolic benefits in patients with Cushing's syndrome. The Journal of clinical endocrinology and metabolism 2012;97:2039-49.

24. Fleseriu M, Findling JW, Koch CA, Schlaffer SM, Buchfelder M, and Gross C. Changes in plasma ACTH levels and corticotroph tumor size in patients with Cushing's disease during long-term treatment with the glucocorticoid receptor antagonist mifepristone. The Journal of clinical endocrinology and metabolism 2014;99:3718-27.
25. Fleseriu M, Molitch ME, Gross C, Schteingart DE, Vaughan TB, 3rd, and Biller BM. A new therapeutic approach in the medical treatment of Cushing's syndrome: glucocorticoid receptor blockade with mifepristone. Endocrine practice : official journal of the American College of Endocrinology and the American Association of Clinical Endocrinologists 2013;19:313-26.
26. Fleseriu M, Pivonello R, Young J, Hamrahian AH, Molitch ME, Shimizu C, et al. Osilodrostat, a potent oral 11beta-hydroxylase inhibitor: 22-week, prospective, Phase II study in Cushing's disease. Pituitary 2016;19:138-48.
27. Freda PU. Somatostatin analogs in acromegaly. The Journal of clinical endocrinology and metabolism 2002;87:3013-8.
28. Fukuoka H, Cooper O, Ben-Shlomo A, Mamelak A, Ren SG, Bruyette D, et al. EGFR as a therapeutic target for human, canine, and mouse ACTH-secreting pituitary adenomas. J Clin Invest 2011;121:4712-21.
29. Glass AR, and Eil C. Ketoconazole-induced reduction in serum 1,25-dihydroxyvitamin D and total serum calcium in hypercalcemic patients. The Journal of clinical endocrinology and metabolism 1988;66:934-8.
30. Godbout A, Manavela M, Danilowicz K, Beauregard H, Bruno OD, and Lacroix A. Cabergoline monotherapy in the long-term treatment of Cushing's disease. Eur J Endocrinol 2010;163:709-16.
31. Henry RR, Ciaraldi TP, Armstrong D, Burke P, Ligueros-Saylan M, and Mudaliar S. Hyperglycemia associated with pasireotide: results from a mechanistic study in healthy volunteers. The Journal of clinical endocrinology and metabolism 2013;98:3446-53.
32. Hofland LJ, van der Hoek J, Feelders R, van Aken MO, van Koetsveld PM, Waaijers M, et al. The multi-ligand somatostatin analogue SOM230 inhibits ACTH secretion by cultured human corticotroph adenomas via somatostatin receptor type 5. Eur J Endocrinol 2005;152:645-54.
33. Jacks T, Fazeli A, Schmitt EM, Bronson RT, Goodell MA, and Weinberg RA. Effects of an Rb mutation in the mouse. Nature 1992;359:295-300.
34. Jeffcoate WJ, Rees LH, Tomlin S, Jones AE, Edwards CR, and Besser GM. Metyrapone in long-term management of Cushing's disease. British medical journal 1977;2:215-7.
35. Kumar U, Sasi R, Suresh S, Patel A, Thangaraju M, Metrakos P, et al. Subtype-selective expression of the five somatostatin receptors (hSSTR1-5) in human pancreatic islet cells: a quantitative double-label

immunohistochemical analysis. Diabetes 1999;48:77-85.

36. Lacroix A, Feelders RA, Stratakis CA, and Nieman LK. Cushing's syndrome. Lancet (London, England) 2015;386:913-27.
37. Lacroix A, Gu F, Gallardo W, Pivonello R, Yu Y, Witek P, et al. Efficacy and safety of once-monthly pasireotide in Cushing's disease: a 12 month clinical trial. The lancet Diabetes & endocrinology 2018;6:17-26.
38. Lake-Bakaar G, Scheuer PJ, and Sherlock S. Hepatic reactions associated with ketoconazole in the United Kingdom. British medical journal (Clinical research ed) 1987;294:419-22.
39. Lau D, Rutledge C, and Aghi MK. Cushing's disease: current medical therapies and molecular insights guiding future therapies. Neurosurgical focus 2015;38:E11.
40. Liu NA, Jiang H, Ben-Shlomo A, Wawrowsky K, Fan XM, Lin S, et al. Targeting zebrafish and murine pituitary corticotroph tumors with a cyclin-dependent kinase (CDK) inhibitor. Proc Natl Acad Sci U S A 2011;108:8414-9.
41. Losa M, Bogazzi F, Cannavo S, Ceccato F, Curto L, De Marinis L, et al. Temozolomide therapy in patients with aggressive pituitary adenomas or carcinomas. Journal of neuro-oncology 2016;126:519-25.
42. Maffezzoni F, Formenti AM, Mazziotti G, Frara S, and Giustina A. Current and future medical treatments for patients with acromegaly. Expert Opin Pharmacother 2016;17:1631-42.
43. McCormack A, Dekkers OM, Petersenn S, Popovic V, Trouillas J, Raverot G, et al. Treatment of aggressive pituitary tumours and carcinomas: results of a European Society of Endocrinology (ESE) survey 2016. Eur J Endocrinol 2018;178:265-76.
44. McCormack AI, Wass JA, and Grossman AB. Aggressive pituitary tumours: the role of temozolomide and the assessment of MGMT status. European journal of clinical investigation 2011;41:1133-48.
45. Musat M, Morris DG, Korbonits M, and Grossman AB. Cyclins and their related proteins in pituitary tumourigenesis. Molecular and cellular endocrinology 2010;326:25-9.
46. Nieman LK. Update in the medical therapy of Cushing's disease. Current opinion in endocrinology, diabetes, and obesity 2013;20:330-4.
47. Papillon JP, Lou C, Singh AK, Adams CM, Ksander GM, Beil ME, et al. Discovery of N-[5-(6-Chloro-3-cyano-1-methyl-1H-indol-2-yl)-pyridin-3-ylmethyl]-ethanesulfonam ide, a Cortisol-Sparing CYP11B2 Inhibitor that Lowers Aldosterone in Human Subjects. Journal of medicinal chemistry 2015;58:9382-94.
48. Pivonello R, De Leo M, Cozzolino A, and Colao A. The Treatment of Cushing's Disease. Endocrine reviews 2015;36:385-486.
49. Pivonello R, De Martino MC, Cappabianca P, De Leo M, Faggiano A, Lombardi G, et al. The medical treatment of Cushing's disease: effectiveness of chronic treatment with the dopamine agonist cab-

ergoline in patients unsuccessfully treated by surgery. The Journal of clinical endocrinology and metabolism 2009;94:223-30.

50. Pivonello R, Ferone D, de Herder WW, Kros JM, De Caro ML, Arvigo M, et al. Dopamine receptor expression and function in corticotroph pituitary tumors. The Journal of clinical endocrinology and metabolism 2004;89:2452-62.
51. Pozza C, Graziadio C, Giannetta E, Lenzi A, and Isidori AM. Management Strategies for Aggressive Cushing's Syndrome: From Macroadenomas to Ectopics. Journal of oncology 2012;2012:685213.
52. Raverot G, Castinetti F, Jouanneau E, Morange I, Figarella-Branger D, Dufour H, et al. Pituitary carcinomas and aggressive pituitary tumours: merits and pitfalls of temozolomide treatment. Clin Endocrinol (Oxf) 2012;76:769-75.
53. Reincke M, Sbiera S, Hayakawa A, Theodoropoulou M, Osswald A, Beuschlein F, et al. Mutations in the deubiquitinase gene USP8 cause Cushing's disease. Nature genetics 2015;47:31-8.
54. Robinson BG, Hales IB, Henniker AJ, Ho K, Luttrell BM, Smee IR, et al. The effect of o,p'-DDD on adrenal steroid replacement therapy requirements. Clin Endocrinol (Oxf) 1987;27:437-44.
55. Rocheville M, Lange DC, Kumar U, Patel SC, Patel RC, and Patel YC. Receptors for dopamine and somatostatin: formation of hetero-oligomers with enhanced functional activity. Science (New York, NY) 2000;288:154-7.
56. Schade R, Andersohn F, Suissa S, Haverkamp W, and Garbe E. Dopamine agonists and the risk of cardiac-valve regurgitation. N Engl J Med 2007;356:29-38.
57. Schwartz SL, Rendell M, Ahmann AJ, Thomas A, Arauz-Pacheco CJ, and Welles BR. Safety profile and metabolic effects of 14 days of treatment with DIO-902: results of a phase IIa multicenter, randomized, double-blind, placebo-controlled, parallel-group trial in patients with type 2 diabetes mellitus. Clinical therapeutics 2008;30:1081-8.
58. Sonino N. The use of ketoconazole as an inhibitor of steroid production. N Engl J Med 1987;317:812-8.
59. Strowski MZ, Parmar RM, Blake AD, and Schaeffer JM. Somatostatin inhibits insulin and glucagon secretion via two receptors subtypes: an in vitro study of pancreatic islets from somatostatin receptor 2 knockout mice. Endocrinology 2000;141:111-7.
60. Vilar L, Naves LA, Azevedo MF, Arruda MJ, Arahata CM, Moura ESL, et al. Effectiveness of cabergoline in monotherapy and combined with ketoconazole in the management of Cushing's disease. Pituitary 2010;13:123-9.
61. Vilar L, Naves LA, Machado MC, and Bronstein MD. Medical combination therapies in Cushing's disease. Pituitary 2015;18:253-62.
62. Wang HZ, Tian JB, and Yang KH. Efficacy and safety of LCI699 for hypertension: a meta-analysis of randomized controlled trials and systematic review. European review for medical and pharmacologi-

cal sciences 2015;19:296-304.

63. Wolin EM, Hu K, Hughes G, Bouillaud E, Giannone V, and Resendiz KH. Safety, tolerability, pharmacokinetics, and pharmacodynamics of a long-acting release (LAR) formulation of pasireotide (SOM230) in patients with gastroenteropancreatic neuroendocrine tumors: results from a randomized, multicenter, open-label, phase I study. Cancer Chemother Pharmacol 2013;72:387-95.
64. Zanettini R, Antonini A, Gatto G, Gentile R, Tesei S, and Pezzoli G. Valvular heart disease and the use of dopamine agonists for Parkinson's disease. N Engl J Med 2007;356:39-46.

CHAPTER 16

수술 후 관리와 완치 평가 (Postoperative replacement and assessment of cure in Cushing's syndrome)

강호철
전남의대 내과학교실

쿠싱증후군의 원인병소를 수술적으로 제거한 후에는 수술의 성공 여부를 판단해야 하고, 수술이 성공적이었다면 필연적으로 시상하부-뇌하수체-부신 축(hypothalamic-pituitary-adrenal axis, HPA 축)의 억제에 의한 부신기능부전이 초래되므로 스테로이드 보충요법이 HPA 축이 회복될 때까지 유지되어야 한다. 과다한 코르티솔에 의한 신경정신의학적 질환, 고혈압, 당뇨병, 이상지혈증, 골다공증, 성선기능저하, 비만 및 면역력 저하와 같은 동반질환은 치료 후 서서히 호전되지만 계속될 수 있으므로 지속적인 관심과 치료가 필요하다.

1. 관해, 완치의 평가

부신선종, 부신피질과증식증으로 인한 쿠싱증후군은 수술에 의해 거의 100% 완치되지만, 쿠싱병은 높은 재발률로 완치보다는 관해란 용어를 사용한다. 수술의 성공 여부를 신속하게 확인하기 위해서는 스테로이드를 투여하지 않아야 하지만, 종양절제 후 초래되는 부신기능부전이 심각한 결과를 초래할 수 있는 경우에는 스테로이드 투여가 필요하며, 이 경우 완치 평가를 위해서는 약물 투여 후 적어도 24시간 이후에 검사가 시행되어야 한다. 다양한 검사와 관해기준들이 이야기되어 왔으나 가장 쉽게 사용할 수 있는 것은 아침 혈청 코르티솔 값이다.

1) 쿠싱병의 관해 기준

아침 혈청 코르티솔 값이 <1 µg/dL, <1.8 µg/dL, 혹은 <5 µg/dL 등 매우 다양한 기준들이 제시되었으나 일치되는 의견은 없고 미국내분비학회(endocrine society) 권고안은 수술 후 7일 이내에 아침 혈청 코르티솔 <5 µg/dL 혹은 소변 유리 코르티솔 <10~20 µg/day 를 관해의 기준으로 제시하고 있다. 일부 환자에서 수술 후 지연된 관해(수술 후 3개월경)를 보일 수 있으므로 관해 평가 시기에 대한 이견도 있다.

2) 부신선종에 의한 쿠싱증후군과 양성종양에 의한 이소 ACTH 증후군의 완치

거의 모든 경우에 완치에 도달하며 그 기준은 아침 혈청 코르티솔 <1.8 µg/dL 이다.

3) 부신암, 암에 의한 이소 ACTH 증후군

수술만으로 완치할 수 없는 경우가 대부분이다.

2. 시상하부-뇌하수체-부신축 회복

1) 수술 전후 스테로이드 투여

수술 전부터 코르티솔 과잉상태를 조절하기 위한 약제가 투여되고 있는 상황을 제외하면 반드시 스테로이드 투여가 필요하지는 않다. 수술에 의한 급격한 스테로이드금단이 염려스럽다면 수술 당일부터 수술 후 3일까지 생리적 용량 이상의 당질코르티코이드를 투여할 수 있다. 하지만 완치 여부를 확인하기 위한 검사 24시간 전에는 투여를 중단해야 한다. 보통 히드로코르티손 100~200 mg/day 를 지속 혹은 분할(6시간 간격) 투여하고 수술 후 매일 50% 감량하여 경구 히드로코르티손 유지요법으로 전환한다.

2) 당질코르티코이드 보충요법

성공적인 수술 후 필연적으로 발생하는 부신기능부전에 대한 호르몬보충요법이 필요하다. 반감기가 짧은 히드로코르티손 10~12 mg/m^2/day 용량을 하루 2~3회 분할하여 투여한다. 작용시간이 긴 약제는 HPA 축 회복을 지연시킬 수 있지만, 약제 순응도가 문제되는 환자에서는 더 적절한 선택일 수 있다.

3) HPA 축 회복의 시기

HPA 축의 회복에 소요되는 시간은 수 개월에서 수 년까지로 단기간에 이루어지지 않는다. 쿠싱병에서 너무 빠른 회복은 재발을 시사하는 소견일 수 있고, 일부 무증상쿠싱증후군(subclinical Cushing syndrome) 환자에서는 애초에 HPA 축의 억제가 없는 경우도 있고 코르티솔 과분비의 정도가 심하지 않으므로 현성 쿠싱증후군에 비해 회복이 빠르다. HPA 축의 회복은 이소성쿠싱증후군이 가장 빠르고 그 다음이 쿠싱병, 가장 느린 회복은 부신선종에 의한 쿠싱증후군이다. HPA 축이 회복되지 않는 경우도 있음을 염두에 두어야 한다.

4) HPA 축 회복의 평가법

수술 후 3개월 간격으로 아침 혈청 코르티솔을 측정하여 "아래의 기준에 따라" HPA 축 회복을 평가할 수 있고, 애매한 경우 급속 자극검사를 시행한다.

(1) 아침 혈청 코르티솔 <7 μg/dL

회복되지 않은 상태로 스테로이드를 유지하고 3~6개월 후 검사를 반복한다.

(2) 아침 혈청 코르티솔 7~18 μg/dL

급속 ACTH 자극검사를 시행하여 >18 μg/dL 이라면 회복된 것으로 판단한다.

(3) 아침 혈청 코르티솔 >18 μg/dL

회복되었으며 스테로이드는 중단한다.

3. 동반질환의 관리

성공적인 치료에 의해 쿠싱증후군의 합병증인 고혈압, 당뇨병, 이상지혈증, 골다공증, 근병증, 비만, 성선기능저하증 및 정신신경학적 질환은 수 개월에서 수 년에 걸쳐 현저한 호전을 보이지만 계속될 수 있으므로 표준진료지침에 의한 지속적인 치료가 필요하다. 쿠싱증후군은 심혈관질환 사망이 가장 흔하고 치료 후에도 그 위험요인이 지속될 수 있으므로 적극적인 관리가 필요하다. 성공적인 치료 후 환자의 증상이 악화되거나 새로운 질환이 발현될 수 있음에 유의해야 하는데, 스테로이드 금단증후군과 면역반동현상을 들 수 있다.

1) 스테로이드금단증후군

적절한 스테로이드 보충요법을 시행함에도 불구하고 스테로이드 결핍의 다양한 증상(피로, 허약감, 기면, 근육통, 불면증 등)을 보이는 경우로 코르티솔의 급격한 정상화로 인해 발생한다고 생각되고 있다. 너무 빨리 스테로이드를 감량하는 경우에 발생 가능성이 높고 최근 가능한 적은 양의 스테로이드 보충요법이 추천되고 있어 그 발생빈도가 증가할 것으로 생각된다. 일시적으로 수 주 동안 스테로이드 용량을 증량하면 해결될 수 있으나 다시 감량하기 어려운 경우도 있어 의인쿠싱증후군의 발생위험이 있다. 항우울제가 도움이 될 수 있다는 보고는 있으나 체계적인 연구결과는 없다.

2) 면역반동현상

상승되었던 코르티솔이 급격히 정상화되면서 다양한 자가면역질환의 발생위험이 증가한다. 자가면역갑상선질환이 가장 흔하며 류마티스관절염, 다발경화증이 보고된 바 있고 그 외에도 다양한 자가면역 질환이 새롭게 발생할 수 있음에 유의해야 한다.

참고문헌

1. Berr, C.M., et al. Time to recovery of adrenal function after curative surgery for Cushing's syndrome depends on etiology. J Clin Endocrinol Metab 2015;100:1300-8.
2. Bhattacharyya, A., et al. Steroid withdrawal syndrome after successful treatment of Cushing's syndrome: a reminder. European Journal of Endocrinology 2005;153:207-10.
3. Khanra, S. and S. Das. Mirtazapine Is Effective in Steroid Withdrawal Syndrome Related Depression: A Case Report. Clin Psychopharmacol Neurosci 2017;15:73-5.
4. Kim, H.K., et al. The Recovery of Hypothalamic-Pituitary-Adrenal Axis Is Rapid in Subclinical Cushing Syndrome. Endocrinol Metab (Seoul) 2016;31:592-7.
5. Nieman, L.K., et al. Treatment of Cushing's Syndrome: An Endocrine Society Clinical Practice Guideline. The Journal of Clinical Endocrinology & Metabolism 2015;100:2807-31.
6. Pereira, A.M., et al. Long-term predictive value of postsurgical cortisol concentrations for cure and risk of recurrence in Cushing's disease. J Clin Endocrinol Metab 2003;88:5858-64.
7. Pivonello, R., et al. Complications of Cushing's syndrome: state of the art. The Lancet Diabetes & Endocrinology 2016;4:611-29.
8. Pivonello, R., et al. The Treatment of Cushing's Disease. Endocr Rev 2015;34:385-486.
9. Takasu, N., et al. Exacerbation of Autoimmune Thyroid Dysfunction after Unilateral Adrenalectomy in Patients with Cushing's Syndrome Due to an Adrenocortical Adenoma. New England Journal of

Medicine 1990;322:1708-12.

10. Yakushiji, F., et al. Exacerbation of rheumatoid arthritis after removal of adrenal adenoma in Cushing's syndrome. Endocr J 1995;42:219-23.

CHAPTER 17

쿠싱증후군의 예후

안지현, 김신곤
고려의대 내과학교실

충분한 치료를 받지 못한 쿠싱증후군 환자의 약 50% 정도는 증상이 발생한지 약 5년 이내에 사망하는 것으로 알려졌으나, 최근에는 쿠싱증후군에 대한 정확한 진단과 치료가 가능해지면서 예후가 크게 향상되었다. 그러나 쿠싱증후군이 완치되더라도 고코르티솔증에 의한 심혈관 질환, 골밀도 감소, 정신 질환 등은 완전히 호전되지 않을 수 있고 환자의 장기적인 건강 문제로 남는 경우가 적지 않다. 또한 쿠싱증후군 치료 후 장기적인 삶의 질은 유의하게 향상되나, 일부 연구들에 의하면 정상까지 회복되지 않는 경우가 많고 특히 뇌하수체기능저하증이 동반된 경우에는 오히려 악화될 수 있는 것으로 보고된다. 따라서 쿠싱증후군 환자에서는 쿠싱증후군의 원인 질환에 대한 치료와 임상 증상의 호전뿐만 아니라 고코르티솔증으로 인해 유발될 수 있는 동반 질환들에 대하여 장기적으로 추적하고 치료하는 것이 환자의 예후를 향상시키고 삶의 질을 높이는데 중요하다.

1. 쿠싱증후군의 사망률과 재발률

1) 사망률

1932년 Harvey Cushing이 발표한 연구 결과에 의하면 치료받지 않은 쿠싱증후군 환자의 평균 생존 기간은 4.6년에 불과하였고, 1952년 Plotz 등도 5년 생존률을 50% 정도로 보고하였다. 최근 20년간의 유럽, 미국, 뉴질랜드 등에서 발표한 연구결과에 의하면 쿠싱증후군과 합병증에 대한 진단 및 치료 기술이 발전하면서 예후는 크게 호전되었으나 사망률은 정상인에 비하여 여전히 1.6~4.8배 높다고 보고된다. 연구에 따라 차이가 있으나 많은 연구에서 부신 선종보다 뇌하수체 선종에 의한 쿠싱증후군의 경우 사망률이 더 높은 것으로 알려져 있다.

초기 수술 이후 완치되지 않거나 재발된 환자에서 유의하게 사망률이 높다는 것은 대부분의 연구에서 일관되게 보고되어 왔으며 사망률은 정상인의 2.8~16배에 이른다고 보고된다. 그러나 완치 이후, 특히 장기간 관해 상태가 유지되고 있는 환자에서도 정상인에 비하여 사망률이 지속적으로 높은지에 대해서는 아직 논란이 있다. 2016년 Clayton등이 보고한 다기관 코호트 연구에 의하면 320명의 완치된 뇌하수체 선종에 의한 쿠싱병 환자를 약 11.8년 동안 장기 추적 관찰하였을 때 전체 사망률은 정상인에 비하여 1.61배, 심혈관질환으로 인한 사망률은 2.72배 높았으며 당뇨병이 사망률을 2.82배 높이는 주요 위험인자였다. 그러나 이 연구에서 추가적인 치료 없이 뇌하수체 수술만으로 완치에 이른 환자의 사망률은 정상인과 유사하였다.

쿠싱증후군 환자의 주된 사망 원인은 심혈관질환, 정맥혈전증, 감염이다. 심한 쿠싱증후군 환자는 진단이 되기 이전에 기회감염, 혈액응고 장애로 인한 심부정맥혈전증, 폐부종, 심근경색 등으로 사망할 수 있다. 사망률은 남성, 고령, 고코르티솔증에 노출된 기간, 치료반응, 초기 수술 후 고코르티솔증의 지속 여부, 고혈압이 동반된 경우 높은 것으로 알려져 있다.

이소 ACTH 분비 종양 또는 코르티졸 분비 부신피질암에 의한 쿠싱증후군은 악성 종양의 경과로 인해 예후가 좋지 않을 수 있는데, 예후는 종양의 경과와 고코르티솔증의 정도에 의해 좌우되며 전이성 병변을 가지고 있는 환자 대부분은 1년 이내에 사망에 이른다. 이소 ACTH 분비 종양의 경우 특히 폐소세포암, 갑상선수질암, 흉선 유암종에 동반된 경우 예후가 매우 나쁜 것으로 알려져 있다.

2) 재발률

코르티솔 분비 부신선종 환자는 부신절제술을 통해 100%에 가까운 완치율을 보이지만, 뇌하수체 선종에 의한 쿠싱병 환자의 경우 미세선종의 경우 약 73~76%, 거대선종은 43% 미만으로 상대적으로 완치율이 낮다. 쿠싱병은 재발률 또한 높아 뇌하수체 수술 후 완치된 환자에서 5~10년 내 재발률은 11~66%로 보고된다. 10년 이상의 장기간 추적관찰 연구는 많지 않으나 Andrea 등이 발표한 후향적 코호트 연구에 의하면 41명의 쿠싱병 환자를 평균 14년간 추적하였을 때 78%의 완치 환자 가운데 상당 수인 65.6%에서 재발이 되었음을 보고하였다. 따라서 쿠싱병 환자의 경우 완치 이후에도 재발 여부에 대한 장기간 지속적인 평가가 필요하다. 쿠싱병의 경우 종양의 크기가 클수록, 수술 전후 혈중 ACTH, DHEA/DHEA-S가 높을수록 재발이 잘 되며, 수술 직후 부신기능부전이 발생하지 않는 경우, 시상하부-뇌하수체-부신 축의 회복이 6개월 이내로 빠른 경우에 재발 위험성이 높다고 알려져 있다. 전이성 병변이 없는 이소 ACTH 분비 종양의 완치율은 약 76%로 보고되며, 이소 ACTH 분비 종양 수술 후의 쿠싱증후군 재발은 전이를 시사하는 소견이다.

자정 혈중/타액 코르티졸 농도의 상승이 소변 코르티졸 증가보다 조기에 나타나는 재발 지표로 보고되고 있으나, 증상이 발현되지 않은 시점에서 조기에 재발을 진단하고 치료하는 것이 장기적인 치료 경과와 예후에 이득이 될 것인가에 대한 연구는 아직 부족하다.

2. 고코르티솔증에 의한 임상 증상 및 합병증

쿠싱증후군에 대한 치료 후 고코르티솔증에 의한 임상 증상과 합병증의 경과는 고코르티솔증에 노출된 기간과 상관관계가 있다. 고코르티솔증에 의한 임상 증상은 치료 후 2~12개월에 걸쳐 대부분 호전되는데, 얼굴형, 피부 병변, 근병증 등의 외형적인 증상이 가장 먼저 호전을 보인다. 생식능력 및 성기능 역시 뇌하수체 기능저하증이 동반되지 않은 경우 6개월 이내에 정상으로 회복된다. 그러나 심혈관 질환 및 위험인자, 골밀도 감소, 정신적인 문제 및 인지기능 장애는 쿠싱증후군 완치 이후에도 완전히 호전되지 않고 장기적으로 남을 수 있다.

1) 심혈관 질환

비만, 당뇨병, 고혈압, 이상지질혈증을 포함한 대사증후군은 쿠싱증후군 치료 후 상당 수에서 약을 감량하거나 중단할 수 있을 정도로 호전을 보인다. 그러나 비만과 고혈압은 약 25%의 환자에서 지속되며, 당뇨병과 이상지질혈증 역시 쿠싱증후군 완치 수년 후까지도 정상인에 비하여 2~4배 유의하게 유병률이 높다. 이러한 위험인자로 인한 심혈관 질환 발생 위험성은 쿠싱증후군 완치 이후에도 정상인에 비하여 지속적으로 높으며 이는 고코르티졸 상태에 노출된 기간과 비례한다고 알려져 있다. 지속적인 고코르티졸 상태에 노출된 혈관의 비가역적인 변화로 인하여 상당수의 환자에서 쿠싱증후군이 완치되더라도 혈관 염증인자가 지속적으로 상승되어 있고 비가역적인 말초장기의 손상이 회복되지 않음이 보고되고 있다.

2) 골밀도 감소

골밀도는 치료 후 2년 동안 빠르게 회복되나 이후에는 회복 속도가 느려지며, 충분한 회복이 이루어지기까지는 4~5년가량이 소요된다. 개개인의 기저 골밀도를 예측하기 어려우므로 쿠싱증후군 치료 후 골밀도를 얼마나 회복시킬 수 있을지 여부는 판단하기 쉽지 않다. 따라서 개별화된 평가를 바탕으로 장기간의 추적관찰이 필요하다. 골절에 대한 연구는 부족하나 쿠싱증후군 치료 후 골절 위험도 역시 유의하게 감소하는 것으로 알려져 있다. 쿠싱증후군 치료 후 생리적 용량 이상의 부신피질호르몬의 보충은 골밀도의 회복을 방해하는 요인이 될 수 있으므로 주의해야 한다.

3) 신경정신적 문제

우울증, 불안감, 적응장애, 인지기능 장애 등의 문제 역시 성공적인 치료 이후 1년 이내에 상당수의 환자에서 호전을 보인다. Dorn 등에 의하면 치료 전 쿠싱증후군 환자의 67%에서 정신적인 문제를 보였으나 치료 1년 후 24%로 감소하였다. 장기간 추적 연구는 매우 드물지만 일부 연구들에 의하면 쿠싱증후군이 완치된 이후에도 정상인에 비해 신경정신적 문제의 빈도가 높다고 보고된다. 쿠싱증후군 환자에서 뇌의 해마 용적이 감소되며 쿠싱증후군이 완치된 후에도 일부 환자에서는 회복이 되지 않으며 이 환자들에서 기억력 및 인지기능 회복이 유의하게 낮다는 것이 보고된 바 있다.

3. 부신기능부전 및 기타 질환

쿠싱증후군의 수술 또는 약물치료 후 일부 환자들은 일차성 또는 이차성 부신기능부전 상태가 되어 장기적인 부신피질호르몬 보충이 필요하다. 일부 환자들은 고코르티솔증에서 회복되면서 오히려 코르티솔의 상대적인 부족에 의한 관절통, 심한 피로감, 우울감 등의 증상을 호소하며 이는 회복되기까지 수주에서 수개월이 걸리기도 한다. 쿠싱증후군 치료 후 상당수의 환자들은 건선, 갑상선염, 크론병, 궤양성 대장염, 천식, 루프스, 류마티스관절염 등의 자가면역 질환 또는 염증성 질환이 발병하거나 재발한다. 이는 치료 전의 고코르티솔증에 의해 억제되었던 자가면역질환이 악화되는 것으로 이해된다.

4. 삶의 질

쿠싱증후군 환자에서는 신체적, 정신적으로 환자의 삶의 질을 저하시킬 수 있는 다양하고 광범위한 증상이 발현되고, 쿠싱증후군이 완치되더라도 장기적인 영향이 남아 환자의 삶의 질에 영향을 주게 된다. 따라 삶의 질은 쿠싱증후군 환자의 장기 추적 관찰 시 중요한 예후 인자가 된다. 대부분의 연구에서는 쿠싱증후군의 원인 질환과 치료방법에 관계없이 쿠싱증후군 치료 후 삶의 질은 호전된다고 보고되어 왔으나, 일부 대규모 연구에서는 쿠싱증후군이 완치되더라도 장기적인 신체적, 사회적 기능저하와 정신적인 문제로 일상적인 생활에 제한이 남게 되고, 통증과 피로감, 수면장애 등의 증상과 주관적인 삶의 질 저하로 인해 사회적 경제적으로 지속적인 문제를 겪는다는 결과를 보여주었다. John R 등은 23명의 완치된 쿠싱병 환자를 약 26년간 장기 추적 관찰하여 삶의 질을 평가하기 위한 설문조사를 시행하였을 때 정상 대조군에 비하여 유의하게 삶의 질 감소를 보였고 피로감, 기억력 저하, 수면장애, 우울증 등이 주요 원인이었다. 특히 쿠싱병으로 수술 후 발생한 뇌하수체 기능저하증이 삶의 질을 더욱 저하시킬 수 있다.

5. 장기 추적 관찰

2015년 미국-유럽내분비학회 권고안에서는 쿠싱증후군 환자에서 완치율이 약 100%인 전산화단층촬영 상 10 HU (Hounsfield units) 미만의 코르티솔 분비 부신선종에 대하여 수술적 절제를 한 경우를 제외하고는, 재발 여부에 대해서 평생에 걸친 추적 관찰을 권고한다. 또한 심혈관 질환 및 위험인자, 골다공증, 정신질환 등의 동반 질환에 대해서도 질환이 호전될 때까지 지속적이며 적극적인 치료와 추적 관찰이 필요하다.

참고문헌

1. Aranda G, Enseñat J, Mora M, et al. Long-term remission and recurrence rate in a cohort of Cushing's disease: the need for long term follow-up. Pituitary 2015;18:142-9.
2. Clayton RN, Jones PW, Reulen RC, et al. Mortality in Cushing's disease more than 10 years after remission: a multicentre, multinational, retrospective cohort study. Lancet Diabetes Endocrinol 2016 4:569-76.
3. Clayton RN, Raskauskiene D, Reulen RC, Jones PW. Mortality and morbidity in Cushing's disease over 50 years in Stoke-on-Trent, UK: audit and meta-analysis of literature. J Clin Endocrinol Metab 2011;96:632-42.
4. Dekkers OM, Horváth-Puhó E, Jørgensen JO, et al. Multisystem morbidity and mortality in Cushing's syndrome: a cohort study. J Clin Endocrinol Metab 2013;98:2277-84.
5. Lambert JK, Goldberg L, Fayngold S, Kostadinov J, Post KD, Geer EB. Predictors of mortality and long-term outcomes in treated Cushing's disease: a study of 346 patients. J Clin Endocrinol Metab 2013;98:1022-30.
6. Lindsay JR, Nansel T, Baid S,GumowskiJ,NiemanLK. Long-term impaired quality of life in Cushing's syndrome despite initial improvement after surgical remission. J Clin Endocrinol Metab 2006;91:447-53.
7. Lynnette K. Nieman, Beverly M. K. Biller, James W. Findling, M. Hassan Murad, John Newell-Price, Martin O. Savage, and Antoine Tabarin. Treatment of Cushing's Syndrome: An Endocrine Society Clinical Practice Guideline. J Clin Endocrinol Metab 2015;100:2807-31.
8. Ntali G, Asimakopoulou A, Siamatras T, et al. Mortality in Cushing's syndrome: systematic analysis of a large series with prolonged follow-up. Eur J Endocrinol 2013;169:715-23.
9. Olaf M. Dekkers, Erzsébet Horváth-Puhó, Jens Otto L. Jørgensen, Suzanne C. Cannegieter, Vera Ehrenstein, Jan P. Vandenbroucke, Alberto M. Pereira, and Henrik Toft Sørensen. Multisystem Morbidity and Mortality in Cushing's Syndrome: A Cohort Study. J Clin Endocrinol Metab 2013;98:2277-84.
10. Pereira AM, Tiemensma J, Romijn JA. Neuropsychiatric disorders in Cushing's syndrome. Neuroendocrinology 2010;92:65-70.

CHAPTER 18

특별한 경우의 쿠싱증후군
(Special aspects in Cushing's syndrome)

18-1 임신 (Pregnancy)

조호찬, 김미경
계명의대 내과학교실

1. 역학

쿠싱증후군을 동반한 여성에서는 안드로겐(andgrogen) 과다와 고코리티솔증으로 인해 무월경이 발생하므로, 임신이 되는 경우는 드물다. 최근 보고에 의한 약 200명의 여성이 임신 동안 쿠싱증후군을 진단받았으며, 우리나라의 경우 3 케이스가 보고되었다(표 18-1-1). 임신이 아닌 여성에서의 쿠싱증후군과 달리 임신한 여성에서의 쿠싱증후군은 부신샘 종이 40~60%로 주된 원인이며, 두 번째가 쿠싱병(15~40%)이다. 임신 시 쿠싱증후군은 분만 이후 발견되는 경우도 있으며, 분만 후 12개월 이내에 진단되는 쿠싱증후군 환자는 임신 시 쿠싱증후군이 동반되어 있었다고 정의한다.

표 18-1-1. 우리나라 임신시 동반된 쿠싱증후군 예

		진단시기	원인	동반증상	태아영향	모성영향	치료법	참고문헌
1	38세	28주 진단	부신선종 (2.5 cm)	고혈압, 월상안, 복부비만, 근육위축, 자색 선조 저칼륨혈증	2,450 g	부신절제술 이후 혈압 정상화, 38주 질분만	29주에 부신절제술	Kim HG et al.[1]
2	31세	30주 선별검사, 분만후 확진검사	부신선종 (2.6 cm)	임신성당뇨병 고혈압, 월상안 복부비만, 물소혹변형 압박골절	1,670 g , 중증도의 호흡부전 증후군	중증 전자간증으로 응급 제왕절개술 (31주), 분만 후 호흡부전	분만 이후 부신절제술	Choi WJ et al.[2]
3	30세	분만 직후	부신선종 (3 cm)	임신성당뇨병 고혈압, 월상안 복부비만, 근육위축, 자색 선조 전자간증	1,220 g 중증도의 호흡부전 증후군	전자간증으로 응급 제왕절개술(30주)	부신절제술	Chang I. et al.[3]

2. 진단

1) 임상증상

임신 중에 쿠싱증후군을 진단하는 것은 어렵다. 왜냐하면, 피로, 체중증가, 남성형다모증, 여드름, 감정불안정과 같이 임신으로 인한 증상과 고코르티솔에 의한 증상이 겹치고, 고혈압과 고혈당은 임신 동안에도 발생할 수 있기 때문이다. 드물지만, 쿠싱증후군 환자에서 병적 골절의 소견이 동반될 수 있으므로, 임신 중 병적 골절 소견이 보이는 경우에는 고코르티솔증 유무를 확인해야 한다.

2) 생화학적 검사

(1) 코르티솔

생화학적인 검사도 임신으로 인한 변화 때문에 구별이 쉽지 않다. 임신한 경우에는 시상하부–뇌하수체–부신(hypothalamus–pituitary–adrenal, HPA) 축이 활성화된다. 따라서, 정상 임신의 경우에도 임신 1분기부터 시작되어 임신 전기간 동안 에스트로젠으로 인해 코르티솔결합글로불린의 생산이 증가하여, 혈액의 코르티솔이 상승한다. 임신 11주 정도부터 코르티솔 증가가 관찰되며, 임신주수와 함께 증가하여 정상범위의 2~3배 정도까지 상승한다. 요 코르티솔과 대사산물도 임신 2분기부터 1.4배에서 1.6배 증가된다. 따라서, 임신 1분기 이후에는 코르티솔이 정상 상한치의 2~3배 이상 증가하지 않는다면 진단적 표지자로 고려할 수 없다. 그러나, 정상 임신의 경우에는 하루주기리듬이 유지되지만, 쿠싱증후군에서는 관찰되지 않기 때문에 하루주기리듬을 확인하는 것이 진단에 도움이 될 수 있다. 이외에 자정 침샘 코르티솔이 도움이 될 수 있다. 정상 임신의 경우, 임신을 하면 자정 침샘 코르티솔이 임신 3기에 가장 높게 측정되며, 임신을 하지 않은 경우와 비교해도 높게 측정된다. 그러나, 쿠싱증후군 환자보다는 낮으며, cutoff 값이 쿠싱증후군과 임신이 확실히 구별되어 진단에 도움이 될 것으로 예상된다.

(2) 덱사메타손 억제 검사

임신한 경우, 외인 당질코르티코이드에 의한 HPA 축의 반응이 감소되어 있다. 1 mg 하룻밤 덱사메타손 억제검사를 시행했을 때 임신하지 않은 경우에는 대부분의 혈액 내 코르티솔이 억제되지만, 임신 2분기에는 40%, 임신 3분기에는 87%의 억제가 관찰된다. 이와 같은 현상은 코르티솔에 대한 코르티솔결합글로불린의 효과, 당질코르티코이드에 대한 조직 불응성, 모성의 HPA 되먹임기전(feedback)이 새로 형성(resetting)되기 때문으로 생각되고 있다. 따라서, 임신 중에는 1 mg 덱사메타손 억제검사의 유용성이 제한적이며, 위양성이 발생할 가능성이 증가된다.

이를 종합해보면, 임신 중 쿠싱증후군을 진단하기 위해 침샘 코르티솔과 하루주기리듬의 소실유무를 확인하는 것이 필요하다.

3) 원인 감별을 위한 진단

일반적으로 쿠싱증후군이 의심되면 부신피질자극호르몬(adrenocorticotropic hormone, ACTH) 농도를 이용하여 원인을 감별하게 된다. 그러나, 임신 시에는 혈액의 ACTH 역시 임신 전 기간동안 상승하여, 분만 시 최고치에 이르기 때문에, 부신 쿠싱증후군의 경우에도 ACTH의 억제가 관찰되지 않을 수 있다. 부신피질자극호르몬-분비 호르몬(corticotrophin-releasing hormone, CRH) 자극검사나 고농도 덱사메타손억제 검사를 시행한 환자의 케이스가 적어 유용성에 대해서는 아직 명확하지 않다. 이 외에 부신 기원일 경우에는 초음파나 조영제를 사용하지 않은 자기공명영상이 도움이 될 수 있다. 뇌하수체의 경우에는 조영제를 사용하지 않고 자기공명영상을 시행할 수 있으나, 진단이 어려운 경우가 많다.

3. 태아와 임신부에 미치는 영향

임신 중 쿠싱증후군은 태아와 임신부 모두에게 합병증을 유발 할 수 있다. 임신 중 쿠싱증후군을 진단받은 여성에서는 고혈압, 당뇨병이 가장 많이 관찰되었으며, 이외에도 자간전증, 골다공증, 골절, 심부전, 감염, 사망 등이 보고되었다. 태아 합병증으로는 저체중 출생아, 조기분만, 자연 유산 등으로 인한 태아 소실, 호흡부전 등이 발생할 수 있다. 치료를 하지 않을 경우 이러한 이환율이 증가된다.

4. 치료

치료는 수술과 약물치료이다. 일반적인 경우와 마찬가지로 수술이 첫 번째 치료 방법이다. 수술은 임신 1분기에 마취를 할 경우 자연유산이 위험이 증가하고, 임신 3분기에는 조기분만이 증가할 수 있으므로 임신 2분기에 하도록 권장한다. 수술을 시행할 경우에는 남은 임신 기간 동안 부신기능부전이 발생할 수 있음을 기억해야 한다. 히드로코르티손을 임신 2분기까지는 일반적인 유지용량으로, 임신 3분기에는 조금 증량해서 처방하는 것을 권장하며, 분만 시에는 부신위기를 극복할 수 있도록 증량해야 한다. 고코르티솔증 조절하기 위해 약물치료를 할 수 있다. 약물치료는 변형유발작용이 없는 메티라폰(metyrapone) 이 권장되지만, 자간전증의 발생을 증가시킬 수 있으며 태반을 통과하여 태아 부신 스테로이드 합성에 영향을 줄 수 있다. 케토코나졸도 고코르티솔증을 조절하기 위해 사용할 수는 있으나 변형유발가능성과 동물실험에서 유산이 증가되는 보고가 있어 메티라폰에 반응하지 않거나, 응급인 경우에 사용하도록 제한하고 있다. 쿠싱병인 경우에는 cabergoline을 사용할 수 있으며, mitotane은 변형유발가능성 때문에 금기이다. 방사선 치료도 변형유발가능성과 지연합병증 등의 가능성 때문에 금기이다.

5. 요약

임신 중 쿠싱증후군은 아주 드물지만, 치료하지 않을 경우 모체와 태아의 이환율과 사망률을 증가시킬 수 있다. 임신과 비슷한 임상증상과 임신으로 인한 코르티솔의 정상반응으로 진단에 어려움이 있지만, 의심될 경우에는 자정 침샘 코르티솔과 하루주기리듬을 측정하는 것이 진단에 가장 도움이 될 것으로 생각된다. 진단이 된 경우에는 환자의 동반질환과 이익 및 위험도를 고려하여 수술적 요법과 약물요법을 시행하여, 모체와 태아의 이환율과 사망률을 감소시킬 수 있도록 해야 할 것이다.

참고문헌

1. Bronstein MD, Machado MC, Fragoso MC. MANAGEMENT OF ENDOCRINE DISEASE: Management of pregnant patients with Cushing's syndrome. Eur J Endocrinol 2015;173:R85-91.
2. Brue T, Amodru V, Castinetti F. MANAGEMENT OF ENDOCRINE DISEASE: Management of Cushing's syndrome during pregnancy: solved and unsolved questions. Eur J Endocrinol 2018;178:R259-R66.
3. Caimari F, Valassi E, Garbayo P, et al.Cushing's syndrome and pregnancy outcomes: a systematic review of published cases. Endocrine 2017;55:555-63.
4. Chang I, Cha HH, Kim JH, et al. Cushing syndrome in pregnancy secondary to adrenal adenoma. Obstet Gynecol Sci 2013;56:400-3.
5. Choi WJ, Jung TS, Paik WY. Cushing's syndrome in pregnancy with a severe maternal complication: a case report. J Obstet Gynaecol Res 2011;37:163-7.
6. Kim HG, Lee KH, Je GH, et al. A case of Cushing s syndrome in pregnancy secondary to an adrenal cortical adenoma. J Korean Med Sci 2003;18:444-6.
7. Lindsay JR, Jonklaas J, Oldfield EH, et al. Cushing's syndrome during pregnancy: personal experience and review of the literature. J Clin Endocrinol Metab 2005;90:3077-83.
8. Lindsay JR, Nieman LK. The hypothalamic-pituitary-adrenal axis in pregnancy: challenges in disease detection and treatment. Endocr Rev 2005;26:775-99.
9. Lopes LM, Francisco RP, Galletta MA, et al. Determination of nighttime salivary cortisol during pregnancy: comparison with values in non-pregnancy and Cushing's disease. Pituitary 2016;19:30-8.

18-2 소아시기 쿠싱증후군(Childhood Cushing Syndrome)

이영아, 신충호
서울의대 소아과학교실

쿠싱증후군(Cushing syndrome)이란 코르티솔에 과잉 노출로 인하여 발생하는 질환으로서 쿠싱증후군의 10% 정도가 18세 미만에 발생하는 것으로 알려져 있다. 쿠싱증후군은 ACTH 의존성과 비의존성으로 구분할 수 있다. 소아 시기의 쿠싱증후군은 전반적인 육체적, 정신적 건강 뿐만 아니라, 성장과 발달에도 나쁜 영향을 미칠 수 있으므로, 코르티솔 과다가 의심되면 정확한 진단과 적절한 치료를 통하여, 가능하면 빨리 코르티솔 농도를 정상화시키고, 성장과 발달이 적절하게 이루어질 수 있도록 지속적으로 추적 치료하는 것이 중요하다. 쿠싱증후군 자체가 소아에서 드물기에 소아내분비 의사가 경험을 쌓기가 힘들어 다양한 분야의 전문가와의 협진이 필요하다.

1. 역학

쿠싱증후군의 발생빈도는 연간 백만 명당 0.7~2.4명 정도 발생하며, 이 중 10% 정도가 18세 미만에서 발생하는 것으로 알려져 있다. 소아청소년기 쿠싱증후군의 70% 정도가 뇌하수체선종에 의해 발생하며, 주로 5세 이상에서 발병한다. 쿠싱병은 사춘기 전에는 남아에서 호발하며, 사춘기에는 비슷하다가 사춘기 이후에 여성에서 호발한다. 부신질환은 5세 미만에서 잘 발생한다.

2. 원인

쿠싱증후군은 ACTH 의존성과 비의존성으로 구분할 수 있다(표 18-2-1).

표 18-2-1. 쿠싱증후군의 원인

ACTH 의존성
ACTH 분비 뇌하수체 종양(쿠싱병) 이소 ACTH 분비 종양 이소 CRH 분비 종양 외인성(ACTH 투여)
ACTH 비의존성
부신선종(adenoma)과 부신피질암종(corticocarcinoma) 원발성색소침착형결절부신피질질환과 Carney 증후군 양측거대결절부신피질과형성 외인성(글루쿠코르티코이드 투여)

1) 부신피질 유래 질환

부신피질 유래의 질환 중 쿠싱증후군의 원인으로 상대적으로 빈도가 높은 부신선종과 빈도가 매우 드물며 예후가 불량한 부신피질암종이 이전부터 알려져 있다. 소아 부신피질암종은 3세 경에 가장 흔하게 발생하며, Li-Fraumeni 증후군, Beckwith-Wiedemann 증후군, MEN1과 동반되어 나타나기도 한다. 양측거대결절부신피질과증식증(bilateral macronodular adrenocortical hyperplasia)은 6개월 미만의 어린 유아시기에 MaCune-Albright 증후군에서 발생할 수 있으며 저절로 호전되기도 한다. 원발성 색소침착형 결절 부신피질질환(primary pigmented nodular adrenocortical disease, PPNAD)은 carney complex를 비롯한 여러 질환에서 발생할 수 있다. 부신 유래의 쿠싱증후군은 cAMP 이상, 인슐린양 성장인자-II, 종양억제 유전자 등의 발현 이상과 동반되어 나타나는 경우가 많다.

2) 쿠싱병(Cushing disease)

뇌하수체에서 부신피질자극호르몬의 과다 분비에 의하여 양측 부신의 비후를 초래하며, 5세 이후의 소아에서 고코르티솔증의 흔한 원인이다. 대개 뇌하수체의 미세선종이 원인이다.

3) 이소 ACTH 분비

소아에서 췌장암, 신경모세포종, 흉선종양, 윌름종양, ganglioneuroblastoma 등에서 이소성으로 ACTH 생산을 하는 경우가 있으나 극히 드물다.

4) 당류코르티코이드의 장기 투여

쿠싱증후군의 증상과 징후가 발생할 정도의 당류코르티코이드를 투여했을 때는 부신기능 억제가 항상 나타난다. 투여 용량, 투여 방법, 투여 기간이 시상하부-뇌하수체-부신축 억제 정도와 회복 기간에 영향을 미친다.

3. 임상 증상 및 징후

소아에서 쿠싱증후군은 다양한 임상 증상이 서서히 나타난다(표 18-2-2).

비만이 가장 흔하게 나타나는데, 지방이 목, 얼굴과 복부에 집중적으로 쌓인다. 단순 비만 소아청소년이 성장, 골연령과 성적발달이 정상이거나 약간 앞서 진행되는 것과 달리, 쿠싱증후군이 있으면 성장과 성적발달에 장애가 발생한다. 쿠싱증후군이 있는 경우에는 성장지연이 특징적으로 나타나며, 이는 비만이 발생하기 전부터 나타날 수 있어 성장곡선을 잘 살피는 것이 중요하다(그림 18-2-1).

부신종양뿐만 아니라, 쿠싱병에서도 부신에서 안드로스테네디온 분비 증가로 인하여 두정부(temporal) 탈모, 목소리 변화, 다모증, 유방크기의 감소, 남성형 체형뿐만 아니라, 음모가 사춘기가 오기 전에 발생하기도 한다. 시상하부-뇌하수체-생

표 18-2-2. 소아에서 쿠싱증후군의 임상 증상

성장	성장속도 저하가 동반되는 체중 증가, 복부비만
생식샘	성조숙증, 무월경, 남성형다모증, 여성형유방증
피부	안면홍조, 여드름, 흑색가시세포증, 쉽게 멍듬, 빗장위 지방 축적, 월상안, 진균감염, 남성형다모증, 다모증, 자색 선조
신경	두통
심혈관	고혈압, 응고병
기타	콩팥돌증, 근육쇠약, 골절, 포도당불내성, 제2형 당뇨병
심리	우울증, 불안, 기분 과다변화, 피곤, 과민, 수면장애

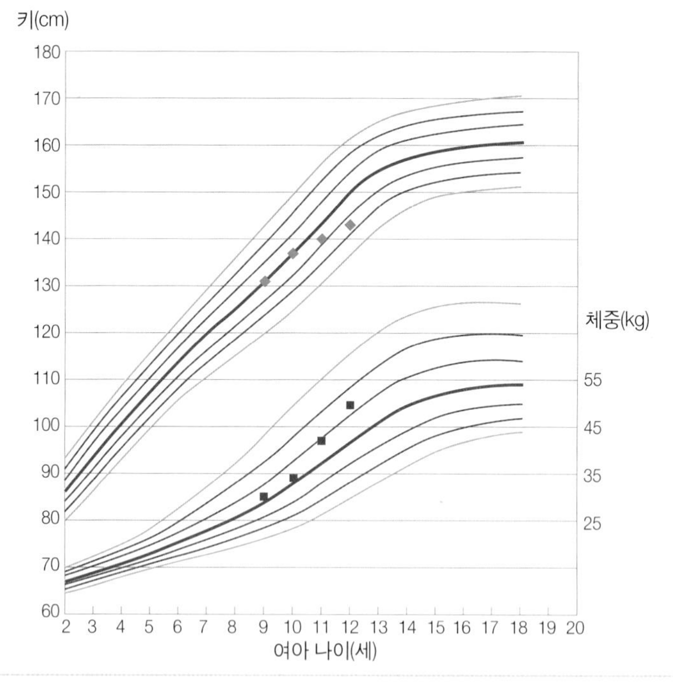

그림 18-2-1. 정상적인 키성장을 보이다가 10세 이후에 체중이 증가함에도 불구하고 키 성장은 잘 이루어지지 않고 있다. 쿠싱증후군을 비롯한 당질코르티코이드 과다 노출에 의한 성장장애 소아청소년의 전형적인 성장곡선이다.

식선축의 장애로 인하여 사춘기가 제 시기에 오지 않을 수 있으며, 사춘기가 시작된 남녀청소년에서 사춘기가 정상적으로 진행되지 않거나, 여성에서 무월경이 발생하기도 한다.

자색 선조도 나타나지만, 7세 미만에서는 드물게 발생한다. 모발도 과도하게 발달하여 이마와 관자놀이를 덮을 정도로 내려온다. 근육 약화와 골다공증도 흔히 발생한다.

고혈압은 소아에서 80% 이상에서 관찰된다. 성인에 비해 드물지만, 수면장애와 정신신경학적 장애도 발생한다.

4. 진단 원칙

소아청소년은 시상하부–뇌하수체–부신 축의 성숙도와 부신에서의 스테로이드 생합성의 과정이 성인과 다를 뿐 아니라, 내인 쿠싱증후군 자체가 소아청소년기에 드물어, 진단가이드라인이 정해져 있지는 않다. 소아청소년 대상으로 연구자마다 약간씩 다른 기준을 제시하지만, 쿠싱병의 경우 대부분 체중이 45 kg 을 넘어 성인 기준을 이용할 수 있지만, 검사의 한계를 고려하여 해석할 때 주의하여야 한다.

병력청취와 신체검진을 통하여 코르티솔 과다에 의한 임상증상을 우선 확인한다. 소아에서 쿠싱증후군의 가장 흔한 원인인 외인 쿠싱증후군을 배제한 후, 증상 발현 기간을 추정하고, 성장지연과 사춘기 진행 장애가 있는지를 확인한 후 내인 쿠싱증후군이 의심되는 경우에는 성인과 동일한 알고리듬을 이용하여 1단계로 코르티솔 과다를 우선 확인한다. 쿠싱증후군이 확인되면 2단계로 뇌하수체종양, 부신종양과 이소 ACTH 분비가 원인인지를 구분하여야 한다(표 18-2-3).

표 18-2-3. 쿠싱증후군의 진단 과정

진단 1단계: 코르티솔 과다 확인		
2-3회 24시간 소변 유리 코르티솔 ≥ 70 μg/m²·일 이상[7] 자정 혈청 코르티솔(비수면) ≥ 7.5 μg/dL[8] 또는 코르티솔(수면) ≥ 4.4 μg/dL[5] 1 mg 하룻밤 덱사메타손 투여 후 오전 8-9시 코르티솔 ≥ 1.8 μg/dL[1] 저용량 덱사메타손 8회 투여 5시간 후 코르티솔 ≥ 1.8 μg/dL[6]		
진단 2단계: 코르티솔 과다 분비 원인 구분		
ACTH <5 pg/mL[1] (ACTH 비의존성)	ACTH 5-28 pg/mL	ACTH ≥ 29 pg/mL[5] (ACTH 의존성)
- 복부 컴퓨터단층촬영 - 필요시 Liddle 검사	CRH 자극검사 8 mg 덱사메타손검사 Liddle 검사	뇌 자기공명영상 CRH 자극검사 8 mg 하룻밤 덱사메타손검사 양측하추체정맥동채혈검사
부신선종, 부신피질암종 원발성색소침착형결절부신피질질환 양측거대결절부신피질과증식증		뇌하수체선종 이소 ACTH 분비종양 이소 CRH 분비종양

5. 진단 1단계: 코르티솔 과다 확인

코르티솔 과다는 24시간 소변 유리 코르티솔(최소 2일, 가능하면 3일 수집), 늦은 밤 침샘 코르티솔 농도, 저용량 덱사메타손 억제검사(1 mg 자정 투여 또는 2일 동안 2 mg/일 분할 투여) 등을 통하여 확인하는데, 이 검사들은 100% 정확성을 갖추지 못하고 각 검사마다 단점이 있기에 여러 검사를 시행하여 종합적으로 판단하여야 한다.

1) 소변 유리 코르티솔

24시간 소변 유리 코르티솔 농도는 검사실마다 약간씩 차이가 있으며, 소아에서 확증된 기준치가 없다. 일반적으로 70 μg/m²·일 이상 또는 한국 성인 가이드라인 기준과 동일한 90 μg·일(RIA) 이상 또는 50 μg·일 이상(HPLC/ICMA)이면 코르티솔 과다를 진단할 수 있다. 아침 첫 소변을 버린 후 24시간 동안 모든 소변을 모아 냉장 보관하도록 교육을 하여야 하며, 동시에 크레아티닌을 측정하여 충분한 소변이 모였는지를 확인하여야 한다. 소아에서는 변동 폭이 커서 최소 2회, 가능하면 3회 시행하여야 한다. 소변 유리 코르티솔 농도를 판단할 때는 과도한 수분 섭취, 과도한 스트레스, 심한 비만, 과도한 운동 등으로 인한 가양성 가능성이 있는지를 반드시 확인하여야 한다.

2) 자정 경 코르티솔 농도

3세 이상에서는 코르티솔의 일중변동의 소실이 쿠싱증후군의 진단에 도움이 된다. 자정 경 수면 시에 측정한 코르티솔 농도가 1.8 μg/dL 미만이면 쿠싱증후군을 배제할 수 있으며, 4.4 μg/dL을 기준으로 이용하면 민간도와 특이도가 각각 99%, 100%로 알려져 있다. 성인에서는 자정 경 깨어 있을 때 측정한 코르티솔 농도가 7.5 μg/dL 이상이면 쿠싱증후군을 시사한다. 스트레스에 의한 가양성을 줄이기 위해 2일 이상의 입원과 카테터를 이용한 채혈이 필요하며, 소아는 성인과 달리 자정보다 이른 시가에 코르티솔 농도가 최저치로 떨어질 수 있어 주의가 필요하다.

3) 자정 침샘 코르티솔

성인과 달리 아직 소아에서의 자료는 부족하여 임상적으로 활용하기까지는 더 많은 연구가 필요하다.

4) 1 mg 하룻밤(Overnight) 덱사메타손 억제검사

소아에서는 신뢰성 있는 자료가 부족하여 이용하는데 한계가 있다. 성인에서는 23~24시 사이에 덱사메타손 1 mg 투여 후 아침 08~09시에 채혈한 코르티솔 농도가 1.8 μg/dL 이상이면 양성 소견으로 판정하며, 소아에서도 1.8 μg/dL 을 기준으로 사용할 수 있다.

5) 저용량 덱사메타손 억제검사

40 kg 이상인 경우에 덱사메타손 0.5 mg 을 6시간 간격(09, 15, 21, 03시)으로 총 8회 투여 후 6시간 뒤에 측정한 혈중 코르티솔이 1.8 μg/dL 이상이면 쿠싱증후군으로 진단할 수 있다. 외래에서 순응도가 좋은 환자를 대상으로 이용할 수도 있다. 40 kg 미만에서는 30 μg/kg·일 용량을 4회 나누어 복용시킨다.

6. 진단 2단계: 코르티솔 과다 분비 원인 구분

코르티솔 농도의 증가가 확인되면 뇌하수체 부신피질자극호르몬 분비 선종과 비정상으로 코르티솔을 자율적으로 생산하는 부신 병소를 구별하기 위해 추가 검사를 시행한다. 소아에서 ACTH 농도가 5 pg/mL 미만인 경우에는 복부 컴퓨터단층촬영을 시행하여 부신 병변을 확인하여야 한다. 소아에서 아침 ACTH 농도가 29 pg/mL 이상이면 민감도 70%, 특이도 100% 수준에서 ACTH 의존 쿠싱증후군으로 진단할 수 있으며, 뇌 자기공명영상, CRH 자극검사 또는 8 mg 하룻밤 덱사메타손 억제검사를 시행한다. 오전 9시에 코르티솔 측정 후 23시에 덱사메타손 120 μg/kg (최대용량 8 mg)을 투여 후 다시 오전 9시에 코르티솔을 측정하여 20% 이상 농도가 감소하면 이소 ACTH 분비 또는 부신질환보다는 쿠싱병을 더 시사한다. CRH(인형 CRH 1 μg/kg) 정주 30분 또는 45분 후에 기저치에 비해 코르티솔 농도가 20% 이상 증가하면 쿠싱병을 시사하지만, 소아에서는 이소성이 드물기에 유용성은 적다. 고전적 Liddle 검사는 PPNAD의 진단에 유용하다.

종양 위치 확인을 위해서는 방사선학적 방법을 사용한다. 가돌리늄을 사용하여 1~2 mm 두께로 촬영하는 뇌하수체 자기공명영상촬영은 가음성이 적고 해상력이 좋아서 뇌하수체선종을 진단하는데 사용된다. 성인에 비해 소아에서 뇌하수체선종의 발견율은 낮아 주의가 필요하다.

만약 쿠싱병을 진단하기에 호르몬 검사가 애매하거나, 뇌하수체 자기공명영상촬영으로 종양을 발견하지 못하는 경우에는 미세선종의 위치를 확인하기 위해 양측

하추체정맥동채혈검사(bilateral inferior petrosal sinus sampling)을 시행한다. 일반적으로 성인의 기준을 사용하여 하수체정맥동/말초혈액 ACTH의 비를 측정한다. 기저상태에서의 비가 2 이상, 자극(CRH, 데스모프레신) 후 3 이상이 되면 쿠싱병으로 진단할 수 있다. 양측하수체정맥동의 ACTH 비가 1.3 이상 차이가 나타나면 일측성 위치를 추정할 수 있는 것으로 되어 있으나 수술 소견과의 일치도는 높지 않다.

7. 치료

1) 부신에서 기인한 쿠싱증후군

부신선종을 수술적으로 제거하면 100% 완치가 가능하다. 소아 부신피질암종은 진단 당시 전이된 경우가 많으며 이런 경우 예후는 불량하다. 완전 절제 후 장기생존율은 75% 정도 된다. 전이된 경우나 종양을 부분적으로 절제했을 경우에 마이토테인(mitotane) 사용이 추천되며 80% 정도에서 임상적으로 완화(remission)가 이루어지며 부작용으로 졸음, 피부발진, 오심, 구토 등이 있다.

2) 쿠싱병

쿠싱병이 있는 소아청소년에서 우선적으로 수술로 뇌하수체 종양을 제거하여야 한다. 경접형골 수술(transsphenoidal surgery)이 많이 시행되며, 수술의의 능력에 따라 성공률은 90% 이상이다. 종양이 너무 크거나, 해면사이정맥굴을 침범하고 있으면 완전 제거가 불가능할 수 있다. 수술로 종양을 완전히 제거하지 못하거나 재발한 경우에 시행하는 두 번째 경접형골 미세절개술의 성공률은 60% 정도로 낮다. 수술 후 요붕증(일시적), 항이뇨호르몬부적절분비증후군, 뇌하수체호르몬부족, 감염 등이 발생할 수 있나. 뇌하수체저하증은 일반적으로 종양의 크기가 클수록 잘 발생한다. 첫 번째 경접형골 수술이 만족스럽지 못할 때, 성장기 소아에서 치료 방침을 정하는 것은 어렵지만, 종양의 위치를 아는 경우에는 수술을 고려한다.

성인에서처럼 뇌하수체 경접형골 미세절개술이 실패하였거나, 재발한 경우에 방사선 치료가 필요할 수 있지만, 소아에서는 방사선치료의 효과와 장기적 예후에 관해서는 잘 알려져 있지 않아 치료 시 주의가 필요하다. 소아에서 일반적(conventional) 방사선치료는 성인보다 완치율은 약간 낮지만(78%), 효과는 더 빨리(9~18개월 뒤) 나타나는 것으로 알려져 있다. 뇌하수체저하증(성장호르몬결핍증, 생식샘저하증 등)이 발생할 수 있으며, 인지기능의 변화는 잘 알려져 있지 않다. 방사선치료의 효과가 나타나기까지 시간이 걸리므로, 방사선치료 전에 케토코나졸 등의 약물로 코르티솔 분비를 줄일 수 있는 지 확인하여야 한다.

수술로 종양 제거 후 완화는 수술 후 7일 이내 측정한 아침 코르티솔 농도<5 μg/dL 또는 24시간 소변 유리 코르티솔<10~20 μg/일로 정의한다. 소아에서 완해율은 70% 이상으로 알려져 있다. 수술 시 나이가 어릴수록, 종양의 크기가 작을수록, 수술 후 아침 코르티솔<1 μg/dL 일수록 완해 기간이 길다. 재발은 성인에 비해 소아(특히 수술 후 아침 코르티솔과 ACTH가 낮은 경우)에서는 드물지만, 매년 재발유무를 확인하여야 한다. 재발은 침습성인 경우, 거대선종인 경우, 잔존 종양의 가능성이 있었던 경우와 시상하부-뇌하수체-부신축이 6개월 이내에 회복된 경우에 잘 생긴다. 수술이 실패하거나 재발한 경우에 종양의 위치를 확인할 수 있으면 다시 뇌하수체 접형동 미세절개술을 시행할 수 있으며, 이때는 뇌하수체저하증의 위험이 증가한다.

약물이 간혹 소아에서 필요할 수 있다. 소아에서도 수술 전 환자의 상태를 호전시키기 위해 일시적으로 코르티솔 농도를 낮추어야 하는 경우, 수술이나 방사선 치료가 불가능한 경우, 또는 방사선 치료 효과가 나타나기 전에 약물을 사용할 수 있다. 소아에서 약물의 효과와 부작용에 대해 거의 알려져 있지 않아 주의가 필요하다.

양측부신제거는 종양 자체에 대한 치료가 불가능하거나 생명이 위험한 경우에 시행되며, 넬슨증후군이 발생할 수 있다.

3) 당질코르티코이드 보충

쿠싱병 수술 후 코르티솔 농도가 서서히 저하되기 때문에 수술 중에는 당질코르티코이드를 보충하지 않고, 수술 후 6시간 간격으로 측정한 코르티솔 농도가 2 μg/dL 미만이면 하이드로코티손을 투여하고, 코르티솔 농도가 2~10 μg/dL 면서 종양을 완전히 제거하였다면 하이드로코티손 투여를 시작하며, 불완전 제거의 가능성이 있으면 재수술 가능성 유무를 판단하고 코르티솔이 5 μg/dL 미만이 되면 하이드로코티손 투여를 시작한다. 부신종양의 경우에는 수술 후 코르티솔이 급격하게 저하되기 때문에 수술 시 고용량 하이드로코티손을 투여하고 유지용량까지 서서히 줄인다.

시상하부-뇌하수체-부신축의 회복은 쿠싱병 소아에서 12.6±3.3개월 정도 걸리며, 수술 후 3개월 간격으로 아침 코르티솔을 측정하여 7.4 μg/dL 이상일 때 ACTH 자극검사를 시행하여 코르티솔 농도가 18 μg/dL 이상이면 회복된 것으로 판단할 수 있다. 수술 후 시상하부-뇌하수체-부신축이 정상화될 때까지는 하이드로코티손 10~12 mg/m^2·일을 2~3회 분복 투여하며, 아침 코르티솔이 5 μg/dL 미만인 상태에서는 중단하지 말아야 한다.

시상하부-뇌하수체-부신축이 정상화가 되어 하이드로코티손을 감량 중에, 당질코르티코이드 금단증상이 발생하면 일시적으로 하이드로코티손 용량을 올려야 한다.

8. 장기적인 예후

코르티솔 과다 노출과 뇌하수체 종양과 치료에 의한 뇌하수체 손상에 의해 성장, 사춘기, 심리적, 체성분 발달에 장애가 생길 수 있어 장기적 추적과 적절한 치료가 필요하다. 소아청소년기에 쿠싱증후군이 있었던 경우 완치가 된 후에도 성장은 정상 이하인 경우가 많다. 쿠싱병의 경우 뇌하수체 수술 후 발생한 성장호르몬의 결핍이 성장장애와 관련이 있어 수술 후 3개월 경에는 성장호르몬 결핍증 여부에 대한 검사를 해야 한다. 성장호르몬 치료는 키뿐만 아니라 체성분이 정상화되는 데에도 도움을 준다. 생식선저하와 사춘기 진행도 추적하여야 한다. 쿠싱증후군 소아를 장기 추적관찰 했을 때 피하지방에 대한 내장지방의 비율이 비정상적으로 높은 경향이 있으며, 완치 후에도 비만도는 높은 경우가 많다. 또한 완치 후에도 고혈압이 지속될 수 있다. 쿠싱증후군 치료 후 수년 동안은 인지 능력 저하, 심리적 불안정, 행동 장애, 삶의 질 저하 등이 나타날 수 있으며, 일부 소아청소년에서는 자살 충동을 느끼기도 하므로 의료계-가정-사회의 지속적인 지원이 필요하다.

참고문헌

1. AbdelMannan D, Selman WR, Arafah BM. Peri-operative management of Cushing's disease. Rev Endocr Metab Disord 2010;11:127-34.
2. Alexandraki KI, Kaltsas GA, Isidori AM, et al. Long-term remission and recurrence rates in Cushing's disease: predictive factors in a single-centre study. Eur J Endocrinol 2013;168:639-48.
3. Batista DL, Riar J, Keil M, et al. Diagnostic tests for children who are referred for the investigation of Cushing syndrome. Pediatrics 2007;120:e575-86.
4. Dupuis CC, Storr HL, Perry LA, et al. Abnormal puberty in paediatric Cushing's disease: relationship with adrenal androgen, sex hormone binding globulin and gonadotrophin concentrations. Clin Endocrinol (Oxf) 2007;66:838-43.
5. Guaraldi F, Storr HL, Ghizzoni L, et al. Paediatric pituitary adenomas: a decade of change. Horm Res Paediatr 2014;81:145-55.
6. Hur KY, Kim JH, Kim BJ, et al. Clinical Guidelines for the Diagnosis and Treatment of Cushing's Disease in Korea. Endocrinol Metab (Seoul) 2015;30:7-18.
7. Lodish M, Dunn SV, Sinaii N, et al. Recovery of the hypothalamic-pituitary-adrenal axis in children and adolescents after surgical cure of Cushing's disease. J Clin Endocrinol Metab 2012;97:1483-91.
8. Lodish M. Cushing's syndrome in childhood: update on genetics, treatment, and outcomes. Curr Opin Endocrinol Diabetes Obes 2015;22:48-54.
9. Lodish MB, Keil MF, Stratakis CA. Cushing's Syndrome in Pediatrics: An Update. Endocrinol Metab

Clin North Am 2018;47:451-62.

10. Lonser RR, Wind JJ, Nieman LK, et al. Outcome of surgical treatment of 200 children with Cushing's disease. J Clin Endocrinol Metab 2013;98:892-901.
11. Magiakou MA, Mastorakos G, Oldfield EH, et al. Cushing's syndrome in children and adolescents. Presentation, diagnosis, and therapy. N Engl J Med 1994;331:629-36.
12. Nieman LK, Biller BM, Findling JW, et al. Endocrine Society. Treatment of Cushing's Syndrome: An Endocrine Society Clinical Practice Guideline. J Clin Endocrinol Metab 2015;100:2807-31.
13. Nieman LK, Biller BM, Findling JW, et al. The diagnosis of Cushing's syndrome: an Endocrine Society Clinical Practice Guideline. J Clin Endocrinol Metab 2008;93:1526-40.
14. Phitayakorn R, McHenry CR. Perioperative considerations in patients with adrenal tumors. J Surg Oncol 2012;106:604-10.
15. Storr HL Savage MO. Manangement of endocrine disease: Paediatric Cushing's disease. Eur J Endocrinol 2015;173:R35-45.

18-3 주기 쿠싱증후군(Cyclic Cushing's syndrome)

전성완
순천향의대 내과학교실

다양한 외부 조건에 반응하는 코르티솔의 간헐적 분비 때문에 주기 쿠싱증후군(cyclic Cushing's syndrome, Cyclic CS)은 진단하기 어렵다. 병적인 cyclic ACTH 분비는 코르티솔의 정상 일주기 리듬과 변동폭에 영향을 주거나, 주기적으로 부신호르몬 과잉 양상을 보이기도 한다.

세 번 이상의 고점과 두 번 이상의 저점이 반복되면 cyclic CS으로 진단할 수 있지만, 장기간에 걸친 변동(intercyclic variation)이 심한 증례도 보고되므로 완벽한 진단기준은 아니다.

주기성을 보이는 CS는 일찍부터 보고된 바 있지만, cyclic CS로 새로이 명명되고 개별 질환으로 간주하기 시작한 것은 1971년이다. 해당 증례는 45일의 관찰기간 중 18일 동안 지속된 코르티솔 과잉 및 임상징후를 보인 여성이었고, 천천히 자라는 기관지 유암종(carcinoid)이 원인이었다. 이 현상을 기술하면서 주기적 호르몬 생산(periodic hormonogenesis)이라는 용어가 처음 등장했다. 이후 코르티솔/크레아티닌 비율을 평가하던 1985년의 연구에서, CS 환자 9명 중 5명이 유사한 경과를 보여 생각보다 흔한 질환일 수 있다고 제안되었다.

다음은 쿠싱병으로 경접형골 수술을 받았던 3명의 환아에서 cyclic CS가 의심되었다. 환아의 징후와 증상이 수술 후 너무 느리게 호전되었고, 호르몬 수치의 변동폭이 컸었다. Shapiro 등은 코르티솔 생산 양상에 따라 규칙적인 cyclic CS와 비규칙적 cyclic CS로 나누자고 제안했지만 받아들여지지 않았다. cyclic CS는 흔하지 않고, 아동과 여성에서 호발한다.

코르티솔 측정은 변동이 심하므로 진단을 위해서는 적어도 2일 이상, 가능하면 3일간 호르몬 평가를 시행한다. 지속적인 코르티솔 과잉을 확인하는데 유용한 덱사메타손 억제검사는 cyclic CS에서 종종 역설적 반응(paradoxical response)이 나타나는데, 아직 그 기전은 밝혀지지 않았다. 주기적으로 정상 코르티솔 시기가 있어 약물치료 시 주의가 필요하다.

1. 원인과 기전

주기성은 다양한 원인의 쿠싱증후군에서 관찰되지만, 이소성이나 ACTH 비의존성에 비해 뇌하수체가 원인일 때 더 자주, 더 심하게 드러난다. cyclic CS의 가장 흔한 원인은 ACTH 분비성 뇌하수체 선종이다. 그 외 이소 ACTH를 분비하는 기관지 유암종(carcinoid), 흉선 유암종, 신장 유암종, 위장 유암종, 췌장 유암종, 악성 폐유암종, 기관지 선종, 갈색세포종이 보고되었다. ACTH를 분비하지 않는 부신선종, 부신과증식증에서 cyclic CS의 양상을 보였던 증례도 있다.

뇌하수체 기원의 cyclic CS는 sodium valproate 치료에 반응하는 특성을 보인다고 했었다. sodium valproate는 감마아미노부티르산(GABA)을 증가시켜 CRH 분비를 억제한다. 그러나 이후 연구에서는 그 효과가 재연되지 않았다. 수술을 앞둔 cyclic CS 환자에서 bromocriptine을 투여하면 코르티솔 수치가 낮아지곤 하므로 중추의 도파민 활성도 영향을 준다고 생각되며, 향후 잘 설계된 연구로 규명해 볼 만한 주제이다.

뇌하수체졸중으로 코르티솔 과잉이 사라진 젊은 여성의 증례도 보고되었다. 처음엔 전형적인 쿠싱증후군의 외형을 보이면서 부신기능부전 상태였고, 자기공명영상(MRI)에서 뇌하수체 거대종양과 경색 소견이 있었다. 이후 수년에 걸쳐 부신기능부전과 고코르티솔증이 반복되었고 MRI는 경색이 반복되는 양상을 보였다. 최신 이론으로도 이런 경과를 설명하기는 어렵다.

세로토닌 억제제로 소변의 코르티솔 농도를 낮추고 주기성을 억제했다는 보고도 있었지만 아직 검증되진 않았다. 코르티솔 운반단백(CBG) 결핍 환자에서 쿠싱증후군이 발생하면 일반적인 주기성 ACTH 분비인데도 코르티솔의 혈중 변화폭이 크므로 cyclic CS로 오인될 여지가 있다.

이소 ACTH 분비종에서도 cyclic CS가 발생한다. ACTH 분비성 기관지 유암종 환자의 cyclic CS 증례에서, 수술 전 '헥사렐린(hexarelin)에 의한 코르티솔 과잉분비 반응'이 수술 후 사라지고, 종양에서 그렐린 수용체도 발견되었다고 보고하면서 그렐린 연관성이 제안되었다. 이소 cyclic CS 환자에서 감염 시 일시적인 코르티솔 감소도 보고되었다. 감염증에서 발생하는 코르티솔 농도 저하는 TNF-α 등 항종양 효과를 보이는 시토카인 때문으로 추정된다.

하루 미만의 코르티솔 변동성은 식품유발 쿠싱증후군과 부신과증식증에서 종종 관찰되는데, 이런 패턴은 cyclic CS로 판정하지 않는다. 금식 상태에서 낮고 식후에 상승하는 패턴은 부신피질세포에 GIP 수용체가 이상발현하기 때문으로 알려졌다. 경한 양측성 부신과증식증 환자에서 임신 시 ACTH 비의존 쿠싱증후군이 일시적으로 발생하고 출산 후 호전되는 경우가 있는데, 이는 LH 수용체의 이상발현으로 추정된다.

Cyclic CS는 소아환자에서도 보고되는데, 어른과 달리 대부분 부신과증식증 때문이고 가장 흔한 유형은 PRKAR1A 유전자의 배선(germ line) 돌연변이에 의한 PPNAD이다. PPNAD는 carney complex의 일부일 수 있으므로 피부병변과 기타 내분비종에 유의할 필요가 있다.

2. 임상양상

Cyclic CS는 임상 징후가 뚜렷한데 혈청검사가 정상이거나, 혈청검사는 뚜렷한데 임상징후가 애매하거나, 반복적인 혈청검사에도 불구하고 결과가 일관되지 않거나 혹은 약물치료에 이상하게 반응한다면 강력히 의심해야 한다. Cyclic CS의 증상은 얼마나 오래, 얼마나 자주 활성화되는가에 따라 다양하다. 활성화 간격(interval)은 수일에서 수개월, 심지어 년 단위도 보고되었다. 활성화 기간(duration)은 수시간에서 85일까지 보고되었고 비활성화 기간은 좀 더 길었다. 수십 일의 활성화 기간 내에서 수일 단위의 고점(peak)이 또 나타나는 이중 주기성을 보이기도 한다.

반복적인 부종, 체중변화 등 확연한 하나의 증상이 주기성을 보이기도 하지만 대부분 여러가지 증상이 함께 주기성을 보인다. 혈당불안정, 생리교란, 여드름, 남성화, 정서장애 등이 대표적이다.

공터키안증후군 환자에서 cyclic CS가 발생한 증례도 있었다. 공터키안증후군은 영상의학적 용어일 뿐이고 호르몬 분비능은 대부분 정상이지만 드물게 쿠싱증후군이 나타나기도 한다.

3. 진단

쿠싱증후군의 진단은 9장에서 서술한 바와 같다. 질병의 정의가 같은 조건인데도 주기적으로 다른 결과가 나오는 것이므로 검사기법도 정교해야 하고 한두 번의 결과만으론 해석하기 어렵다. 임상 현장에선 주기성을 규명하기 위해 반복적인 입원이 불가피한 경우가 많다.

반복적인 소변 코르티솔과 자정 타액 코르티솔 측정이 도움이 되며, 가능한 한 임상징후와 연동하여 검사한다. 타액 코르티솔은 외래 검사가 가능하며 장기적인 관찰에 적합하므로 cyclic CS 환자에서 특히 유용하다.

덱사메타손 억제검사(DST)는 주기성을 규명하기엔 적합하지 않다. cyclic CS가 의심되면 활성주기를 우선 파악하고 활성시점에 DST를 시행하는 것이 바람직하다. cyclic CS 환자에선 억제자극 후 오히려 코르티솔이 상승하는 역설적 DST 결과를 보인다고 여겨진 적 있었다. 현재는 음성되먹임 기전이 소실된 환자에서 상승주기와 DST 검사시점이 우연히 일치했던 것으로 해석한다. 이런 DST 역설반응은 부신과 증식증에서도 나타나며, 실험적으로 증명되었다.

Mullan 등은 cyclic CS가 의심되면 여건이 허락하면 28일 이상 연속검사를 시행하라고 제안했다.

영상검사는 생화학검사에 기반하여 진행한다. ACTH 근원을 찾기 위해 뇌 MRI가 유용하지만, 뇌하수체선종은 36-78% 정도만 발견된다. 이소성 병변을 배제하기 위해선 하추체 정맥동 채혈(IPSS)이 요구되는 증례가 흔하다. 이소성 병변이 의심되는 경우라면 유암종이나 신경내분비종의 혈중 지표가 큰 도움이 된다. 신경내분비종에 특화된 신티그래피를 동원하기도 하지만 도움이 되는 경우는 일부에 불과하고, 오히려 18F-FDG, 11C-5-HTP, 18F-DOPA, 68Ga-DOTA 등을 활용한 PET 검사가 널리 쓰인다.

ACTH 비의존 쿠싱증후군은 거의 부신 기원이지만, 악성종양이나 산발성 PPNAD 감별이 어려울 때가 있다. 침습검사에 제한이 있는 경우라면 감별이 더욱 어려워진다. 침습검사는 불가능했지만 케토코나졸에 의한 코르티솔 억제 반응이 수십배 차이를 보여 진단이 가능했던 증례, 4년에 걸친 소변 유리코르티솔 변동을 보고 진단했던 증례 등이 보고된 바 있다.

Cyclic CS는 변별력이 높은 단일 지표가 없기 때문에 원인 감별이 어려울 때가 있다. 병발 질환이나 치료제 때문에 코르티솔 분비가 변하는 경우라면 진단하기 더 어렵다.

ACTH 비의존성 거대결절부신피질과증식증(ACTH-independent macronodular adrenal hyperplasia, AIMAH) 환자의 G단백수용체 이상발현을 확인하기 위해 여러가지 자극을 주면서 코르티솔 반응을 확인해 볼 수 있다. 음식 섭취, 바소프레신, 자세변화 등이 이상발현 수용체를 자극하였다고 보고되었다. 일부 증례에서 편측 부신절제술 후 5년 이상 정상 코르티솔 수치를 유지했는데, Iacobone 등은 이들 증례 모음을 근거로 비전형적 쿠싱증후군을 보이는 AIMAH 환자에서 편측 부신절제술을 고려할 수 있다고 주장했다.

4. 치료

Cyclic CS의 치료는 전형적인 쿠싱증후군과 다르지 않지만, 치료 후 상대적인 부신기능부전이 좀더 흔하므로 이를 염두에 두어야 한다. 특히 스테로이드 생성의 주기성 때문에 치료 결과를 오판할 수 있다는 점에서 각별한 주의가 필요하다.

쿠싱증후군에서 ACTH 혹은 코르티솔을 생성하는 종양을 제거할 수 있다면 언제나 최선의 치료가 된다. 다만, ACTH 분비 뇌하수체 종양은 장기 재발이 9~23%로 보고되므로, cyclic CS의 주기성을 감안하면 수술 후에도 수년 이상 코르티솔 농도를 추적해야 한다. 수술 전 임상 양상과 호르몬 수치가 변동하는 양상을 보였다면 더더욱 장기적이고 정교한 추적검사가 요구된다. 방사선치료나 양측성 부신절제술은 표준치료의 효과가 충분하지 않은 경우에 시도할 수 있다.

약물치료는 수술 전 쿠싱증후군의 임상양상을 완화하거나 방사선 치료 후 효과가 나타나길 기다리는 경우에 적합하다. 스테로이드 생성의 과정이 원래 복잡하고 병리 현상도 다양하므로 환자마다 최적 약제가 다를 수 있다. 대부분의 약제가 코르티솔 억제 효과는 충분하지만 종양의 성장은 거의 막지 못한다. 기존 약의 제한을 극복하기 위해 많은 후보약물이 연구 중에 있어 기대가 된다.

5. 요약

Cyclic Cushing's syndrome (CS)에선 ACTH의 주기성 분비로 부신호르몬 교란이 일어난다. 최소 세 번 이상 고점, 두 번 이상 저점이 반복될 때 Cyclic CS로 진단한다. 뇌하수체의 ACTH 분비종양이 원인인 경우가 가장 흔하지만 이소 ACTH 분비종양, 부신선종, 부신피질과증식증도 원인일 수 있다. 임상 징후가 뚜렷한데 혈청검사가 정상이거나, 혈청검사는 뚜렷한데 임상징후가 애매하거나, 반복적인 혈청검사가 일관되지 않다면 강력히 의심해야 한다. cyclic CS의 진단은 쉽지 않고 확진까지 매우 오래 걸리곤 한다. 반복적인 소변 코르티솔과 자정 타액 코르티솔 측정이 도움이 되며, 가능한 한 임상징후와 연동하여 검사한다. 본질적으로 코르티솔 변동이 크기 때문에 치료반응을 평가할 때는 신중해야 한다.

6. 결론

Cyclic CS는 진단하기 어렵다. 임상 현장에선 이런 패턴이 있음을 알고 적극적으로 의심하는 것이 중요하다. ACTH 의존성인 경우가 더 많지만 ACTH 비의존성인 경우도 있다. 주기성의 진단은 소변이나 타액 코르티솔로 하는 것이 권장된다. 코르티솔 과잉주기에 맞춰 시행한 덱사메타손 억제검사가 가장 유용하다. 약물이나 수술로 일시적인 호전을 보일지라도 섣불리 완치 판정하지 말고 신중히 경과를 지켜볼 필요가 있다.

참고문헌

1. Albiger NM, Occhi G, Mariniello B, Iacobone M, Favia G, Fassina A, Faggian D, Mantero F, Scaroni C. Food-dependent Cushing's syndrome: from molecular characterization to therapeutical results. Eur J Endocrinol 2007;157:771-8.
2. Arnaldi G, Mancini T, Kola B, Appolloni G, Freddi S, Concettoni C, Bearzi I, Masini A, Boscaro M, Mantero F. Cyclical Cushing's syndrome in a patient with a bronchial neuroendocrine tumor (typical carcinoid) expressing ghrelin and growth hormone secretagogue receptors. J Clin Endocrinol Metab 2003;88:5834-40.
3. Atkinson AB, Kennedy AL, Carson DJ, Hadden DR, Weaver JA, Sheridan B. Five cases of cyclical Cushing's syndrome. Br Med J (Clin Res Ed) 1985;291:1453-7.
4. Atkinson AB, McCance DR, Kennedy L, Sheridan B. Cyclical Cushing's syndrome first diagnosed after pituitary surgery: a trap for the unwary. Clin Endocrinol (Oxf) 1992;36:297-9.
5. Bailey RE. Periodic hormonogenesis – a new phenomenon. Periodicity in function of a hormone-

producing tumor in man. J Clin Endocrinol Metab 1971;32:317-27.

6. Bassoe HH, Emberland R, Stoa KF. Fluctuating steroid excretion in Cushing's syndrome. Acta Endocrinol 1958;28:163-8.
7. Beckers A, Stevenaert A, Pirens G, Flandroy P, Sulon J, Hennen G. Cyclical Cushing's disease and its successful control under sodium valproate. J Endocrinol Invest 1990;13:923-9.
8. Birke G, Diczfalusky E. Fluctuation in the excretion of adrenocortical steroids in a case of Cushing's syndrome. J Clin Endocrinol Metab 1956;16:286-90.
9. Bourdeau I, Lacroix A, Schurch W, Caron P, Antakly T, Stratakis CA. Primary pigmented nodular adrenocortical disease: paradoxical responses of cortisol secretion to dexamethasone occur in vitro and are associated with increased expression of the glucocorticoid receptor. J Clin Endocrinol Metab 2003;88:3931-7.
10. Brooks RV, Jeffcoate SL, London DR, Prunty FT, Smith PM. Intermittent Cushing's syndrome with anomalous response to dexamethasone. J Endocrinol 1966;36:53-61.
11. Brown RD, Van Loon GR, Orth DN, Liddle GW. Cushing's disease with periodic hormonogenesis: one explanation for paradoxical response to dexamethasone. J Clin Endocrinol Metab 1973;36:445-51.
12. Calvo-Romero JM, Morales-Pérez F, Díaz Pérez J. Cyclic Cushing's disease associated with primary empty sella. Eur J Int Med 2000;1:168-70.
13. Carson DJ, Sloan JM, Cleland J, Russell CF, Atkinson AB, Sheridan B. Cyclical Cushing's syndrome presenting as short stature in a boy with recurrent atrial myxomas and freckled skin pigmentation. Clin Endocrinol (Oxf) 1988;28:173-80.
14. Chajek T, Romanoff H. Cushing syndrome with cyclical edema and periodic secretion of corticosteroids. Arch Intern Med 1976;136:441-3.
15. Demoor P, Roels H, Delaere K, Crabbe EJ. Unusual case of adrenocortical hyperfunction. J Clin Endocrinol Metab 1965;25:612-20.
16. Gallardo E, Schächter D, Cáceres E, Becker P, Colin E, Martinez C, Henríquez C. The empty sella: results of treatment in 76 successive cases and high frequency of endocrine and neurological disturbances. Clin Endocrinol (Oxf) 1992;37:529-33.
17. Groussin L, Jullian E, Perlemoine K, Louvel A, Leheup B, Luton JP, Bertagna X, Bertherat J. Mutations of the PRKAR1A gene in Cushing's syndrome due to sporadic primary pigmented nodular adrenocortical disease. J Clin Endocrinol Metab 2002;87:4324-9.
18. Gunther DF, Bourdeau I, Matyakhina L, Cassarino D, Kleiner DE, Griffin K, Courkoutsakis N, Abu-Asab M, Tsokos M, Keil M, Carney JA, Stratakis CA. Cyclical Cushing syndrome presenting in infancy: an early form of primary pigmented nodular adrenocortical disease, or a new entity? J Clin Endocrinol Metab 2004;89:3173-82.

19. Hannah J, Lippe B, Lai-Goldman M, Bhuta S. Oncocytic carcinoid of the kidney associated with periodic Cushing's syndrome. Cancer 1988;61:2136-40.
20. Hermus AR, Pieters GF, Borm GF, Verhofstad AA, Smals AG, Benraad TJ, Kloppenborg PW. Unpredictable hypersecretion of cortisol in Cushing's disease: detection by daily salivary cortisol measurements. Acta Endocrinol (Copenh) 1993;128:428-32.
21. Hirata Y, Sakamoto N, Yamamoto H, Matsukura S, Imura H, Okada S. Gastric carcinoid with ectopic production of ACTH and beta-MSH. Cancer 1976;37:377-85.
22. Iacobone M, Albiger N, Scaroni C, Mantero F, Fassina A, Viel G, Frego M, Favia G. The role of unilateral adrenalectomy in ACTH-independent macronodular adrenal hyperplasia (AIMAH). World J Surg 2008;32:882-9.
23. Jordan RM, Ramos-Gabatin A, Kendall JW, Gaudette D, Walls RC. Dynamics of adrenocorticotropin (ACTH) secretion in cyclic Cushing's syndrome: evidence for more than one abnormal ACTH biorhythm. J Clin Endocrinol Metab 1982;55:531-7.
24. Lacroix A, Bolté E, Tremblay J, Dupré J, Poitras P, Fournier H, Garon J, Garrel D, Bayard F, Taillefer R. Gastric inhibitory polypeptide-dependent cortisol hypersecretion a new cause of Cushing's syndrome. N Engl J Med 1992;327:974-80.
25. Lebrethon MC, Avallet O, Reznik Y, Archambeaud F, Combes J, Usdin TB, Narboni G, Mahoudeau J, Saez JM. Food dependent Cushing's syndrome: characterization and functional role of gastric inhibitory polypeptide receptor in the adrenals of three patients. J Clin Endocrinol Metab 1998;83:4514-9.
26. Liberman B, Wajchenberg BL, Tambascia MA, Mesquita CH. Periodic remission in Cushing's disease with paradoxical dexamethasone response: an expression of periodic hormonogenesis. J Clin Endocrinol Metab 1976;43:913-8.
27. Manavela MP, Goodall CM, Katz SB, Moncet D, Bruno OD. The association of Cushing's disease and primary empty sella turcica. Pituitary 2001;4:145-51.
28. Nieman LK, Biller BM, Findling JW, Newell-Price J, Savage MO, Stewart PM, Montori VM. The diagnosis of Cushing's syndrome: an Endocrine Society Clinical Practice Guideline. J Clin Endocrinol Metab 2008;93:1526-40.
29. Mantero F, Scaroni CM, Albiger NM. Cyclic Cushing's syndrome: an overview. Pituitary 2004;7:203-7.
30. Marcello D. Bronstein. Cushing's Syndrome: Pathophysiology, Diagnosis and Treatment. Humana Press 2011.
31. Meinardi JR, van den Berg G, Wolffenbuttel BH, Kema IP, Dullaart RP. Cyclical Cushing's syndrome due to an atypical thymic carcinoid. Neth J Med 2006;64:23-7.
32. Meinardi JR, Wolffenbuttel BH, Dullaart RP. Cyclic Cushing's syndrome: a clinical challenge. Eur J Endocrinol 2007;157:245-54.

33. Mellinger RC, Smith RW Jr. Studies of the adrenal hyperfunction in 2 patients with atypical Cushing's syndrome. J Clin Endocrinol Metab 1956;16:350-66.
34. Mullan KR, Atkinson AB, Sheridan B. Cyclical Cushing's syndrome: an update. Curr Opin Endocrinol Diabetes Obes 2007;14:317-22.
35. Mullan KR, Atkinson AB, Sheridan B. Cyclical Cushing's syndrome: an update. Curr Opin Endocrinol Diabetes Obes 2007;14:317-22.
36. Orlefors H, Sundin A, Garske U, Juhlin C, Oberg K, Skogseid B, Langstrom B, Bergstrom M, Eriksson B. Whole-Body 11 C-5-Hydroxytryptophan positron emission tomography as a universal imaging technique for neuroendocrine tumors: comparison with somatostatin receptor scintigraphy and computed tomography. J Clin Endocrinol Metab 2005;90:3392-400.
37. Peri A, Bemporad D, Parenti G, Luciani P, Serio M, Mannelli M. Cushing's syndrome due to intermittent ectopic ACTH production showing a temporary remission during a pulmonary infection. Eur J Endocrinol 2001;145:605-11
38. Rees DA, Hanna FW, Davies JS, Mills RG, Vafidis J, Scanlon MF. Long-term follow-up results of transsphenoidal surgery for Cushing's disease in a single center using strict criteria for remission. Clin Endocrinol 2002;56:541-51.
39. Reznik Y, Allali-Zerah V, Chayvialle JA, Leroyer R, Leymarie P, Travert G, Lebrethon MC, Budi I, Balliere AM, Mahoudeau J. Food-dependent Cushing's syndrome mediated by aberrant adrenal sensitivity to gastric inhibitory polypeptide. N Engl J Med 1992;327:981-6.
40. Sarlis NJ, Chanock S, Nieman L. Cortisolemic indices predict severe infections in Cushing syndrome due to ectopic production of adrenocorticotropin. J Clin Endocrinol Metab 2000;85:42-7.
41. Sederberg-Olsen P, Binder C, Kehlet H, Neville AM, Nielsen LM. Episodic variation in plasma corticosteroids in subjects with Cushing's syndrome of differing etiology. J Clin Endocrinol Metab 1973;36:906-10.
42. Shapiro MS, Gutman A, Bruderman I, Myers B, Griffel WB. Cushing's syndrome associated with a bronchial adenoma. Possible periodic hormonogenesis. Isr J Med Sci 1975;11:914-9.
43. Silverman SR, Marnell RT, Sholiton LJ, Werk EE Jr. Failure of dexamethasone suppression test to indicate bilateral adrenocortical hyperplasia in Cushing's syndrome. J Clin Endocrinol Metab 1963;23:167-72.
44. Terzolo M, Ali A, Pia A, Bollito E, Reimondo G, Paccotti P, Scardapane R, Angeli A. Cyclic Cushing's syndrome due to ectopic ACTH secretion by an adrenal pheochromocytoma. J Endocrinol Invest 1994;17:869-74.
45. Van Coevorden A, Laurent E, Rickaert F, van Reeth O, Van Cauter E, Mockel J. Cushing's syndrome with intermittent ectopic ACTH production. J Endocrinol Invest 1990;13:317-26.
46. Wallace C, Toth EL, Lewanczuk RZ, Siminoski K. Pregnancy-induced Cushing's syndrome in multi-

ple pregnancies. J Clin Endocrinol Metab 1996;81:15-21.
47. Watanobe H, Aoki R, Takebe K, Nakazono M, Kudo M. In vivo and in vitro studies in a patient with cyclical Cushing's disease showing some responsiveness to bromocriptine. Horm Res 1991;36:227-34.
48. Watanobe H, Nigawara T, Nasushita R, Sasaki S, Takebe K. A case of cyclical Cushing's disease associated with corticosteroid-binding globulin deficiency: A rare pitfall in the diagnosis of Cushing's disease. Eur J Endocrinol 1995;133:317-9.
49. Zondek H, Zondek GW, Leszynsky HE. Fluctuability of steroid excretion. Acta Endocrinol 1957;26:91-5.

18-4 무증상 코르티코트로프성세포선종(Silent corticotroph adenoma)

전현정, 오태근
충북의대 내과학교실

1. 정의

무증상 코르티코트로프성세포선종(silent corticotroph adenoma)은 면역조직학적으로 부신피질자극호르몬(ACTH) 면역조직학적염색에 양성반응을 보이나 부신피질자극호르몬과 코르티솔 과다분비가 동반되지 않는 뇌하수체선종으로 정의하고 있다. 1978년 Kovacs 등에 의해 처음 보고되었으며, 1980년 Horvath 등이 무증상 코르티코트로프성세포선종의 개념을 정립하였다. 코르티솔 과다분비 증상이 없어 우연히 발견되거나 종괴효과(mass effect)에 의해 발견되는 경우가 상대적으로 더 많다. 혈중 및 뇨검사에서 부신피질자극호르몬과 코르티솔은 정상범위를 보이나, 일부에서는 비활성 형태의 부신피질자극호르몬이 증가되는 경우가 있지만 혈중 코르티솔은 정상 범위를 보인다.

2. 유병률

절제한 뇌하수체선종의 3%에서 무증상 코르티코트로프성세포선종이 진단되고 있고, 비기능 뇌하수체선종의 5.5%를 차지하고 있다. 부신피질자극호르몬의 면역학적 양성 반응을 보이는 뇌하수체선종에서 무증상 코르티코프로성세포선종은 17~22%를 차지하는 것으로 보고되고 있다. 무증상 코르티코트로프성세포선종의 유병률이 보고자마다 다양하게 발표되고 있다. 최근 TPIT (pituitary-restricted transcriptional factor, Tpit) 면역 염색 반응이 가능해지고 이를 진단 기준에 적용하게 됨으로써 유병률이 다양하게 나타나게 되었다.

부신피질자극호르몬 면역조직학적염색 양성 반응만을 기준으로 할 경우, 무증상 코르티코트로프성세포선종의 유병률은 4.8%로 보고되었으며, Tpit 면역 염색 양성을 기준으로 할 경우에는 무증상 코르티코트로프성세포선종의 유병률이 7.7%로 나타난다.

Webb 등은 전체 환자의 70.4%의 빈도로 여성에서 우세하였고 scheithauer 등은 남성의 비율이 전체 환자의 69.9%로 높았다.

무증상 코르티코트로프성세포선종은 조직학적 특성에 따라 제1형, 제2형으로 분류하고 있다. 제1형은 전체 무증상 코르티코트로프성세포선종의 68%를 차지하고 있어, 제1형의 빈도가 제2형에 비해 많은 것으로 알려져 있다.

3. 조직학적 특징

쿠싱병은 미세선종(microadenoma)으로 발현되는 경우가 많지만 무증상 코르티코프로프성세포선종은 주로 거대선종(macroadenoma)으로 나타나는 경우가 많아 선종 내, 출혈이 동반되어 있는 경우가 많다.

2017년 세계보건기구에서 발표한 뇌하수체선종의 분류기준에 따르면 코르티코트로프성세포선종은 부신피질자극호르몬과 풋아편흑색소부신피질자극호르몬(POMC, proopiomelanocortin,-derived peptides)를 발현하는 Tpit (pituitary-restricted transcriptional factor) 계통(lineage)의 선뇌하수체 세포(adenohypophyseal cell)에서 기원하는 것으로 정의하였다. 쿠싱병과 무증상 코르티코트로프성세포선종은 Tpit 계통에서 기원하기 때문에 Tpit 발현이 양쪽 모두에서 관찰된다. 비기능 뇌하수체선종에서 Tpit 양성 반응이 있는 경우, 임상적 경과가 공격적이며 여성에서 빈도가 높은 경향을 보이는 것으로 발표되었다. 이를 근거로 무증상 코르티코트로프성세포선종의 진단에 있어 부신피질자극호르몬 면역조직학적 염색과 함께 Tpit 면역 염색을 추가적으로 하도록 권장하고 있다.

유리질화(hyalinization)는 코르티솔이 장기간 노출되었을 때, 코르티코프로프성세포의 세포질에 나타나는 현상으로, 쿠싱병에서는 Crooke's 유리질화(hyalinization)가 관찰된다. 그러나, 무증상 코르티코트로프성세포선종에서는 코르티솔 노출이 없어 Crooke's 유리질화가 관찰되지 않는 점이 특징적이다.

무증상 코르티코프로성세포샘종에서 관찰되는 분비과립(secretory granule)은 쿠싱병과 비교하여 상대적으로 크기가 대체적으로 작게 관찰된다.

무증상 코르티코트로프성세포선종은 염색 양성 반응 정도, MIB-1 labeling index, 풋아편흑색소부신피질자극호르몬(POMC) mRNA 및 다양한 조직학적 특성에 따라 제1형, 제2형으로 분류한다.

무증상 코르티코트로프성세포선종 제1형은 형태학적 및 조직학적으로 쿠싱병과 구분이 쉽지는 않다. 쿠싱병 및 무증상 코르티코트로프성세포선종 제1형은 공통적으로 헤마톡실린-에오신 염색(hematoxyline and eosin)에 호염기성(basophilic)을 보이며 PAS염색(periodic acid-schiff stain) 에는 양성반응을 보인다. 또한 전자현미경적 구조에서도 공통적으로 세포형상(cell configuration)이 다각형의 중간 크기 정도의 세포형태를 띄며, 130~350 nm (최대 700 nm) 크기 정도의 유사한 과립형태를 가지고 있으며 미세섬유가 핵 주위에 비교적 풍부하게 관찰된다. Cam 5.2 면역조직화학반응 검사는 싸이토케라틴(cytokeratin)에 대한 항체를 이용한 것으로 핵 주위 미세섬유 유무를 전자현미경을 사용하지 않고, 간접적으로 알 수 있는 장점이 있다. 쿠싱병과 무증상 코르티코트로프성세포선종 1형은 미세섬유가 핵 주위에 비교적 풍부하게 관찰되어, Cam 5.2 면역조직화학반응 검사에서 양성 반응을 공통적으로 볼 수 있다. 이외에도 무증상 코르티코트로프성세포선종 제1형에서는 쿠싱병과 마찬가지로 POMC mRNA 발현이 제2형에 비해 높게 관찰된다.

쿠싱병과 무증상 코르티코트로프성세포선종 제1형의 차이점은 부신피질자극호르몬 면역조직화학 반응 정도이다. 쿠싱병에서는 부신피질자극호르몬 면역조직화학 반응의 양성반응이 무증상 코르티코트로프성세포선종 제1형에 비해 상대적으로 전체적으로 강한 양성 반응을 보인다.

표 18-4-1. 무증상 코르티코트로프성세포선종과 쿠싱병의 조직학적 특징

	무증상 코르티코트로프성세포선종 제1형	무증상 코르티코트로프성세포선종 제2형	쿠싱병
헤마톡실린에오신염색	호염기성	비색소친화성	호염기성
PAS 염색	+++	+/+	+++
부신피질자극호르몬 면역염색	++	+	+++
유리질화	-	-	+++
MIB-1 labeling index (%)	0.48 (0.13-1.7)	0.4 (0.15-1.0)	< 3
POMC mRNA 발현	+++	+	+++
세포구조			
세포 크기 및 모양	중, 다각형	소, 다각형	중, 다각형
과립 크기(nm)	130-350 (최대 700)	200-300 (최대 400)	130-350 (최대 700)
미세섬유	핵 주위	없음	핵 주위

무증상 코르티코트로프성세포선종 제2형은 헤마톡실린-에오신 염색(hematoxyline and eosin)에 염색되지 않는 색소안듬세포(비색소친화성세포, chromophobic cell)로 구성되어 있다. PAS염색에 음성이며, 제1형 무증상 코르티코트로프성세포선종과 비교하여 과립 개수가 적으며 및 과립 크기 역시 200~300 nm (최대 400 nm) 정도로 상대적으로 작다. 픗아편흑색소부신피질자극호르몬 mRNA 발현은 제2형에서 제1형과 비교하여 상대적으로 낮게 발현된다. 무증상 코르티코트로프성세포선종 제2형에서는 핵 주위 미세섬유는 거의 관찰되지 않기 때문에, Cam 5.2 면역조직화학반응검사에서는 음성 반응으로 나타난다. 이와 함께 부신피질자극호르몬 면역조직화학반응 역시 매우 미약하게 나타난다(표 18-4-1).

4. 발생기전

무증상 코르티코트로프성세포선종의 발생기전에 대해서는 여러 가지 가능성이 제시되고 있다. 첫 번째, 다양한 조직 특이적 전사인자(tissue specific transcription factor) 중 RB1 (retinoblastoma transcriptional corepressor 1), Tpit, NeuroD1 등이 무증상 코르티코트로프성세포선종 발생에 관여하는 것으로 보고되어 있다. RB1 발현 감소가 뇌하수체선종의 발생에 관여하며, 실험적으로 RB1 발현을 억제시키면 무증상 코르티코트로프성세포선종이 발생함이 보고되어 있다. NeuroD1과 Tpit은 풋아편흑색소부신피질자극호르몬 전사 활성화에 관여하는 인자로 무증상 코르티코트로프성세포선종에서 발현이 증가되어 있음이 알려져 있다. 그러나, 일부 연구에서는 Tpit 이 오히려 무증상 코르티코트로프성세포선종에서는 감소되어 있는 상반된 주장을 제시하고 있어 이에 대한 추가적인 연구가 필요하다.

두 번째 기전으로는 프로호르몬 전환효소 1/3 (prohormone convertase) 활성화 감소에 의한 것으로 설명되고 있다. 프로호르몬 전환효소 1/3은 풋아편흑색소부신피질자극호르몬을 부신피질자극호르몬으로 변환시키는 효소로, 쿠싱병에서는 무증상 코르티코트로프성세포선종에 비해 30배 이상 활성이 증가되어 있다. 즉, 이러한 변환 장애로 인해 무증상 코르티코트로프성세포선종은 임상적으로 무증상으로 나타나게 된다. 무증상 코르티코트로프성세포선종의 제1형은 제2형에 비해 프로호르몬 전환효소 1/3의 활성이 10배 이상 증가되어 있다.

세 번째 기전으로는 리소좀의 기능 이상 또는 부신피질자극호르몬 생성 장애가 보고되어 있다. 부신피질자극호르몬 생성 장애로 인해, 총 부신피질자극호르몬 생성량이 적거나 비활성화 형태로 분비되어 혈중 부신피질자극호르몬이 정상인 것으로 생각되고 있다.

이외에도 세포 운동성(motility) 및 이동(migration)에 관여하는 인자인 β1-integrin, osteopontin, MMP-1, FGFR4, galectin-3 등도 무증상 코르티코트로프성세포선종 발생에 관여하는 것으로 알려져 있다. 무증상 코르티코트로프성세포선종에서는 β1-integrin, osteopontin의 발현이 증가되어 있으며, MMP-1, FGFR4, galectin-3 발현은 감소되어 있는 것이 보고되어 있다.

한편, 일부 무증상 코르티코트로프성세포선종은 쿠싱병으로 변환이 보고되어 있다. 무증상 코르티코트로프성세포선종은 쿠싱병으로 변환 시에는 프로호르몬 전환효소 1/3 발현 증가, 부신피질호르몬 혈중 분비 증가에 따른 고코르티솔증이 관찰된다.

5. 무증상 코르티코트로프성세포선종 진행 기전

쿠싱병은 미세선종(microadenoma)으로 발현되는 경우가 많지만 무증상 코르티코트로프성세포선종은 주로 거대선종(macroadenoma)으로 나타나는 경우가 많아 종괴효과에 의한 시야장애 및 두통현상이 잘 나타난다. 무증상 코르티코트로프성세포선종에서는 protein expression of cyclin-dependent kinase inhibitor 2A (CDKN2A)가 낮게 발현되고 cyclin D1 발현이 증가되어 있어, 결과적으로 쿠싱병에 비해서 세포증식이 활발히 일어나 거대선종으로 나타나게 된다. 한편, 세포 증식 인자인 Ki-67은 거대선종임에도 불구하고 무증상 코르티코트로프성세포선종에서는 평균 3% 미만으로 보고되어 있다. 일반적으로 Ki-67은 뇌하수체선종의 공격성과의 연관성이 잘 알려져 있으나, 무증상 코르티코트로프성세포선종에서는 Ki-67가 공격성 및 종양의 예후와는 상관관계가 없는 것으로 보고되어 있다.

칼리크레인(kallikrein)은 종양 진행, 공격성, 전이에 관계하는 것으로 잘 알려져 있다. KLK 10은 세린 단백분해효소(serine protease)로 종양 억제인자로써 역할을 담당하고 있다. 쿠싱병에 비해 무증상 코르티코트로프성세포선종에서는 KLK10 상대적으로 낮게 발현되어 있다. 무증상 코르티코트로프성세포선종에서 KLK10 발현 정도와 종양의 크기는 역 상관관계를 보여 주고 있어, KLK10이 종양 성장에 관여함을 알 수 있다.

Osteopontin (pextracellular matrix-associated sialic acid-rich phosphoglycoprotein)은 세포 이동, 운동성 및 공격성에 관여하여 무증상 코르티코트로프성세포선종의 공격성과 상관관계가 있음이 보고되어 있다. 이외에도 MGMT (O6-alkylguanine DNA alkyltransferase), ubiquitin-specific protease 8 등이 무증상 코르티코트로프성세포선종의 성장 및 진행에 관여하는 것으로 알려져 있다.

6. 임상적 경과

1) 임상 소견

부신피질자극호르몬 면역조직학적 반응에는 양성이나 혈중 코르티솔 생성 증가가 없어 쿠싱증후군의 특징적인 임상증상은 관찰되지 않는다. 뇌하수체거대선종에 따른 종괴효과로 인해 두통, 시야장애, 범뇌하수체기능저하증 등의 증상을 호소한다.

범뇌하수체기능저하증의 빈도가 40~60% 정도로 높게 나타난다. 뇌하수체졸중의 빈도는 비기능 뇌하수체선종에서는 평균 8% 정도이나 무증상 코르티코트로프성세포선종은 평균 25%로 높게 나타난다. 고프롤락틴혈증은 비기능 뇌하수체선종과 유사한 정도로 발현된다.

2) 수술 전 진단

무증상 코르티코트로프성세포선종은 수술 전에는 호르몬과다분비가 없어 비기능 뇌하수체선종으로 진단된다. 부신피질자극호르몬, 혈중 코르티솔, 24시간 유리 코르티솔은 대부분 정상이나 일부에서는 상승되는 경우가 있다. Ambroxi 등은 저용량 아편양제제 길항제를 사용하여 부신피질자극호르몬가 코르티솔이 억제되지 않음을 발표하였으나, 혈중 빛 뇨 호르몬 검사로는 수술 전 진단은 쉽지 않다.

3) 영상학적 소견

종괴의 크기는 평균 2.4 cm 정도이며 T2 영상 고강도 신호에서 크기가 3 mm 미만의 다발성 미세 낭종은 77%, 거대 낭종은 23% 정도에서 관찰된다. 해면정맥굴(cavernous sinus) 침범과 종양 내 출혈이 비기능 뇌하수체선종에 비해 상대적으로 높게 관찰된다.

7. 치료

무증상 코르티코트로프성세포선종은 일차적으로 수술요법을 권고하고 있다. 비기능 뇌하수체선종에 비해 수술 후 재발의 위험이 높아, 방사선치료 및 약물 치료 등 추가적인 치료가 필요한 경우가 많다. 방사선치료는 고식적 방사선치료(conventional radiotherapy)와 감마나이프 정위 방사선 수술(gamma knife stereotactic radiosurgery) 등이 사용되고 있다. Webb 등은 무증상 코르티코트로프성세포선종 27명의 환자를 대상으로 고식적 방사선치료 및 감마나이프 정위방사선수술을 시행한 결과, 방사선치료를 받지 않은 군에서는 재발률이 42%에 달했으며 방사선치료를 받은 군에서는 11%로 나타나 방사선치료의 필요성을 제시하였다. 소규모 연구를 합산하여 방사선치료의 효과를 평균적으로 산출해보면 방사선치료를 받은 군에서의 재발률은 25%, 방사선치료를 받지 않는 군에서는 35%의 재발률을 보인다. 따라서, 무증상 코르티코트로프성세포선종 환자에서는 수술 후 방사선치료를 추가적으로 고려하는 것이 필요하다.

무증상 코르티코트로프성세포선종에서는 조직학적으로 소마토스타틴 수용체 1(SSTR1, somatostatin receptor 1)의 발현이 비기능 뇌하수체선종, 쿠싱병과 비교하여 각각 200배, 17배 높게 발현되어 수술 후, 완전 제거가 되지 않은 경우 또는 재발한 경우에 소마토스타틴 유사체(somatostatin analogue)를 사용하고 있다. 도파민작용제(dopamine agonist)도 종괴의 크기를 줄이는 효과가 있음이 보고되어 있다. 그러나, 소마토스타틴 유사체와 도파민 작용제에 대한 효과는 현재까지는 논란의 여지가 있어, 추가적인 대규모 연구가 필요하다.

MGMT 발현이 무증상 코르티코트로프성세포선종에서 매우 낮아, temozolomide를 치료에 사용하고 있다. 그러나, temozolomide에 대한 치료 효과는 일부에서는 반응이 전혀 없는 것으로 보고되고 있다. Temozolomide 단일 치료로 효과가 없는 경우에는 capecitabine와 병합요법을 시도해 볼 수 있다.

연수막 전이가 동반되어 있는 경우, carboplatin와 etoposide 병합 요법이 효과가 있는 것으로 보고되어 있다. 이외에도 anti-VEGF 치료가 시도되고 있다.

8. 예후

수술 후, 범뇌하수체기능저하증은 17~77%로 평균 35%의 빈도로 나타나며 재발률은 0~59 %, 평균 27% 정도로 다양하게 나타난다. 재발률의 빈도가 보고자마다 다른 이유는 추적 관찰 기간, 대상 환자 수 및 수술 외 추가 치료 여부에 대한 구성이 다양하기 때문이다(표 18-4-2).

Bradley 등은 무증상 코르티코트로프성세포선종의 재발률은 32%로 비기능 뇌하수체선종과 비교하여 차이가 없는 것으로 보고하였다. Yamada 등은 해면정맥굴 침범이 있는 경우와 없는 경우의 재발률이 각각 85%, 38%로 해면정맥굴 침범이 재발에 위험인자임을 보고하였다. Pawlikowski 등은 무증상 코르티코트로프성세포선종의 재발률은 35%로 14.7%의 재발률을 보이는 비기능 뇌하수체선종에 비해 재발 위험이 높다고 하였으며, Ki-67 값과 비전형세포 구성이 많은 경우를 재발 위험인자로 제시하였다. Cho 등은 무증상 코르티코트로프성세포선종과 비기능 뇌하수체선종의 재발률은 25%로 양군 사이에 차이가 없었으며 낭성 변화와 출혈 경향이 무증상 코르티코트로프성세포선종에서 상대적으로 많았으며, 부신피질자극호르몬 면역조직반응의 정도가 낮을수록 재발 위험이 높음을 주장하였다. 재발률은 무증

표 18-4-2. 무증상 코르티코트로프성세포선종의 예후 비교

연구자	해면정맥굴침범	수술 전 범뇌하수체기능저하증	수술 후 범뇌하수체기능저하증	재발률	재발인자
Scheithauer	30%	61%	55%	54%	
Webb	52%	11%	33%	37%	
Bradley	N/A	N/A	N/A	32%	
Lopez	N/A	33%	17%	0	
Baldewag	40%	N/A	N/A	33%	
Yamada	85%	N/A	N/A	0	
Pawlikowski	N/A	N/A		35%	Ki 점수, 세포이형성
Cho	39%	41%	57%	25%	나이, 부신피질자극호르몬 면역조직염색반응
Cooper	41%	38%	54%	59%	
Alahmadi	31%	13%	N/A	14%	
Ioachemiscu	46%	76%	77%	47% (잔여 조직 성장) 13% (새로운 병소 재발)	
Jahangiri	30%	54%	N/A	27%	종양크기, 제1형 무증상코르티코프로스성 세포 선종,
Nishioka	45%	N/A	N/A	22%	
Cohen-Inbar	78%	N/A	N/A	18%	부신피질자극호르몬 면역조직염색반응
Langlois	44%	22%	23%	36%	종양크기, 부신피질자극호르몬 수치, 영상학적 침범, 제1형 무증상코르티코프로스성 세포 선종
연구종합평균	43%	38%	35%	27%	

NA : Not available

상 코르티코트로프성세포선종과 비기능 뇌하수체선종 양군 사이에 차이가 없었지만, 다발성 재발은 무증상 코르티코트로프성세포선종과 비기능 뇌하수체선종에서 각각 57%, 2.8%로 무증상 코르티코트로프성세포선종에서 다발성 재발이 많았다.

Jahangiri 등은 초기 평가에서 제1형과 제2형의 증상 코르티코트로프성세포선종 재발률은 차이가 없었으나, 3년간 추적 관찰 결과 제1형은 34%, 제2형은 10%로 제1형에서 재발 위험이 높다고 하였다.

재발 위험인자는 종양 크기, 해면정맥굴 침범 여부, 부신피질자극호르몬 면역반응 정도, 조직형 등으로 요약할 수 있다.

무증상 코르티코트로프성세포선종은 호르몬 과다분비가 없는 것이 특징이나, 수술 후 범뇌하수체기능저하증은 비기능 뇌하수체선종에 비해 잘 발생하는 것으로 보고되고 있다. 비기능 뇌하수체선종에서 수술 후, 범뇌하수체기능저하증 발생 위험 인자는 수술 전 종양의 크기로 알려져 있다. 그러나, 무증상 코르티코트로프성세포선종은 수술 전 종양의 크기와는 무관한 것으로 보고되어 있다.

무증상 코르티코트로프성세포선종이 쿠싱병과 악성종양으로 전환되는 경우가 보고되어 있으나 빈도는 매우 낮다.

9. 요약

무증상 코르티코트로프성세포선종은 부신피질자극호르몬 면역조직학적 염색에는 양성반응을 보이지만 코르티솔 과다분비가 없는 뇌하수체선종으로 임상적으로 쿠싱병과 비기능 뇌하수체선종과는 임상적으로 구분된다. 코르티솔 과다분비는 없으나 거대선종의 특성이 있어 종괴효과에 의한 증상으로 발현되는 경우가 많다. 수술 전에는 비기능 뇌하수체선종으로 진단되지만 수술 후, 조직학적 검사에 따라 진단되기 때문에 수술 후 조직 검사 판독에 주의가 요구된다. 종양제거술이 일차적인 치료이나 재발률이 높아 수술 이외의 다각적 접근법이 요구된다. 증상이 동반된 코르티코트로프성세포선종은 재발률이 높고 수술 후 범뇌하수체기능저하증 빈도가 높아 수술 후 단기간 내 추적 관찰 및 주기적인 관찰이 필수적이다.

참고문헌

1. Ben-Shlomo A, Cooper O. Silent corticotroph adenomas. Pituitary 2018;21:183-93.
2. Ceccato F, Lombardi G, Manara R, et al. Temozolomide and pasireotide treatment for aggressive pituitary adenoma: expertise at a tertiary care center. J Neurooncol 2015;122:189-96.
3. Cho HY, Cho SW, Kim SW, et al. Silent corticotroph adenomas have unique recurrence characteristics compared with other nonfunctioning pituitary adenomas. Clin Endocrinol 2010;72:648-53.
4. Cooper O. Silent corticotroph adenomas. Pituitary 2015;18:225-31.
5. Horvath E, Kovacs K, Lloyd RV. Pars intermedia of the human pituitary revisited: morphologic aspects and frequency of hyperplasia of POMC-peptide immunoreactive cells. Endocr Pathol 1999;10:55-64.
6. Kageyama K, Oki Y, Nigawara T, et al. Pathophysiology and treatment of subclinical Cushing's disease and pituitary silent corticotroph adenomas [Review]. Endocr J 2014;61:941-8.
7. Kovacs K, Horvath E, Bayley TA, et al. Silent corticotroph cell adenoma with lysosomal accumulation and crinophagy. A distinct clinicopathologic entity. Am J Med 1978;64:492-99.
8. Mete O, Hayhurst C, Alahmadi H, et al. The role of mediators of cell invasiveness, motility, and migration in the pathogenesis of silent corticotroph adenomas. Endocr Pathol 2013;24:191-8.
9. Pittet D, Wenzel RP. Nosocomial bloodstream infections: secular trends in rates, mortality, and contribution to total hospital deaths. Arch Intern Med 1995;155:1177-84.
10. Salehi F, Scheithauer BW, Kovacs K, et al. (2012) O-6-methylguanine-DNA methyltransferase (MGMT) immunohistochemical expression in pituitary corticotroph adenomas. Neurosurgery 2012;70:491-6.
11. Scheithauer BW, Jaap AJ, Horvath E, et al. Clinically silent corticotroph tumors of the pituitary gland. Neurosurgery 2000;47:723-9.
12. Takumi I, Steiner DF, Sanno N, et al. Localization of prohormone convertases 1/3 and 2 in the human pituitary gland and pituitary adenomas: analysis by immunohistochemistry, immunoelectron microscopy, and laser scanning microscopy. Mod Pathol 1998;11:232-38.
13. Tani Y, Inoshita N, Sugiyama T, etl al. Upregulation of CDKN2A and suppression of cyclin D1 gene

expressions in ACTH-secreting pituitary adenomas. Eur J Endocrinol 2010;163:523-9.

14. Thodou E, Argyrakos T, Kontogeorgos G. Galectin-3 as a marker distinguishing functioning from silent corticotroph adenomas. Hormones 2007;6:227-32.
15. Vallette-Kasic S, Figarella-Branger D, Grino M, et al. Differential regulation of proopiomelanocortin and pituitary-restricted transcription factor (TPIT), a new marker of normal and adenomatous human corticotrophs. J Clin Endocrinol Metab 2003;88:3050-6.
16. Xu Z, Ellis S, Lee CC, et al. Silent corticotroph adenomas after stereotactic radiosurgery: a case-control study. Int J Radiat Oncol Biol Phys 2014;90:903–10.
17. Yamada S, Ohyama K, Taguchi M, et al. A study of the correlation between morphological findings and biological activities in clinically nonfunctioning pituitary adenomas. Neurosurgery 2007;61:580-4.

18-5 넬슨증후군(Nelson syndrome)

이정민, 임동준
가톨릭의대 내과학교실

1. 넬슨증후군

쿠싱병의 일차 치료는 경접형골접근법(transsphenoidal approach)에 의한 뇌하수체종양 절제술이며 관해율은 70%에서 90%로 알려져 있다. 그러나 수술적 절제 후 23~33%에서 재발하는 쿠싱병은 반복적인 경접형골접근법에 의한 절제술, 방사선치료, 코르티솔 억제 약물치료를 고려하게 되며 질병이 조절되지 않는 경우 양측부신절제술을 시행한다. 양측부신절제술 후 85~100%의 환자에서 고코르티솔증이 조절되지만 이후 부신기능부전, 부신피질자극호르몬(adrenocorticotropic hormone, ACTH) 과자극으로 인한 고코르티솔증, 코르티코트로프성세포(corticotroph)의 증식, 넬슨증후군 등이 발생할 수 있다.

넬슨증후군은 양측부신절제술을 시행한 성인의 21%에서 대부분 3년 이내에 발생한다. 1958년 Don Nelson 등은 피부의 색소침착과 시야 결손이 발생한 33세 여자 환자의 증례를 보고하였는데, 이 환자의 경우 쿠싱병으로 양측부신절제술을 시행한 지 3년 후 코르티코이드 보충요법에도 불구하고 뇌하수체종양이 재발하였으며 혈청 ACTH의 수치가 현저히 상승하였다. 1960년대까지 Don Nelson 팀은 양측부신절제술 후 ACTH를 생성하는 뇌하수체종양이 발생하고 이후에 ACTH 상승과 피부의 과다 색소 침착이 발생하는 환자를 추가로 발견하였으며 이 3가지 증상이 넬슨증후군의 3가지 임상 징후로 보고되었다.

넬슨증후군을 일으키는 정확한 병태생리학적 기전은 아직까지 알려지지 않았다. 일반적으로 양측부신절제술 후 음성되먹이기기전의 소실로 부신피질자극호르몬분비호르몬(corticotrophin-releasing hormone, CRH)이 증가함으로써 코르티코트로프성세포의 종양화가 진행되는 것으로 생각된다.

2. 넬슨증후군 진단

넬슨증후군의 진단은 현재까지 일치된 가이드라인이 없으며 진단기준이 명확히 정립되어 있지 않다. 넬슨증후군의 진단은 양측부신절제술 이후 뇌하수체종양의 진행, 혈청 ACTH의 상승, 피부 과다 색소침착에 기반을 두고 있다.

1) 임상증상

넬슨증후군은 대개 코르티코트로프성세포의 종양 압박 효과와 주변 구조물 침범으로 인한 시야 결손 및 뇌신경마비와 같은 임상 증상을 동반한다. 최근 영상검사 및 생화학검사를 통해 넬슨증후군의 조기 진단이 가능하여 후기 임상증상이 나타나는 빈도는 낮지만 피부와 점막의 과다 색소침착은 중요한 임상증상으로 간주된다. 요붕증(diabetes insipidus), 뇌하수체졸중(pituitary apoplexy), 뇌하수체기능저하증 등의 질환을 동반하는 경우도 발생한다. 또한 생식선 내 부신세포의 증식과 자극으로 부난소종양 및 고환주위종양이 발생하기도 한다.

2) 생화학적 검사

넬슨증후군의 생화학적 특징은 양측부신절제술 후 현저한 혈청 ACTH의 증가이다. 넬슨증후군의 혈청 ACTH는 쿠싱병 환자의 혈청 ACTH보다 기저 ACTH는 6배 이상 높은 것으로 보고되어 있다. 혈청 ACTH는 아침 8시와 마지막 스테로이드 복용 후 저녁 8시, 스테로이드 복용 전 오전 ACTH를 측정하는 것을 권고한다. 양측부신절제술 후 세 번 연속으로 측정한 혈청 ACTH 수치가 초기 양측부신절제술 후 ACTH의 30% 이상 증가하거나, 스테로이드 복용 전 오전 8시에 검사한 혈청 ACTH가 450~500 ng/L 이상 측정되면 생화학적으로 넬슨증후군을 진단할 수 있다.

3) 영상학적 검사

최근 컴퓨터단층촬영(computed tomography, CT) 및 자기공명영상(magnetic resonance image, MRI)의 발달로 임상증상이 발현되기 전 넬슨증후군을 조기에 진단할 수 있게 되었다. MRI는 뇌하수체종양을 진단할 수 있는 가장 훌륭한 영상학적 검사이며 양측부신절제술 이전의 뇌하수체종양과 비교하여 종양의 크기가 증가하면 넬슨증후군을 의심할 수 있다. 양측부신절제술 후 3개월 경과 시 뇌하수체의 잔존 종양을 확인하기 위한 MRI 검사를 시행할 것을 권고하며 2년까지는 6개월마다 영상학적 검사를 시행한다.

3. 넬슨증후군의 예측인자

경접형골접근법을 통한 뇌하수체종양 절제술 후 남아있는 종양이 있다면 넬슨증후군으로 진행될 가능성이 높다. 따라서 뇌하수체종양 절제술 후 예방적 방사선 치료를 시행하면 넬슨증후군의 발생을 억제할 수 있으나 현재까지 이점에 대한 명확한 합의된 의견은 없는 실정이다.

양측부신절제술 후 1년 이내 측정한 혈청 ACTH가 100 ng/L 이상으로 상승하는 것은 종양 발생의 강력한 예측인자이다. 이외에 알려진 예측인자로는 양측부신절제술 후 부신 잔여조직이 있는 경우, 쿠싱병의 유병 기간이 긴 경우, 불충분하게 스테로이드 보충 요법이 이루어진 경우, 젊은 연령 등이 있다.

4. 넬슨증후군의 치료

1) 수술적 치료

넬슨증후군의 궁극적 치료 방법은 뇌하수체종양의 수술적 제거이며 경접형골접근법이 권고되는 수술 방법이다. 치료 효과는 10~70%로 다양하게 보고되어 있으며 합병증으로는 뇌하수체기능저하증, 뇌신경 마비, 뇌척수액 누수, 수막염 등이 있다.

2) 방사선치료 및 정위방사선수술

방사선치료는 수술적 치료를 할 수 없거나 수술적 치료 실패 시 고려할 수 있는 치료법이나 짧은 기간내 고코르티솔증을 감소시키지 못한다. 정상 혈청 ACTH로 회복하기까지 수주에서 수개월이 경과되며 종양의 크기에 따라 치료 효과가 다양하다. 합병증으로 시신경병증, 뇌하수체기능저하증, 뇌부종, 방사선괴사, 혈관병증 등이 있다.

감마나이프 방사선수술(gamma knife radiosurgery)은 양측부신절제술 직후 시행되는 경우 가장 효과적이나 시신경마비의 위험이 높아 해면정맥동(cavernous sinus)에 근접한 뇌하수체종양에는 적용할 수 없는 치료법이다.

3) 약물치료

약물치료는 혈청 ACTH를 조절하고 종양의 크기를 억제하기 위해 시행한다.

(1) 선택적 소마토스타틴 유사체(Selective somatostatin analogues)

ACTH 분비 뇌하수체종양에는 다섯 종류의 모든 소마토스타틴 수용체가 발현되어 있으며 특히 소마토스타틴 수용체5 (SSTR5)가 우세하게 발현되어 있는 것으로 알려져 있다. 이론적으로 SSTR5에 선택적으로 작용하는 소마토스타틴 유사체 중 pasireotide가 효과적으로 작용하여 ACTH 분비와 세포 증식을 억제한다. 정확한 치료 효과 판정을 위해서는 더 많은 연구가 필요하다.

(2) 도파민작용제(Dopamine agonists)

뇌하수체종양은 일반적으로 도파민수용체를 발현하므로 도파민작용제도 뇌하수체종양의 치료제로 쓰일 수 있다. 도파민작용제 중 브로모크립틴은 ACTH 감소에 효과를 보였으며 카베골린은 ACTH 감소 및 종양 크기 감소에 효과를 보였다.

(3) 다른 치료제들

최근 수술적 치료 실패 후 알킬레이팅 치료제인 temozolomide가 혈청 ACTH와 종양 크기의 감소 효과가 있는 것으로 보고된 바 있으나 많은 연구결과가 필요하다. Peroxisome proliferator-activated receptor gamma (PPARγ)가 코르티코트로프성 종양에 높은 농도로 발현되어 있는데 PPARγ길항제 중 하나인 rosiglitazone이 동물 실험에서 ACTH 감소 및 종양 억제에 효과를 보였으나 실제 인체에서의 효과는 밝혀내지 못하였다. 시상하부 내 GABA (gamma amino butyric acid, GABA)의 재흡수 억제를 통해 CRH 분비를 감소시킬 수 있어 sodium valproate가 치료제로 제안되었으나 현재까지 ACTH 감소나 종양 억제 효과에 대한 명확한 근거는 없다.

참고문헌

1. Assié G, Bahurel H, Coste J, et al. Corticotroph tumor progression after adrenalectomy in Cushing's disease: a reappraisal of Nelson's syndrome. The Journal of Clinical Endocrinology & Metabolism 2007;92:172-9.
2. Azad TD, Veeravagu A, Kumar S, Katznelson L. Nelson Syndrome: Update on Therapeutic Approaches. World Neurosurg 2015;83:1135-40.
3. Banasiak MJ, Malek AR. Nelson syndrome: comprehensive review of pathophysiology, diagnosis, and management. Neurosurgical focus 2007;23:1-10.
4. Barber TM, Adams E, Ansorge O, Byrne JV, Karavitaki N, Wass JA. Nelson's syndrome. Eur J Endocrinol 2010;163:495-507.
5. Barnett A, Livesey J, FRIDAY K, Donald R, Espiner E. Comparison of preoperative and postoperative ACTH concentrations after bilateral adrenalectomy in Cushing's disease. Clinical endocrinology 1983;18:301-5.
6. Casulari LA, Naves LA, Mello PA, Neto AP, Papadia C. Nelson's syndrome: complete remission with cabergoline but not with bromocriptine or cyproheptadine treatment. Hormone Research in Paediat-

rics 2004;62:300-5.
7. De Tommasi C, Vance ML, Okonkwo DO, Diallo A, Laws Jr ER. Surgical management of adrenocorticotropic hormone—secreting macroadenomas: outcome and challenges in patients with Cushing's disease or Nelson's syndrome. Journal of neurosurgery 2005;103:825-30.
8. Fleseriu M, Cuevas-Ramos D. Treatment of Cushing's disease: a mechanistic update. Journal of Endocrinology 2014:JOE-14-0300.
9. GERTZ BJ, CONTRERAS LN, McCOMB DJ, KOVACS K, TYRRELL JB, DALLMAN MF. Chronic administration of corticotropin-releasing factor increases pituitary corticotroph number. Endocrinology 1987;120:381-8.
10. Kelly P, Samandouras G, Grossman A, Afshar F, Besser G, Jenkins P. Neurosurgical treatment of Nelson's syndrome. The Journal of Clinical Endocrinology & Metabolism 2002;87:5465-9.
11. McNicol AM, Carbajo-Perez E. Aspects of anterior pituitary growth, with special reference to corticotrophs. Pituitary 1999;1:257-68.
12. Munir A, Newell-Price J. Nelson's syndrome. Arquivos Brasileiros de Endocrinologia & Metabologia 2007;51:1392-6.
13. Nelson DH, Meakin J, Dealy Jr JB, Matson DD, Emerson Jr K, Thorn GW. ACTH-producing tumor of the pituitary gland. New England Journal of Medicine 1958;259:161-4.
14. Nelson DH, Meakin J, Thorn G. ACTH-producing pituitary tumors following adrenalectomy for Cushing's syndrome. Annals of internal medicine 1960;52:560-9.
15. Nieman LK, Biller BMK, Findling JW, et al. Treatment of Cushing's Syndrome: An Endocrine Society Clinical Practice Guideline. The Journal of Clinical Endocrinology & Metabolism 2015;100:2807-31.
16. Oßwald A, Plomer E, Dimopoulou C, et al. Favorable long-term outcomes of bilateral adrenalectomy in Cushing's disease. European journal of endocrinology 2014;171:209-15.
17. Ritzel K, Beuschlein F, Mickisch A, et al. Outcome of Bilateral Adrenalectomy in Cushing's Syndrome: A Systematic Review. The Journal of Clinical Endocrinology & Metabolism 2013;98:3939-48.
18. Roelfsema F, Biermasz NR, Pereira AM. Clinical factors involved in the recurrence of pituitary adenomas after surgical remission: a structured review and meta-analysis. Pituitary 2012;15:71-83.
19. Tindall GT, Herring CJ, Clark RV, Adams DA, Watts NB. Cushing's disease: results of transsphenoidal microsurgery with emphasis on surgical failures. Journal of neurosurgery 1990;72:363-9.
20. Van Aken MO, Pereira AM, Van Den Berg G, Romijn JA, Veldhuis JD, Roelfsema F. Profound amplification of secretory - burst mass and anomalous regularity of ACTH secretory process in patients with Nelson's syndrome compared with Cushing's disease. Clinical endocrinology 2004;60:765-72.

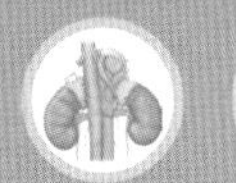

CHAPTER 19

당질코르티코이드 저항성 (Glucocorticoid Resistance)

김효정, 정경연
을지의대 내과학교실

당질코르티코이드 저항성(glucocorticoid resistance)은 1976년 Vingerhoeds 등에 의해 '쿠싱증후군 증상이 없는 당질코르티코이드(glucocorticoid, GCs)가 과다분비되는 질환(spontaneous hypercortisolism without Cushing's syndrome)'으로 처음 보고되었다. 이를 일차성 전신 당질코르티코이드 저항성 증후군(primary generalized glucocorticoid resistance syndrome)이라고 하는데 당질코르티코이드 수용체(glucocorticoid receptor, GR) 유전자의 돌연변이에 의해 일어나는 매우 드문 질환이고 국내 문헌 보고는 현재까지 없다.

보다 흔히 발생하는 후천성 당질코르티코이드 저항성(acquired glucocorticoid resistance)은 특정질환과 관련되어 국소적 또는 전신적으로 발생하며 GCs 치료 적응증이 있는 어느 질환에서든 후천적으로 발생할 수 있다. 이러한 저항성은 만성질환 환자에서 GCs의 치료반응을 경감시켜 심각한 문제를 유발할 수 있는데 시토카인(cytokines), 산화 스트레스(oxidative stress), 케모카인(chemokines), 세포자멸사(apoptosis) 등 세포 미세환경 변화가 원인으로 생각된다.

본 장에서는 일차성 및 후천성 당질코르티코이드 저항성의 임상양상을 앞부분에 소개하고 저항성을 유발하는 다양한 기전을 최근 경향을 포함하여 정리하였다. 일차성 또는 후천성 당질코르티코이드 저항성의 정확한 진단과 병리기전에 대한 이해가 당질코르티코이드 저항성을 극복하고 이로 인한 심각한 합병증을 예방하는데 도움을 줄 것으로 본다.

1. 당질코르티코이드 저항성 증후군의 임상양상 및 진단

1) 일차성 당질코르티코이드 저항성 증후군(Primary generalized glucocorticoid resistance syndrome)

(1) 병태생리

GR 유전자(NR3C1)의 불활성화, 삽입 및 결손 등의 돌연변이에 의해 조직에서의 GCs 감수성이 감소하는 드문 질환으로 가족성 또는 산발적으로 발생한다. 부신피질자극호르몬유리호르몬(corticotropin-releasing hormone, CRH) 및 부신피질자극호르몬(adrenocorticotropic hormone, ACTH)이 부신에서 당질코르티코이드, 염류코르티코이드 및 안드로겐의 분비를 촉진하고 음성되먹임기전을 통해 분비를 조절하는 것이 정상적인 기전이다(그림 19-1A). 그러나, GCs에 대한 저항성이 생기면 GR에 의해 매개되는 음성되먹임기전이 손상된다. 그 결과 시상하부-뇌하수체-부신(hypothalamic-pituitary-adrenal, HPA)축이 지속적으로 자극되어 보상적으로 GCs 및 CRH, ACTH의 분비가 증가한다. 증가된 ACTH 분비는 부신피질증식증을 유발하고 염류코르티코이드 및 안드로겐 활성이 있는 부신호르몬을 증가시킨다(그림 19-1B).

(2) 임상양상

일반적으로 만성 피로를 제외하고는 GCs의 결핍증상은 명백하게 나타나지 않는

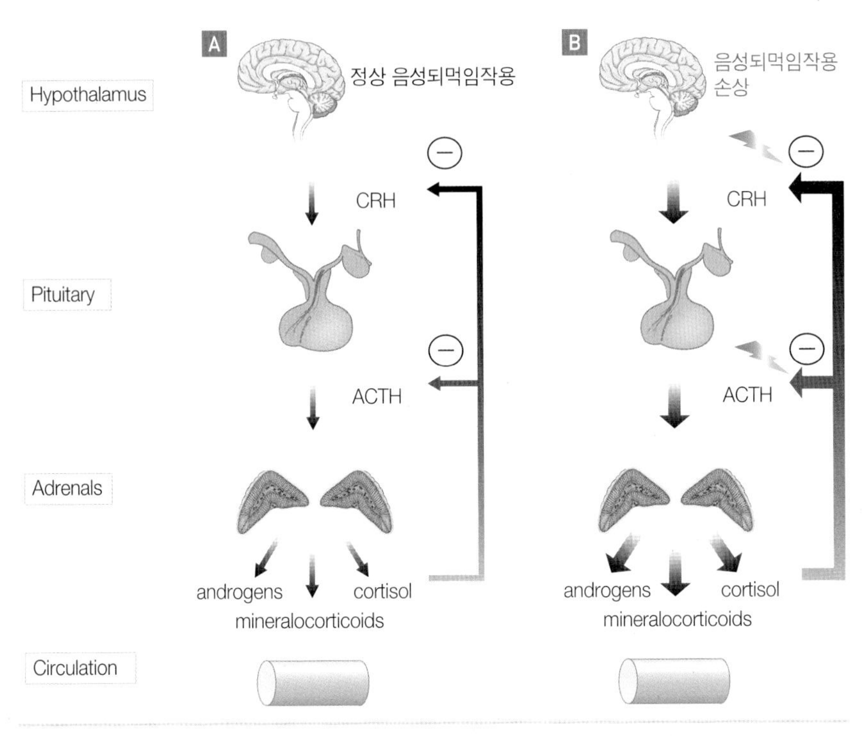

그림 19-1. 일차성 당질코르티코이드 저항성 증후군의 병태생리. 시상하부-뇌하수체-부신(HPA) 축의 조절 **(A)**정상 **(B)**일차성 당질코르티코이드 저항성 증후군

다(표 19-1). 동반되는 임상양상은 무증상의 경미한 형태부터 염류코르티코이드, 안드로겐 과잉소견과 관련하여 심각한 형태까지 다양하게 올 수 있다.

(3) 진단

쿠싱증후군의 임상양상 없이 고코르티솔증 소견이 있을 때 의심해 볼 수 있으며 GR 유전자의 염기서열 분석이 확진을 위해 필요하다(표 19-2). 경미한 형태의 쿠싱병, 가성쿠싱증후군, 코르티솔결합글로불린이 상승되는 경우, 본태성고혈압, 고알도스테론증, 안드로겐이 증가될 수 있는 다른 질환들과 감별을 요한다.

표 19-1. 임상양상

정상 당질코르티코이드 기능
- 무증상
- 만성피로
염류코르티코이드 과잉소견
- 고혈압
- 저칼륨혈증, 대사성 알칼리증
안드로겐 과잉소견
- 소아: 애매모호한 성기, 조기 음모발생증, 성조숙증
- 여성: 여드름, 다모증, 안드로겐성 탈모, 희발 또는 무월경, 불임
- 남성: 여드름, 다모증, 정자감소증, 불임, 고환 부신잔류(adrenal rests in the testes), 불임
시상하부-뇌하수체-부신축 과다활성(CRH/ACTH 과량분비)
- 불안
- 부신잔류(adrenal rests)

표 19-2. 진단

쿠싱증후군의 임상양상이 동반되지 않음
혈중 ACTH : 정상 또는 경미한 상승
혈중 코르티솔: 상승
24시간 소변 유리 코르티솔: 상승
코르티솔, ACTH의 일중변동 분비 및 스트레스에 대한 반응은 보존
저용량 덱사메타손에 억제되지 않음
확진
Thymidine incorporation assays: 덱사메타손에 의해 phytohemagglutinin-stimulated thymidine incorporation이 억제되지 않음
덱사메타손-결합 분석: 덱사메타손에 대한 수용체의 친화력 감소
분자학적: GR 유전자돌연변이/소실

(4) 치료

치료의 목적은 과량 분비되는 ACTH를 억제시킴으로써, 염류코르티코이드와 안드로겐의 활성 증가를 억제시키는 것이다. 따라서, ACTH를 억제할 만큼 충분한 양의 덱사메타손(1-3 mg/일)을 투여함으로써 치료할 수 있다. 장기간의 덱사메타손 투여시 임상양상과 생화학적 수치에 따라 용량 조절이 필요하다.

2) 만성질환에서의 후천성 당질코르티코이드 저항성

(1) 병태생리

전형적인 유전성 당질코르티코이드 저항성 증후군 외에도 GCs 치료 적응증이 있는 어느 질환에서든 후천적으로 당질코르티코이드 저항성이 발생할 수 있다. 합성 GCs는 강력한 항염증제로 알레르기, 염증질환, 면역질환 등에 광범위하게 사용되나 만성적으로 사용하는 환자들 중 일부에서 약제에 대한 감수성이 떨어지거나 저항성이 생긴다. 이로 인해 염증반응이 심해져 질환이 악화되고 반응이 적은 환자에서 고용량 GCs를 사용하면 심각한 부작용 위험도 높아진다.

(2) 임상양상

GCs 신호전달체계에 대한 이해가 높아짐에 따라 후천성 당질코르티코이드 저항성을 유발하는 여러 기전들이 보고되었다. 유발질환에 따른 기전과 임상양상을 요약하면 다음과 같다(표 19-3).

표 19-3. 후천성 당질코르티코이드 저항성 유발질환 및 연관기전

질환	신호전달과정	결과(저항성 유발)	임상양상
천식	IL-2, IL-4/ p38-MAPK 발현 ↑ 산화스트레스로 HDAC2 발현 ↑ TNFα/ JNK ↑ AP-1 전사인자 활성 ↑ GR-ER22/EK23 돌연변이 염증세포유인 케모카인 발현 ↑ (CCL5, CCL11, CCL19)	GR 전위 ↓, 결합친화력 ↓ GR 활성 ↓ GR 인산화 ↑ GR에 결합, 세포기능저해 GRβ:GRα비 ↑	기도만성염증질환, 폐기능감소, 기관지평활근수축, 점액 과다분비

질환	신호전달과정	결과(저항성 유발)	임상양상
자가면역질환 염증성 장질환 전신성 홍반성 루푸스 류마티스 관절염	IL-17, TNFα ↑ MDR1 ↑ MIF ↑ Bcl1 GR-9β 유전자 다형성 GR-ER22/EK23 돌연변이	GRβ mRNA 안정성 ↑ GRβ:GRα비 ↑	염증상태 증가
만성 폐색성 폐질환	산화스트레스 ↑ 시토카인 및 케모카인 생성 ↑ HDAC2 활성 ↓		호흡곤란,기침, 객담생성
암	세포자멸사 ↓ T-세포 변이 AKT-PI3K 경로 ↑ NLRP3-CASP1 inflammasome ↑	GR 절단	종양진행
심혈관질환	GRα 돌연변이 GR-9β 다형성		염증상태 증가
우울증	HPA축 되먹임장애 CRP 및 IL-1 ↑		만성 스트레스 뇌하수체/부신 부피 증가

Abbreviation: IL, interleukin; MAPK, mitogen-activated protein kinases; MDR1, multidrug resistance protein 1; MIF, migratory inhibitory factor; PBMC, peripheral blood mononuclear cells; ROS, reactive oxygen species; HDAC2, histone deacetylase 2; PTEN, phosphatase and tensin homolog

2. 당질코르티코이드 수용체의 구조와 작용

1) 수용체의 구조

GCs는 핵수용체인 GR에 결합하며 작용을 하게 된다. GR은 세가지 기능영역, N말단 전사 영역(N-terminal transactivation domain, NTD), DNA 결합 영역(DNA-binding domain, DBD), C말단 리간드 결합 영역(ligand-binding domain, LBD)으로 구성된다. 전사활성 기능부위인 activation function (AF)-1과 AF-2가 각각 NTD와 LBD에 위치한다.

2) 작용기전

리간드가 없는 상태에서 GRα는 열충격단백(heat shock protein, HSP) 및 다른 단백질들과 복합체를 형성하며 세포질에 존재하다가 리간드(GCs)가 결합하면 GRα의 3차 구조가 변형되면서 복합체로부터 분리되어 세포핵 내로 이동하여 작용을 시작한다. 핵 내로 이동안 GRα는 동질이합체(homodimer)로 GCs 반응요소(glucocorticoid response elements, GREs)에 결합하거나, 단일체(monomer)로서 다른 전사인자들과 상호작용하여 전사인자 반응요소(transcription factor response element, TFRE)에 결합하여 유전자 발현을 조절한다(그림 19-2). 이러한 GRα의 분자유전학적 기전 중 어느 단계에서든 변이가 나타나면, 조직 내에서 GCs의 민감성을 변화시키며 저항성을 유발하게 된다.

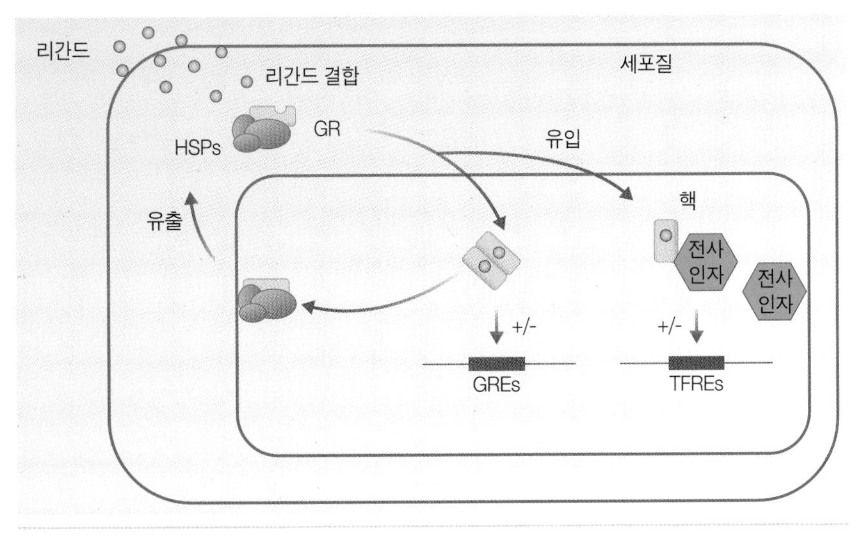

그림 19-2. 당질코르티코이드 수용체(Glucocorticoid receptor, GR)의 작용기전. Abbreviation: HSPs, heat shock proteins; GREs, glucocorticoid response elements; TFREs, transcription factor response element

3. 당질코르티코이드 저항성을 유발하는 분자학적 작용기전

1) P-당단백질 활성증가 : GCs의 세포접근 억제효과

ATP-binding cassette (ABC) 수송체 중 하나인 약물 유출펌프(drug efflux pump) P-당단백질 170은 다약제 저항성 유전자인 MDR1 (ABCB1)에 의해 암호화되어 구조적, 기능적으로 불필요한 약물을 세포 밖으로 내보낸다. GCs에 저항성이 있는 염증질환에서 혈액 림프구 내 MDR1 발현이 높았다.

2) GR 구조와 기능의 유전적 변이

(1) GR 유전자 돌연변이

일차성 전신 당질코르티코이드 저항성 증후군은 GR 유전자의 불활성화 돌연변이에 의해 발생한다. 관련 유전자 돌연변이는 표 19-4과 같다.

표 19-4. GR 유전자 돌연변이에 따른 저항성 유발

돌연변이	분자학적 기전	유전자형	표현형
D641V	리간드친화력↓ (x3); 전이활성(transactivation) ↓; 핵내 이동(nuclear translocation) 지연; GRIP1과의 비정상 상호작용	동형접합	고혈압 저칼륨혈증 대사성 알칼리증
엑손/인트론6의 4-bp결실	hGRα 수 ↓; 영향 받은 대립유전자(allele)의 불활성화	이형접합	다모증, 남성형 탈모, 불규칙 월경
V729I	리간드친화력↓ (x2), 전이활성 ↓ 핵내 이동 지연 GRIP1과의 비정상 상호작용	동형접합	조숙증, 고안드로겐증
I559N	hGR 결합부위 감소; 전이활성 ↓; 핵내 이동 지연; Transdominance (+) GRIP1과의 비정상 상호작용	이형접합	고혈압, 정자감소증, 불임
R477H	전이활성 ↓; DNA 결합 결핍; 핵내 이동 지연	이형접합	다모증, 피로, 고혈압

표 19-4. GR 유전자 돌연변이에 따른 저항성 유발〈계속〉

돌연변이	분자학적 기전	유전자형	표현형
G679S	리간드친화력↓(x2); 전이활성 ↓; 핵내 이동 지연; GRIP1과의 비정상 상호작용	이형접합	다모증, 피로, 고혈압
I747M	리간드친화력↓(x2); 전이활성 ↓; Transdominance (+); 핵내 이동 지연; GRIP1과의 비정상 상호작용	이형접합	여드름, 다모증, 희발월경
V571A	리간드친화력↓(x6); 전이활성 ↓; 핵내 이동 지연; GRIP1과의 비정상 상호작용	동형접합	애매모호한 성기, 고혈압, 저칼륨혈증, 고안드로겐증
L773P	리간드친화력↓(x2.6); 전이활성 ↓; Transdominance (+); 핵내 이동 지연; GRIP1과의 비정상 상호작용	이형접합	불안, 여드름, 다모증, 피로, 고혈압
F737L	리간드친화력↓(x1.5); 전이활성 ↓; 핵내 이동 지연; Transdominance (+);	이형접합	고혈압, 저칼륨혈증

Abbreviation: GRIP1, glucocorticoid receptor-interacting protein 1; hGR, human glucocorticoid receptor

(2) GR 유전자 다형성

GR 유전자내 단일염기다형성(single nucleotide polymorphism)이 당질코르티코이드 감수성 변화와 관련이 있다(그림 19-3, 표 19-5).

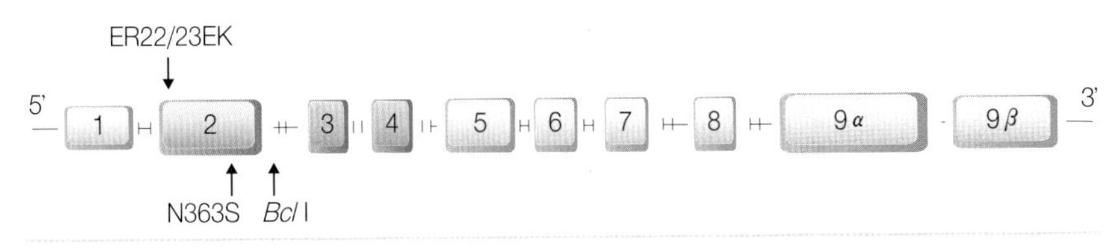

그림 19-3. GR 유전자 다형성 위치

표 19-5. GR 유전자 다형성에 의한 당질코르티코이드 감수성 차이

GR 유전자 다형성	위치	결과
ER22/EK23 돌연변이	GR 엑손2	GCs 치료에 대한 상대적 저항성 유발
N363S 치환	GR 엑손2	GCs 치료에 대한 감수성 증가
Bcl1 RFLP	GR 인트론2	GCs 치료에 대한 감수성 증가

Abbreviation: GR, Glucocorticoid receptor; GCs, Glucocorticoid
RFLP: restriction fragment length polymorphism

(3) GR 단백 아형

사람의 GR 유전자는 5번 염색체 q31–q32에 위치하며 8개의 단백–암호화 엑손과 다수의 비암호화 엑손으로 구성되어 있다. GR 전구물질의 mRNA의 분할 양상에 따라 5개의 다른 GR 아형(GR α, GR β, GR γ, GR–A, GR–P)이 만들어지는데 저항성이 있을 때 주요 아형인 GRα 이외의 다른 아형들이 증가되어 있었다(표 19-6).

표 19-6. GR 단백 아형에 따른 당질코르티코이드 감수성 차이

GR 단백 아형	기전	결과
GR *α*	리간드-의존성 전사인자	
GR *β*	LBD 파괴	리간드 결합 방해
GR *γ*	DBD에 아르기닌 추가	전사활성의 감소 (소아 백혈병에서 발현 가능)
GR-A	엑손 5-7 결손	리간드 결합 방해 (골수종에서 발현 증가)
GR-P (GR *δ*)	엑손 8-9 결손	리간드 결합 방해 (백혈병에서 발현 증가)

Abbreviation: GR, Glucocorticoid receptor; LBD, ligand-binding domain; DBD, DNA-binding domain

(4) GR 이형 복합체

당질코르티코이드 저항성이 GR 샤프롱(chaperon) 복합단백 FKBP51의 과다발현 및 FKBP52의 과소발현과 연관있다는 보고가 있고, 다른 샤프롱 단백인 HSP90 단백의 유전자변이나 HSP70 단백의 발현 감소도 연구되었다.

(5) GR 해독후(Post-translational) 변형

GR 신호전달체계는 리간드의 접근성, GR 발현정도, 아세포단위내 작용, 해독후(post-translational) 변형 등에 의해 복합적으로 이루어진다. 기전이 다 알려져 있지는 않지만, 해독후 변형이 GR 활성에 핵심역할을 한다(그림 19-4, 표 19-7).

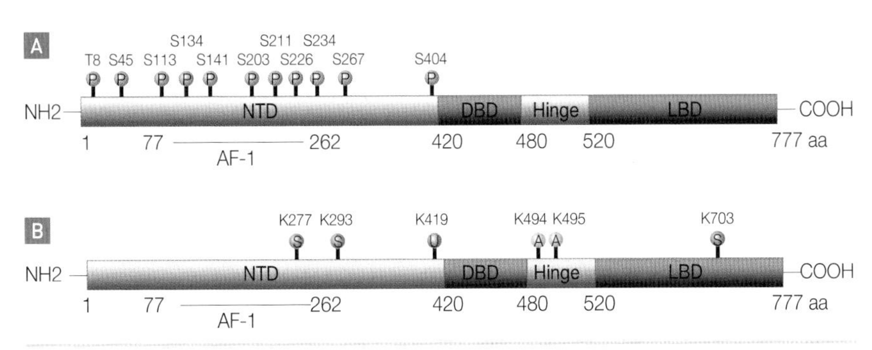

그림 19-4. GR 내의 해독후 변형부위. (A) 인간의 GR 내에 위치하는 인산화 부위 **(B)** GR 내에 위치하는 해독후 변형 부위(인산화 부위 제외). Abbreviation: NTD, N-terminal domain; DBD, DNA-binding domain, LBD, ligand-binding domain; AF-1, activation function-1 domain; aa, amino acids; P, phosphorylation site; S, SUMOylation site; U, ubiquitination site; A, acetylation site; K, lysine.

표 19-7. GR 해독후(post-translational) 변형에 따른 당질코르티코이드 감수성 차이

해독후 변형	기전	결과
인산화	세린 잔기(S113, S141, S203, S211, S226, S404)	S211 인산화 ↑ : GR 트랜스활성 증가 S226 인산화 ↑ : GR 트랜스활성 저해
	세린 및 트레오닌 잔기(T8, S45, S134, S234, S267)	
아세틸화	사람 GR 경첩부위 내 아미노산 492-495 K494 및 K495	K494및 K495 아세틸화 ↑ → HDAC2 유도 → NF-κB p65 경로 전사억제에 핵심 역할
SUMOylation	K277 및 K293 (NTD), K730 (LBD)	GR-매개 활성을 억제
Ubiquitination	Lys419	GR 분해 유발

3) 환경적 요인과 세포외 신호들

만성 염증성질환이 있는 많은 환자들에서 GCs 치료에 대한 저항성이 유발된다. '당질코르티코이드 저항성 염증질환(glucocorticoid resistanct inflammatory disease)'이라고도 하는 후천성 당질코르티코이드 저항성 유발은 위에 언급한 ① 세포내 리간드 공급에 중요한 P-당단백질 활성 증가 ② GR 유전자 변이 외에 ③ 시간경과에 따라 질병세포 미세환경이 변화하는 것에 기인할 것으로 여겨진다. 시토카인, 산화 스트레스, 케모카인, 세포자멸사 등 여러 기전들이 연구되고 있다.

(1) 시토카인

① 당질코르티코이드 저항성 천식

기도에 IL-2와 IL-4의 생성이 증강되면 GR 전위 및 표적세포에 대한 결합친화력이 감소된다. 반면, p38 MAPK 매개에 의한 GR 인산화를 억제하면 GR 활성이 회복된다.

② 당질코르티코이드 저항성 궤양성 대장염(Ulcerative colitis)

대장 점막에 GR 발현을 억제하는 종양괴사인자(TNF)-α, IL-6 및 IL-8이 상승되어 있다. 전염증성 시토카인인 대식세포 이동 저지인자(macrophage migration inhibitory factor, MIF)가 발현되면 MAPK family가 억제되고 GCs의 정상적인 기작을 돕는 인산분해효소가 차단되어 저항성이 유발된다.

(2) 산화 스트레스

산화 스트레스는 히스톤디아세틸라아제-2(histone deacetylase-2, HDAC2)의 활성과 발현을 약화시킴으로서 GR을 통해 유전체의 반응부위로 전달되는 것을 제한한다.

① 당질코르티코이드 불응성 천식

말초혈액 단핵세포(peripheral blood mononuclear cell)나 폐포 대식세포(alveolar macrophages)에서 HDAC2 발현이 현저히 감소되어 있다. GCs에 반응이 없어 치료가 어려운 흡연을 하는 천식환자에서도 HDAC2가 감소되어 있다.

② 만성 폐색성 폐질환(Chronic obstructive pulmonary disease, COPD)

폐포대식세포, 기도, 폐에서 HDAC2 활성이 현저히 감소되어 있고, 폐포대식세포에서 HDAC2 과발현에 의해 당질코르티코이드 저항성이 회복되었다는 in vitro 연구결과가 있다.

(3) 전사인자들 간의 혼선(Cross-talk)

GR에 결합하여 세포기능을 저해하는 AP-1은 c-Fos:c-Jun이라는 이형접합체로 구성되어 있고 천식과 연관된 시토카인 전사조절에 중추적인 역할을 한다. c-Fos 발현이 AP-1의 활성지표인데 저항성을 가진 천식의 경우, 말초혈액단핵세포나 기관생검에서 c-Fos가 높게 측정된다.

(4) 세포자멸사(Apoptosis) 감소

GCs는 T-림프구에 대한 전세포자멸사(pro-apoptotic) 효과 때문에 백혈병의 초기 유도치료에서 널리 쓰이나 만성적 사용 시 종종 저항성이 생긴다. GR 돌연변이나 결손이 in vitro 모델에서 관찰된 바 있고 in vivo에서는 림프모구에서 GCs의 표적이 되어 세포자멸사 상태를 조절하는 BCl2 family의 발현 및 하위경로에 변화가 생긴다. 비림프암(non-lymphoid malignancy)의 경우, 사람의 소세포폐암 세포주에서 GR이 낮게 발현되어 있고, GR 발현 회복 후 강력한 세포자멸사가 유도됨을 보여주는 in vitro와 in vivo 실험들이 시행되었다.

4. 당질코르티코이드 감수성 회복을 위한 노력

염증질환에서 GCs 감수성을 증대시키려는 연구들이 많다. MAPKs(특히 p38) 저해제와의 병행치료가 당질코르티코이드 저항성을 가진 천식에서 유용함이 밝혀졌다. 또한 테오필린(theophylline)이 PI3K-δ를 저해함으로서 만성 폐색성 폐질환 환자에서 당질코르티코이드 저항성을 회복시킬 수 있었다. 주로 P-당단백질과 MIF를 치료 타겟으로 하는 연구가 많이 이루어지고 있다.

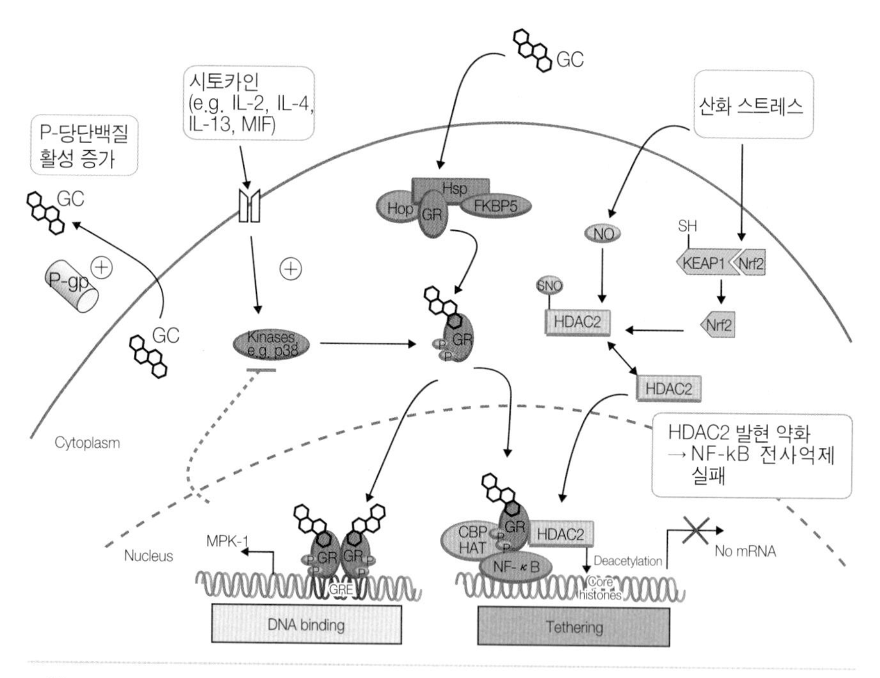

그림 19-5. 당질코르티코이드 저항성의 기전: P-당단백질 활성, 시토카인 및 산화 스트레스의 역할. CBP, CREB-binding protein; FKBP5, FK506-binding protein 5; GC, glucocorticoid; GR, glucocorticoid receptor; GRE, glucocorticoid responsive elements; HAT, histone acetyltransferase; HDAC2, histone deacetylase 2; Hsp, heat-shock protein; Hop, Hsp70/Hsp90 organization protein; KEAP1, kelch-like ECH-associated protein 1; NF-κB, nuclear factor kB; NO, nitric oxide; Nrf2, nuclear factor erythroid 2-related factor 2; P-gp, P-glycoprotein; SNO, S-nitrosylation.

특히 MIF 발현은 천식, 궤양성 대장염, 류마티스 관절염, 전신성 홍반성 루푸스 등 당질코르티코이드 저항성 염증질환에서 보고되었다.

5. 요약

일차성 당질코르티코이드 저항성은 GR 유전자의 돌연변이에 의해 일어나는 매우 드문 질환으로 임상양상이 다양하여 확진을 위해 GR 유전자 염기서열 분석이 필요하고 다른 질환들과의 감별이 중요하다. 후천성 당질코르티코이드 저항성은 GCs 치료 적응증이 있는 어느 질환에서든 발생할 수 있고 기대이상으로 많다. 최근 들어 당질코르티코이드 저항성의 기전을 이해하는 새로운 시각들이 제시되고 있어 환자의 GCs에 대한 반응성을 예측하는 데 도움이 될 것으로 기대된다. GCs 치료에 대한 반응을 예측할 수 있는 비침습적인 검사법과 선택적인 GR 조절제(selective GR modulators)가 개발되면 항염증작용은 충분하지만 기존의 GCs의 부작용은 없는 치료도 가능해질 것이다.

참고문헌

1. 김성연. 임상내분비학. 제3판. 서울: 고려의학; 2016; 43-60.
2. 임상우, 변창규, 박준용 외. 고용량 스테로이드 치료 저항성 폐출혈 루푸스 환자에서 Rituximab 사용 1예. J Rheum Dis 2014;21:201-4.
3. 장안수. 난치성 천식과 스테로이드 반응성. 2010년 대한천식알레르기학회 추계학술대회 Work Group Mini-Symposium IV: 난치성 천식 S683-S674
4. Charmandari E, Kino T, Chrousos GP. Familial/sporadic glucocorticoid resistance: clinical phenotype and molecular mechanisms. Ann N Y Acad Sci 2004;1024:168-181.
5. Charmandari E, Kino T, Chrousos GP. Primary generalized familial and sporadic glucocorticoid resistance (Chrousos syndrome) and hypersensitivity. Endocr Dev 2013;24:67-85.

6. Charmandari E, Kino T, Ichijo T, Chrousos GP. Generalized glucocorticoid resistance: clinical aspects, molecular mechanisms, and implications of a rare genetic disorder. J Clin Endocrinol Metab 2008;93:1563-72.
7. Nicolaides NC, Geer EB, Vlachakis D, et al. A novel mutation of the hGR gene causing Chrousos syndrome. Eur J Clin Invest 2015;45:782-791.
8. Ramamoorthy S, Cidlowski JA. Exploring the molecular mechanisms of glucocorticoid receptor action from sensitivity to resistance. Endocr Dev 2013;24:41-56.
9. Recent advances in the molecular mechanisms causing primary generalized glucocorticoid resistance. Nicolaides N1, Lamprokostopoulou A2, Sertedaki A3, Charmandari E1. Hormones (Athens) 2016;15:23-34.
10. Rodriguez JM, Monsalves-Alvarez M, Henriquez S, et al. Glucocorticoid resistance in chronic disease. Steroids 2016;115:182-92
11. Van Rossum EF, Lamberts SW. Glucocorticoid resistance syndrome: A diagnostic and therapeutic approach. Best Pract Res Clin Endocrinol Metab 2006;20:611-26.
12. Van Rossum EF, Lamberts SW. Glucocorticoid Resistance. Cushing's Syndrome Pathophysiology, Diagnosis and Treatment, 1st Ed.
13. Vitellius G, Trabado S, Bouligand J, et al. Pathophysiology of Glucocorticoid Signaling. Ann Endocrinol (Paris) 2018;79:98-106.
14. Yang N, Ray DW, Matthews LC. Current concepts in glucocorticoid resistance. Steroids 2012;77:1041-9.

CHAPTER 20

흥미로운 쿠싱증후군 증례

20-1 이소 쿠싱증후군 (Ectopic Cushing's syndrome)

이유미, 홍남기
연세의대 내과학교실

1. 증례

43세 여환이 1년간 진행한 부종, 쉽게 멍듦, 식욕 부진 및 저칼륨혈증으로 내분비내과에 의뢰되었다. 5년 전 안검하수교정수술 외 특이 과거력 및 약제력은 없었다. 환자는 피로감, 무월경, 상하지 위약감을 호소하였으며, 신체검진에서 월상안(moon face), 다수의 멍, 색소침착, 얇은 피부가 관찰되었다. 쿠싱증후군의 전형적인 복부비만 소견은 없었으나, 상하지의 피하지방이 거의 없어 비골신경의 압박으로 발생한 발처짐 증상(foot drop) 및 비특이적인 전신통을 호소하였다. 내원시 키 167.2 cm, 몸무게 50.5 kg, 체질량지수 18.1 kg/m^2, 혈압 150/100 mmHg 이었다. 혈청 칼륨 3.2 mmol/L, 나트륨 142 mmol/L 로 저칼륨혈증 동반되어 있었다. 이 중에너지X선흡수계측기를 이용하여 측정한 척추골밀도 T 점수 −3.0, 대퇴경부 −2.3로 골다공증 소견 관찰되었다. 오전 공복 혈청 코르티솔 29.3 μg/dL, 혈장 ACTH 108.6 pg/mL 이었으며, 24시간 소변 유리코르티솔 721.6 μg 으로, ACTH 의존 쿠싱증후군에 준하여 병소 감별을 위해 고용량덱사메타손 억제검사 및 가돌리늄 조영 뇌하수체 자기공명영상촬영을 시행하였다. 고용량덱사메타손 억제검사에서 혈청 코르티솔 24.9 μg/dL 로 억제되지 않는 소견을 보였고, 뇌하수체 영상에서 종양 소견 관찰되지 않았다. 이상의 평가결과에 근거, 이소 쿠싱증후군 감별을 요하여, 하추체정맥조영술(inferior petrosal sinus sampling, IPSS)을 시행하였다.

	말초혈액	우하추체정맥	좌하추체정맥
기저치 ACTH (pg/mL)	82.74	98.78	94.35
바소프레신 자극 후 ACTH (pg/mL)			
3분	67.95	74.82	107.80
5분	81.31	85.35	80.16
10분	71.83	70.26	69.90
15분	65.60	79.68	109.20
기저 프로락틴(ng/mL)	7.10	27.00	14.70

	우측	좌측	해석
기저 하추체정맥/말초정맥 ACTH 비(ratio)	1.19	1.14	>2.0 : 뇌하수체 병소 시사(Cushing's disease)
바소프레신 자극 후 하추체정맥/말초정맥 ACTH 최대비(peak ratio)	1.21	1.66	>3.0 : 뇌하수체 병소 시사(Cushing's disease)
기저 하추체정맥/말초정맥 프로락틴 비	3.80	2.07	>1.8 :하추체정맥카테터 삽입 성공
기저 하추체정맥/말초정맥 ACTH 비(프로락틴 보정 후)	0.32	0.80	>1.3 : 뇌하수체 병소 시사 (Cushing's disease) <0.8 : 이소 ACTH 증후군 시사

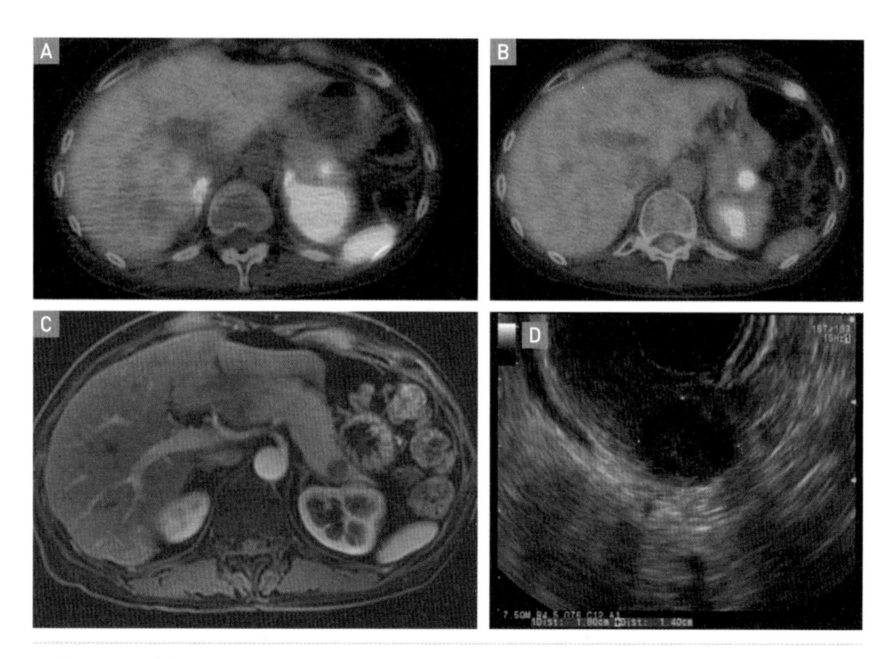

그림 20-1-1. **(A)** ^{68}Ga-DOTATOC PET/CT. **(B)** ^{18}F-FDG PET/CT 모두에서 췌장미부의 병변이 관찰된다. ^{68}Ga-DOTATOC에 비해 ^{18}F-FDG 섭취가 상대적으로 뚜렷하였다. **(C)** 췌장 자기공명영상촬영 검사에서 췌장미부 신경내분비종양으로 의심되는 병변이 관찰된다. **(D)** 내시경초음파에서 췌장 미부경계가 분명한 1.8 cm 저음영병변이 관찰된다.

IPSS 결과 기저 하추체정맥/말초정맥 ACTH 비 2.0 미만, 바소프레신 자극 후 ACTH 비 3.0 미만으로 이소 쿠싱증후군을 시사하였다. 기저 하추체정맥/말초정맥 프로락틴 비가 좌, 우측 모두 1.8 이상 확인되어카테터 삽입 실패로 인한 위음성 가능성을 배제할 수 있었다.

이소 쿠싱증후군에 준하여, ACTH 분비 병소를 탐색하기 위해 ^{68}Ga-(DOTA^{0}-Phe^{1}-Tyr^{3})octreotide (DOTATOC) PET/CT 및 ^{18}F-FDG PET/CT 전신 스캔을 시행하였다(그림 20-1-1A, B).

^{68}Ga-DOTATOC PET/CT 및 ^{18}F-FDG PET/CT에서 췌장미부에 방사성핵의학 물질 섭취 보이는 병변이 있어 췌장 자기공명영상촬영 및 내시경초음파 시행하였다(그림 20-1-1C, D). 전신 핵의학스캔에서 췌장미부 외 전이를 시사하는 병변은 관찰되지 않았다. 추가영상검사에서도 경계가 뚜렷한 1.8 cm 크기의 췌장미부 신경내분비종양으로 의심되는 병변을 확인하였다. DOTATOC에 비해 FDG영상에서 더 뚜렷한 섭취를 보여 고등급(high grade) 신경내분비종양 가능성을 시사하였다. 췌장 미부병변이 이소 ACTH 증후군 병소일 가능성이 높다고 판단, 간담췌외과와 수술을 계획하며 수술 전까지 케토코나졸(ketoconazole) 400 mg 하루 2회 투약 진행하였다. 복강경췌부분절제술 시행하였고, 조직병리 면역조직화학검사 결과에서 chromogranin A 양성, synaptophysin 양성, ACTH 강양성 관찰되어 ACTH를 생성하는 신경내분비종양 2등급(neuroendocrine tumor, grade 2)으로 진단하였다. 수술 후 히드로코르티손(hydrocortisone) 보충 시작하여 외래에서 추적관찰하며 점진적으로 용량 감량, 수술 후 5개월에 중단할 수 있었다(그림 20-1-2).

2. 고찰

1) 유병률

이소 쿠싱증후군은 쿠싱증후군의 약 15%를 차지한다고 알려져 있다. 이소 ACTH를 분비하는 종양은 소세포폐암(50%), 비소세포폐암(5%), 췌장종양(카르시노이드 포함, 10%), 흉선종양(카르시노이드 포함, 5%), 폐카르시노이드종양(10%), 기타 카르시노이드 종양(2%), 갑상선수질암(5%), 갈색세포종 관련 종양(3%) 등에서 기원하며 전립선, 유방, 난소, 담선암종이나 편평상피암(10%)에서도 관찰된다. ACTH 분비 종양 호발 부위는 폐이며, 기존까지는 소세포암종이 가장 흔한 폐의 ACTH 분비 종양이었으나, 최근 진단기법의 발달로 일부에서는 기관지 및 폐 카르시노이드 종양이 소세포폐암보다 더 흔하게 폐의 ACTH 분비 병소로 진단됨을 보고한 바 있

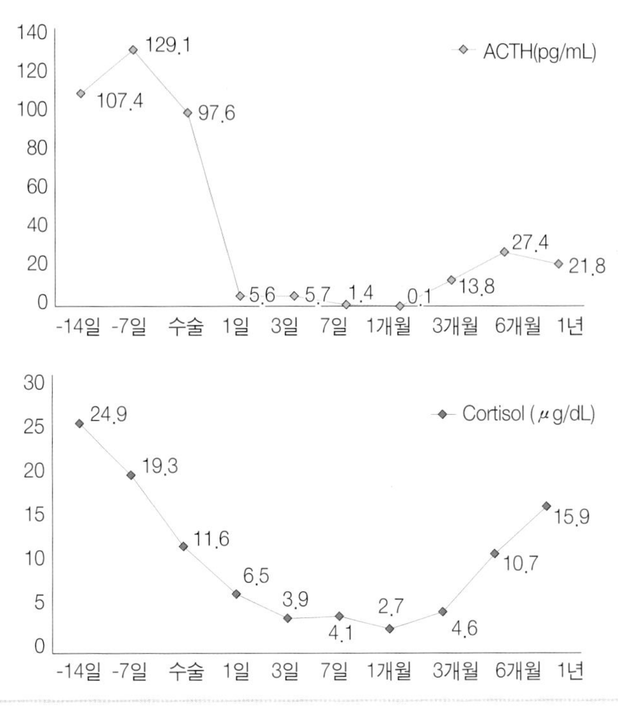

그림 20-1-2. **수술 전후 혈장 ACTH 및 코르티솔의 변화.** 환자는 수술 11개월 후부터 월경 재개하였으며 현재 월상안, 다발성 멍도 모두 호전된 상태로, 재발의 증거 없이 외래에서 ACTH, 코르티솔 혈액검사 및 복부 컴퓨터단층촬영 영상검사 정기 추적관찰 중이다.

다. 이소 CRH 증후군은 1% 미만으로 매우 드물며 ACTH를 같이 분비하는 경우가 많고 주로 후향적으로 진단된다. 전립선암, 소세포폐암, 갑상선수질암, 카르시노이드종양, 시상하부의 신경절세포종 등에서 보고되었다. 이소 쿠싱증후군의 평가에서 CRH를 항상 측정하지는 않으나, 뇌하수체 조직 병리결과에서 corticotroph hyperplasia 가 관찰되는 경우 도움이 될 수 있다.

2) 임상적 및 생화학적 소견

이소 쿠싱증후군에서 뇌하수체 쿠싱증후군에 비해 혈청 코르티솔 및 ACTH 농도가 더 높으며, 코르티솔의 염류코르티코이드 작용으로 인해 저칼륨혈증 및 알칼리혈증이 더 흔하게 관찰된다. 특히 진행이 빠른 소세포폐암 등이 원인일 경우에는 전형적인 쿠싱증후군의 임상양상보다 고혈압, 저칼륨 알칼리증, 말단부종, 근위약, 내당능장애, 색소침착, 식욕부진 및 체중감소 등이 대부분 3개월 이내 빠르게 발생한다. 반면 서서히 자라는 카르시노이드 종양이 원인일 경우, 쿠싱증후군의 전형적인 월상안, 구심성 비만, 근위부근육병증, 다뇨, 색소침착 및 여성의 경우 다모증이 흔히 내원 전 약 18개월 전후에 걸쳐 서서히 발생한다.

3) 분자생물학적 기전

역분화, 이상분화, 전구아민섭취탈카복시화(amine precursor uptake and decarboxylation, APUD) 관련 등 여러 가설이 제기된 바 있다. 뇌하수체 ACTH 분비세포에서는 뇌하수체-선택적 프로모터에 의해 1200 뉴클레오티드 길이의 POMC mRNA가 생성되나, 뇌하수체외조직에서는 POMC 유전자가 상위 프로모터에 의해 1350 뉴클레오티드 mRNA 를 생성하거나 하위 프로모터에 의해 800 뉴클레오티드 mRNA를 형성하여 뇌하수체와는 다른 전사과정을 거치게 된다. 뇌하수체외 종양에서 다양한 POMC 유전자 전사과정의 변형이 발생하는데, 뇌하수체와 유사한 1072-뉴클레오티드 mRNA를 생성할 수 있는 종양이 이소 ACTH 증후군을 유발한다. 일례로, 소세포폐암에서 1200-1450 뉴클레오티드 POMC mRNA 가 흔하게 발현되나, 이 중 이소 ACTH 증후군을 유발하는 종양은 0.5~1% 미만이다. 아직 이소 ACTH 분비를 촉진하는 기전은 추가 연구가 필요하나, POMC 프로모터의 탈메틸화가 POMC 과발현과 연관되어있다는 결과가 카르시노이드종양에서 보고되었으며, POMC 프로모터 탈메틸화와 함께 Rb 종양억제유전자의 소실이 소세포폐암의 발병 및 이소 ACTH 분비에 연관되어 있다는 연구결과가 있다.

4) 진단

이소 쿠싱증후군으로 인한 코르티솔 과잉상태는 이환율 및 사망률을 증가시키지만, 정확히 병소를 진단하여 적절한 치료를 하게 되면 완치의 가능성이 있으므로, 적극적인 진단 및 치료가 중요하다. 뇌하수체 쿠싱병과 이소 쿠싱증후군은 감별이 어려운데, 이는 이소성 카르시노이드 종양과 뇌하수체 종양 모두 크기가 작으며 영상검사에서 발견하기 어려운 경우가 많고, 약 10%에서는 비기능 뇌하수체 우연종이 존재하기 때문이다. 따라서, 하나의 검사에 의존하기보다는 비침습적/침습적 생화학검사 및 핵의학검사를 포함한 영상검사에서 얻어진 정보를 종합적으로 활용한 판단이 중요하다.

(1) 쿠싱증후군의 원인이 뇌하수체인가? 혹은 뇌하수체외병소인가?

① 아침 혈장 ACTH 농도는 대개 이소 ACTH 증후군에서 뇌하수체 쿠싱증후군에 비해 높게 측정되나(>90 pg/mL), 뇌하수체 쿠싱증후군에서도 30%가량에서 관찰되어 변별력이 부족하다.

② 저칼륨 알칼리증은 이소 ACTH 증후군에서는 95% 이상의 환자에서 관찰되나, 뇌하수체 쿠싱증후군에서는 10% 미만에서 관찰된다.

③ 고용량덱사메타손 억제검사에서 혈청 코르티솔이 50% 이상 억제되면 뇌하수체 쿠싱증후군 가능성을 시사하나, 검사 민감도가 80%로 ACTH 의존 쿠싱증후군이 의심되는 여성에서 뇌하수체 쿠싱증후군일 사전 가능성(a priori likelihood)이 90%인 것을 고려할 때 하추체정맥채혈술(IPSS)이 가능한 기관에서는 고용량덱사메타손 억제검사를 반드시 시행할 필요는 없어 보인다.

④ CRH 자극검사는 뇌하수체 쿠싱증후군에서 CRH 투여 시 ACTH 및 코르티솔 반응이 증가하는 현상을 이용한 검사로, 투여 후 ACTH가 50% 이상, 코르티솔이 20% 이상 증가 시 뇌하수체 쿠싱증후군을 시사하나, 민감도, 특이도가 약 90%이다. 단, ACTH 100% 이상 증가, 혹은 코르티솔이 50% 이상 증가한다면 이소 ACTH 증후군 가능성을 효과적으로 배제할 수 있어, 검사의 이점이 있다

⑤ 하추체정맥채혈술은 뇌하수체 쿠싱증후군과 이소 ACTH 증후군을 감별하는

가장 신뢰할 수 있는 방법으로, 하추체정맥 대 말초혈액 ACTH 농도가 2.0 이상으로 증가 시 뇌하수체 쿠싱증후군, 1.4 이하 시 이소 ACTH 분비를 시사한다. 다만 간헐적으로 분비되는 ACTH의 특성상 CRH 자극 후 시간 간격(3, 5, 10, 15분)을 두고 채혈하여 3.0 이상의 비를 확인 시 민감도 95%, 특이도 100%로 뇌하수체 쿠싱증후군을 진단할 수 있다.

(2) 이소 ACTH 증후군의 병소는 어디인가?

흉, 복부의 조영증강전산화단층촬영, 자기공명영상촬영 및 전신 핵의학영상검사를 통해 약 70~90%의 사례에서 뇌하수체외 ACTH분비종양을 찾을 수 있다. 소세포폐암 등 빠르게 자라는 악성종양을 제외한 분석에서는, 기존 영상검사만으로는 약 30%가량에서 병소를 발견하지 못하였으나, ^{68}Ga-DOTA-somatostatin analogue PET/CT 및 ^{18}F-FDG PET/CT 등 핵의학영상검사를 통해 추가적인 병소 발견이 가능하였다. ^{68}Ga-DOTA-somatostatin analogue PET/CT는 비교적 좋은 민감도(88~93%) 및 특이도(88~95%)를 보이며 특히 크기가 작은 저등급카르시노이드 종양 진단에 도움이 되고, ^{18}F-FDG PET/CT는 고등급카르시노이드 종양 및 악성종양 진단에 좋은 성적을 보여주어, 두 핵의학영상검사가 서로 상보적인 정보를 제공한다. 영상검사에서 진단이 불일치하거나 결과가 명확하지 않을 경우, 전신 혹은 선택적 정맥채혈술을 통해 말초혈액 대비 ACTH 농도비를 평가해 볼 수 있다.

5) 치료

이소 쿠싱증후군의 이상적인 치료목표는 수술을 통한 병변의 완전제거이다. 다만 이는 뇌하수체외종양의 악성도와 전이여부, 전이부위에 따라 조정되어야 한다. 분화도가 좋은 카르시노이드 종양의 경우, 림프절 혹은 간의 작은 전이병변 등은 원발병소와 함께 절제하여 완치를 기대해 볼 수도 있다. 수술적 절제가 어려운 경우 스테로이드형성억제제(케토코나졸 등) 로 약물치료를 시도해 볼 수 있고, 약제에 효과가 없거나 약제사용이 불가한 경우, 복약순응도가 좋지 못할 경우 양측부신절제술을 드물게 고려할 수 있다. 소마토스타틴유사체나 도파민 수용체 작용제를 사용해 볼 수 있으나, 약제 효능 소실(drug escape)이 흔하다. 소세포암종의 경우 적극적으로 종양내과 협진하에 항암약물치료 및 필요시 방사선치료를 고려할 수 있다. 전이성 카르시노이드 종양에서는 everolimus (mTOR inhibitor), sunitinib (tyrosine kinase inhibitor), 세포독성 항암제와 함께, 종양 부담을 덜기 위한 간 부분절제술을 고려할 수 있다. 펩타이드 수용체 방사성동위원소 치료는 최근 신경내분비종양치료 연구에서 좋은 성적을 거두고 있어 주목받는 치료법으로, ACTH분비종양에 대해서도 일부 증례에서 ^{177}Lu-DOTATATE 치료가 성공적으로 코르티솔 분비 정도를 억제하였다는 보고가 있어 추후 활용될 가능성이 있다.

6) 예후

이소 쿠싱증후군의 예후는 기저종양의 분화도와 전이 여부, 코르티솔 과잉 정도에 따라 달라진다. 일반적으로 소세포폐암에서 발생한 이소 쿠싱증후군의 경우 대부분 12개월 내 사망하여 가장 예후가 좋지 못하며, 이소 쿠싱증후군이 존재할 경우 소세포폐암 환자 중에서도 사망률이 높다. 전이성카르시노이드 종양의 경우에도 이소 쿠싱증후군이 존재할 경우 5년 생존율이 더 유의하게 낮은 것으로 보고된다(65% 대 75%). 다만, 수술적 절제를 통한 완치가 될 경우 이소 쿠싱증후군이 없는 환자에 비해 생존율의 차이가 없었다. 전이성 카르시노이드 종양에서 이소 쿠싱증후군이 동반될 경우 사망자 중 62%는 전이성병변의 진행으로 사망하였으며, 38%는 고코르티솔증에 따르는 합병증인 감염, 심부전, 폐색전증으로 사망하였다. 위험인자로, 첫 진단시 코르티솔 농도가 정상 상한치의 3배, 소변 유리코르티솔이 5배이면 유의하게 5년 생존율이 낮았다. 반면, 전형적인 ACTH분비 폐카르시노이드병변이 가장 예후가 좋았다. 원격 전이율이 13%로 흉선(83%), 췌장(77%), 비전형적 폐카르시노이드(50%)에 비해 낮았으며, 5년 생존율은 고코르티솔증이 잘 조절될 때 86%로 이소 ACTH 분비가 없는 폐카르시노이드 생존율과 유사하였다. 전형적 폐카르시노이드종양은 비교적 예후가 양호하지만, 병변 완전 절제 후 평균 10.7년이

지나 원격전이 및 재발이 보고된 바 있어, 장기간의 추적관찰을 요한다.

3. 요약

① ACTH 의존 쿠싱증후군 중 뇌하수체 쿠싱증후군과 이소 쿠싱증후군은 감별진단이 어려울 수 있어 세심한 접근을 요한다. 병소의 감별에 하추체정맥채혈술이 가장 신뢰할 만한 근거를 제공하며, 고용량덱사메타손 억제검사 및 CRH 자극검사 등을 활용할 수 있다.

② 이소 ACTH 분비 병소 탐색에 흉부 및 복부 조영증강전산화단층촬영, 자기공명영상촬영, 전신 ^{68}Ga-DOTA-sotatostatin analogue PET/CT 및 ^{18}F-FDG PET/CT를 활용할 수 있다.

③ 병변완전절제를 통한 완치가 이상적이나, 종양의 조직학적 특성 및 전이여부에 따라 스테로이드생성억제 약물치료, 세포독성 혹은 표적항암치료, 고식적(palliative) 병변절제를 통한 종양부담경감을 시도할 수 있다. 최근 ^{177}Lu-DOTATATE를 활용한 펩타이드 수용체 방사성동위원소 치료가 ACTH-분비 종양에서 코르티솔 조절 효과를 보고하였다.

④ 종양의 악성도와 종류, 코르티솔혈증 조절 정도에 따라 예후가 달라지며, 폐의 전형적인 카르시노이드종양의 경우 예후가 가장 양호하고, 소세포폐암에 동반된 이소 ACTH 증후군의 경우 예후가 가장 불량하다.

참고문헌

1. 김성연 외. 임상내분비학. 3rd ed. 서울: 고려의학; 2016;305-8.
2. 대한내분비학회. 내분비대사학. 2nd ed. 서울: 군자출판사; 2010;600.
3. Alexandraki KI, Grossman AB.The ectopic ACTH syndrome. Rev EndocrMetabDisord 2010;11:117-26.
4. Hayes AR, Grossman AB. The Ectopic Adrenocorticotropic Hormone Syndrome: Rarely Easy, Always Challenging. Endocrinology and Metabolism Clinics of North America 2018;47:409-25.
5. Isidori AM, Sbardella E, Zatelli MC, et al. Conventional and Nuclear Medicine Imaging in Ectopic Cushing's Syndrome: A Systematic Review. J ClinEndocrinolMetab 2015;100:3231-44.
6. Melmed S, Polonsky KS, Larsen PR, Kronenberg HM. Williams Textbook of Endocrinology. 13th ed. Canada: Elsevier; 2015; 201, 220, 511, 517, 523.

20-2 양측성거대결절성 부신 과증식증(Bilateral Macronodular Adrenal Hyperplasia)

이시훈
가천의대 내과학교실

양측성 거대결절성 부신 과증식증(bilateral macronodular adrenal hyperplasia, BMAH)은 양측성으로 부신피질의 결절이 발생하여 생긴 부신 기원의 쿠싱증후군을 일컫는다. 이전에 AIMAH, PMAH, PBMAH 등 여러 가지의 이름으로 불렸고, 양측성 부신의병변은 특정 유전자의 변이와 관련이 많다. 2013년에 Louiset 등은 부신피질의 종양세포에서 ACTH를 발현하고, 국소적으로 생성된 ACTH가 paracrine 혹은 autocrine의 방법으로 코르티솔의 분비를 자극하는 것을 보고하면서, BMAH가 ACTH의 비의존성은 아닌 것으로 보고했다. 대부분의 BMAH 환자에서 ACTH수용체 이외의 이상 수용체의 발현이 발견된다. BMAH는 주로 4~50대에 코르티솔의 과다분비로 인한 임상 증상으로 주로 진단이 된다. 또한 최근에는 부신우연종을 조사하는 과정에 종종 진단되기도 한다. 부신우연종은 전 인구의 약 0.4~5%에서 발견되고 그 중 10~15%는 양측성인데, 이 대부분은 BMAH이다. 이러한 양측성 부신우연종의 35%는 쿠싱증후군으로 진단된다. BMAH에 동반된 쿠싱증후군은 가끔 심각한 증상을 보이기도 하지만 대부분 경미하고 서서히 나타난다. BMAH는 다른 쿠싱증후군과 마찬가지로 여성에서 호발하지만, 아직 정확한 유병률은 알려져 있지 않다. 드물게 가족성으로 나타나는 증례나 양측성 및 다발성으로 나타나는 부신의 결절 때문에 유전자의 변이로 기인한다고 생각되는데, 가능한 후보 유전자로는 cAMP/PKA 신호전달에 작용하는 인자 혹은 가족성 종양증후군을 유발하는 *APC* 유전자, *MEN1* 유전자, *FH* 유전자 등이 BMAH를 유발하는 것으로 생각된다. 최근에 *ARMC5* 유전자의 변이가 산발성 혹은 가족성 BMAH를 일으키는 흔한 원인으로 나타났다.

1. 분자발병기전(그림 20-2-1, 2/표 20-2-1)

1) cAMP/PKA 신호전달의 이상

ACTH에 의해 자극된 PKA 경로의 활성화가 부신피질의 유지와 당질코르티코이드와 부신 안드로겐의 분비에 필수적이기 때문에 cAMP경로를 변화시키는 다양한 분자 혹은 세포학적 인자가 BMAH를 포함한 부신 종양의 발생과의 관련성이 알려졌다. 정상적인 부신피질 세포막에 존재하지 않는 이상 수용체나 존재하는 수용체의 발현과 그들에 작용하는 리간드의 결합으로 PKA 경로가 활성화되어 코르티솔의 과다분비가 발생하는 것이 처음으로 알려진 BMAH의 발생기전이다. 하지만, 이러한 이상 수용체가 발현되는 것을 설명할 수 있는 유전학적 기전은 밝혀진 바가 많지 않다. 다만, ACTH 수용체 유전자(*MC2R*)나 *GNAS*유전자, *PRKACA* 유전자 등의 변이가 일부 보고되었을 뿐이다.

2) BMAH와 관련된 다발성 종양 증후군

(1) 가족성 선종양 용종증과 *APC*의 변이

Wnt/β-catenin 신호전달체계의 활성화가 부신 종양 발생에 관련이 있는데, 특히 비코르티솔 분비 선종이나 부신피질암에서 발견된다. 가족성 선종양 용종증(familial adenomatous polyposis coli) 환자는 다수의 대장 용종과 조기 대장암의 위험이 증가하는데, 부신에도 비코르티솔 분비 선종이나 부신피질암, BMAH 등이 잘 동반된다. 가족성 선종양 용종증은 Wnt/β-catenin 신호전달을 억제하는 종양억제 유전자인 *APC*유전자의 생식세포 비활성화 변이로 인해 발생한다.

(2) 제1형 다발성 내분비 종양

MEN1 유전자의 생식세포 비활성화 변이로 발생하는 제1형 다발성 내분비 종양(multiple endocrine neoplasia type 1)은 부갑상선기능항진증, 췌장내분비종양 및 뇌하수체선종 등을 잘 동반하는데, 부신 병변도 양측성 혹은 일측성, 부신 종

양, 선종, BMAH, 부신피질암 등 다양하게 나타날 수 있다.

(3) Fumarate hydratase

Fumarate hydratase (FH) 유전자의 상염색체 우성 비활성화 변이는 유전성 평활근종 및 신세포암(hereditary leiomyomatosis and renal cell carcinoma, HLRCC)을 유발하는데, FH는 Krebs cycle에서 fumarate를 malate로 전환시키는 효소이다. HLRCC의 약 7.8%에서 부신 병변을 동반하는데, FH 유전자의 변이도 BMAH의 원인으로 생각되고 있다.

3) BMAH의 주요 돌연변이, *ARMC5*

쿠싱증후군이 동반된 산발성 BMAH 환자 33명을 대상으로 55%에서 *ARMC5* (armadillo repeat containing 5) 유전자의 생식세포 비활성화 변이가 발견되었고, 최근 더 큰 규모의 연구에서는 이 유전자 변이의 유병률은 25%에 달했다. 생식세포 변이는 미만성과 증식증을 유발했지만, 다른 형태의 거대결절은 추가로 체세포변이가 있을 때 발생했다. *ARMC5*유전자 변이와 이상 수용체의 발현과 연관성도 제시되었고, BMAH 이외의 종양, 예를 들면 뇌수막종과 동반과도 가능성이 있어 새로운 형태의 다발성 내분비 종양과 연관성도 제시되고 있다. *ARMC5*가 BMAH에서 가장 흔하게 발견되는 유전자 변이이지만, 확실한 유전형-표현형 관계는 발견되지 않았다. 하지만 이 변이는 상염색체 우성으로 유전되는 양상을 보였기 때문에 진료 시 이 변이를 갖고 있는 환자는 유전성 증후군의 일환으로 BMAH가 발생할지를 주의 깊게 추적관찰해야 한다. BMAH 환자의 진료 시 자세한 가족력 조사와 그들을 대상으로 유전자 상담이 시행되어야 한다.

4) 기타 BMAH관련 유전자 변이

*ARMC5*가 BMAH에서 흔하게 발견되는 첫 번째 유전자 변이이지만, 여전히 많은 수의 환자에서 쿠싱증후군의 범주에 해당되지 않거나 가족력이 정확히 해석되지

않는 경우가 많다. 최근의 유전체 분석 방법의 발달로 BMAH에 발견되는 다른 유전자 변이들도 계속 보고되고 있으나 한두 가지의 변이로만 설명이 불충분한 이유로 BMAH가 상당히 이질적이고 여러 복합적인 유전학적 변이에 의해 발생하는 것으로 보인다.

2. 치료

쿠싱증후군을 동반한 BMAH의 치료는 양측성부신절제술이 표준치료로 간주되었으나 이 경우 부신기능부전으로 삶의 질이 매우 피폐해질 수 있다. 그 대안으로 일측성부신절제술을 시행하여 좋은 결과를 보이고 있긴 하지만, 재발에 대해 늘 충분한 주의를 기울여야 한다. 특정 이상 수용체의 발현이 확인된 경우 수용체를 차단하는 약물을 사용하여 스테로이드 생성을 효과적으로 억제하는 방법이 매우 이상적이어서 시도가 되고 있으나 아직 만족할 만한 성적이 보고된 바는 많지 않은 실정이다.

3. 요약

최근의 유전학적인 발견으로 BMAH의 발생원인을 이해하는 새로운 장이 열렸다. 이미 *ARMC5*유전자의 생식세포 변이를 스크리닝함으로써 BMAH를 더 잘 진단하고 환자를 분류할 수 있게 되었는데 이와 관련된 더 많은 연구 및 정보를 통해 쿠싱증후군을 조기에 발견하고 예방할 수 있는 길이 열릴 가능성도 기대할 수 있게 되었다.

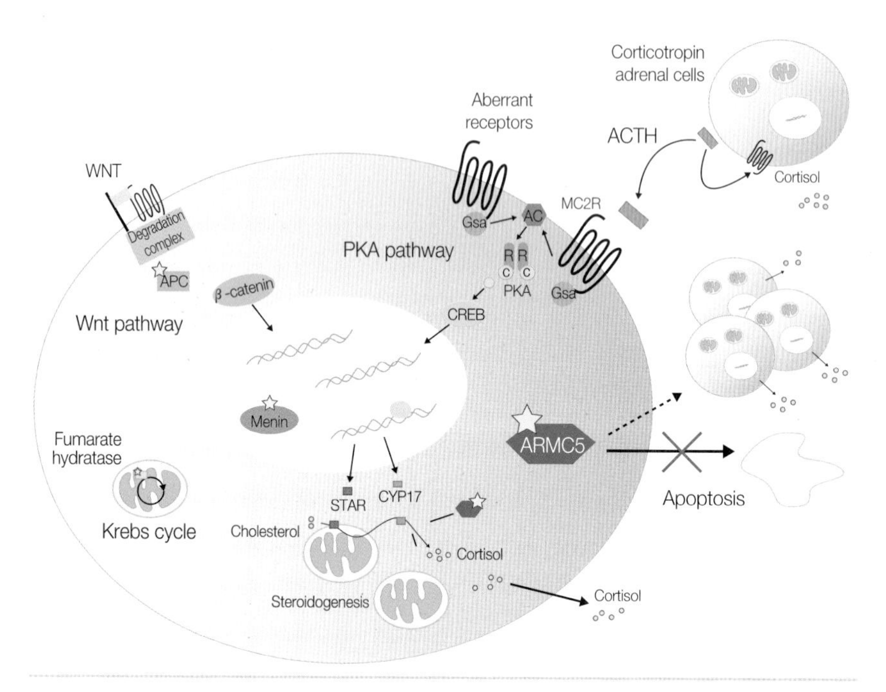

그림 20-2-1. **BMAH의 분자병인.** 돌연변이가 발생한 단백질은 별표로 표시. Corticotropin adrenal cells: 성선과 유사한 부신세포의 군집에서 국소적으로 분비되는 ACTH는 PKA 경로의 활성화에 autocrine 혹은 paracrine 작용을 나타냄. Aberrantreceptors: ectopic 혹은 eutopic한 비정상적 수용체의 발현과 각각에 작용하는 자극으로 인한 PKA경로를 활성화시킴. PKA pathway: PKA 경로의 활성화를 일으키는 다른 기전이 존재함. Wnt pathway: 부신 종양의 발생에 Wnt/β-catenin신호전달 체계도 포함됨. APC유전자의 변이는 복합체로부터 β-catenin의 유리를 방해하여, β-catenin을 세포질 및 핵 내에 축적하고 표적 유전자의 발현을 자극함. Krebs cycle: fumaratehydratase (FH)의 변이는 BMAH의 발생에 Krebscycle이 관여함을 시사함. Steroidogenesis: BMAH세포에서는 역설적으로 스테로이드 생합성이 불충분함. ARMC5불활성화 이후 스테로이드 생합성 효소의 작용이 억제됨. Apoptosis:ARMC5의 변이는 부신피질 세포의 apoptosis를 억제하고 세포를 축적해 세포 수준에서 코르티솔 생성은 감소하더라도 전반적인 코르티솔 분비를 증가시킴.

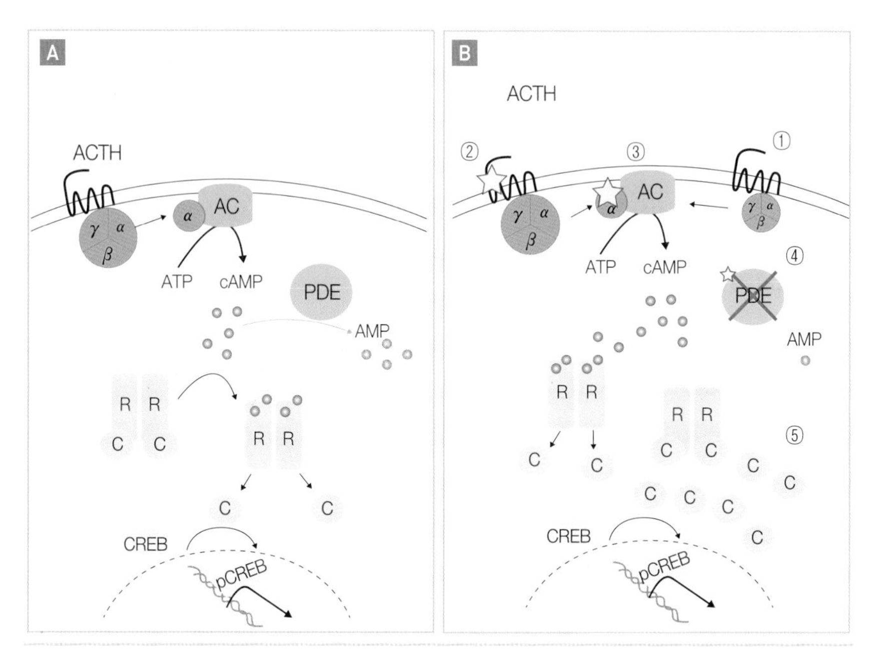

그림 20-2-2. BMAH에서 PKA 경로의 활성화. **(A)** 부신피질세포에서 세포막으로부터 핵내로 전달되는 cAMP/PKA신호전달 체계: 정상 세포에서 ACTH가MC2R에 결합하면 Gs단백질이 활성화됨. 활성화된 Gsα는 adenylylcyclase (AC)를 활성화하여 cAMP를 생성함. 4개의 cAMP분자는 regulatory subunits (R)의 이성체에 결합하고 catalyticsubunits (C)를 분리시킴. 유리된 catalytic subunits는 전사인자인 CREB을 인산화시켜 cAMP-regulated (CRE) 유전자의 전사를 활성화함. Phosphodiesterases (PDE)는 cAMP를 분해하여 이 신호전달 경로를 조절함. **(B)** 쿠싱증후군에서 비정상적인 cAMP/PKA 신호전달 체계의 조절:BMAH에서는 several molecular alterations of components of the cAMP/PKA신호전달 체계의 몇 가지 분자적 이상이 존재함 i) 이상 GPCR 수용체의 발현과 여기에 작용하는 리간드의 결합에 따른 PKA 경로의 활성화, ii) activatingmutation of MC2R의 활성화 변이에 따른 ACTH에 의한 PKA 경로의 과도한 활성화, iii) GNAS의 활성화 변이;iv) PDE11A의 불활성화 변이에 따른 cAMP의 축적, v) duplication of the PRKACA 유전자 중복에 따른 PKA catalytic subunits alpha의 축적.

표 20-2-1. BMAH와 관련된 유전자들

Gene	Locus	Function of the WT protein	Associated manifestations
ARMC5	16p11	No known function, potential role in regulation of apoptosis and steroidogenesis	Meningioma?
Menin	11q13	Regulator of gene transcription, cell proliferation, apoptosis, and genome stability	Multiple endocrine neoplasia type 1 (MEN 1): hyperparathyroidism, pituitary adenomas, pancreatic neuroendocrine tumors
FH	1q42	Krebs cycle, amino acid metabolism	Hereditary leiomyomatosis and renal cell carcinoma (HLRCC)
PDE11A	2q31-35	Hydrolysis of cAMP and cGMP	Isolated
GNAS1	20q13	Stimulation of adenyl cyclase, activation of the cAMP/PKA pathway	McCune Albright syndrome: fibrous bone dysplasia, café-au-lait spots, precocious puberty, acromegaly, toxic multinodular goiter
APC	5q12-22	Prevent β-catenin accumulation, inhibition of the Wnt/β-catenin pathway	Familial adenomatours polyposis: colon adenomas and carcinomas, pigmented retinal lesions, desmoids tumors, other malignant tumors as adrenocortical carcinomas
MC2R	18p11	ACTH receptor, activation of the cAMP/PKA pathway	Isolated
PRKACA	19p13.1	Catalytic subunit of PKA, activation of the cAMP/PKA pathway	

참고문헌

1. Albiger NM, Regazzo D, Rubin B, Ferrara AM, Rizzati S,Taschin E, Ceccato F, Arnaldi G, Giraldi FP, Stigliano A,Cerquetti L, Grimaldi F, De Menis E, Boscaro M, Iacobone M, Occhi G, Scaroni C. A multicenter experience on the prevalence of ARMC5 mutationsin patients with primary bilateral macronodular adrenalhyperplasia: from genetic characterization to clinical phenotype. Endocrine 2017;55:959-68.
2. Bourdeau I, Ghorayeb NE, Gagnon N, Lacroix A. Differential diagnosis, investigation and therapy of bilateral adrenal incidentalomas.European Journal ofEndocrinology 2018;179: R57 – R67.
3. Drougat L, Espiard S, and Bertherat J. Genetics of primary bilateral macronodularadrenal hyperplasia: a model for early diagnosisof Cushing's syndrome?European Journal of Endocrinology 2015;173:M121-M131.
4. Elbelt U, Trovato A, Kloth M, Gentz E, Finke R, Spranger J, Galas D,Weber S, Wolf C, Ko¨nig K et al. Molecular and clinical evidence for anARMC5 tumor syndrome: concurrent inactivating germline andsomatic mutations are associated with both primary macronodularadrenal hyperplasia and meningioma. Journal of Clinical Endocrinologyand Metabolism 2014;100:E119 – E128.
5. Lacroix A. Heredity and cortisol regulation in bilateral macronodularadrenal hyperplasia. New England Journal of Medicine 2013;369:2147-9.
6. Lee S, Ha MS, Eom YS, Park IB. Role of unilateral aderenalectomy in ACTH-independent macronodular adrenal hyperplasia.World Journal of Surgery 2009;33:157-8.
7. Lee S, Hwang R, Lee J, Rhee Y, Kim DJ, Chung UI, Lim SK. Ectopic expression of vasopressin V1b and V2 receptors in the adrenal glands of familial ACTH-independent macronodular adrenal hyperplasia. Clinical Endocrinology 2005;63:625-30.
8. Lee S, Lee KE, Kang ES, Chung SS, Kim DJ, Jin YM, Cha BS, Lim SK, Lee HC, Huh KB. A case of bilateral macronodular adrenal hyperplasia with Cushing's syndrome treated by unilateral adrenalectomy. Journalof Korean Society of Endocrinolology 2002;17:596-602.
9. Louiset E, Duparc C, Young J, Renouf S, TetsiNomigni M, Boutelet I,Libe' R, Bram Z, Groussin L, Caron P et al. Intraadrenalcorticotropin inbilateral macronodular adrenal hyperplasia. New England Journal of Medicine 2013;369:2115-212.

20-3 카니복합체의 일환으로서 PPNAD

PPNAD (primary pigmented nodular adrenocortical disease) in the context of Carney Complex(CNC)

김혜수
가톨릭의대 내과학교실

PPNAD (primary pigmented nodular adrenocortical disease)는 부신 자율성에 의한 쿠싱증후군의 원인 중 매우 드물게 보는 질환으로 현재는 카니복합체(carney complex, CNC)라는 상염색체 우성 유전질환의 일환으로 알려져 있다. 1939년 양측 부신피질의 갈색 혹은 흑색 색소 침착이 있는 많은 미세 결절이 원인으로 보이는 쿠싱증후군 환자가 처음 기술된 이후 1984년 PPNAD로 명명되었으나, 1985년 Carney 등에 의해 피부반점과 점액종, 그리고 여러 호르몬과다분비를 보이는 가족성 종양증후군인 카니복합체의 한 발현 유형으로 알려지게 되었다. 쿠싱증후군은 카니복합체 환자의 25~60%에서 발현된다 하고, 내분비질환 중에서는 가장 흔하다.

1. PPNAD와 쿠싱증후군

PPNAD는 현성 쿠싱증후군의 생화학적 진단에서 ACTH 비의존성 부신성 쿠싱증후군의 양상을 보이며, 특징적으로 덱사메타손억제검사에 대하여 오히려 소변유리코르티솔이 50% 이상 증가하는 역행반응(paradoxical response to dexamethasone suppression)을 보이는 경우가 많다. PPNAD는 양측성으로 생기고 부신이 전반적으로 커지지는 않으나 갈색 혹은 검은 색소를 포함한 보통 4 mm 이내의 작은 결절들이 무수히 생기고 결절들 사이의 정상적 부신 조직은 위축되어 구슬을 실에 꿴 것 같은 모양(string of beads)을 보인다고 하나, 컴퓨터 촬영이 진단에 결정적 도움을 주는 경우는 드물다.

최근 Mayo 크리닉에서 29명의 카니복합체 환자의 부신을 중심으로 분석한 것을 보면 위와 같은 전형적인 PPNAD와 동반된 쿠싱증후군을 보이는 경우 외에도 부신피질선종이나 거대결절로 나타나는 예도 있고, PPNAD의 병리를 가지지만 쿠싱증후군이 임상적으로 나타나지 않거나 쿠싱증후군이 자연적으로 관해되는 예도 드물게 있으며, 또는 주기적 쿠싱증후군의 양상을 보이는 예 등 다양한 것으로 분석되었다. 일부에서는 전형적인 쿠싱 모양 없이 골다공증, 근병증, 악액질 등으로 나타나는 환자도 있고, 코르티솔 분비의 정상적 하루주기만 없어지는 경우도 있다.

PPNAD에 의한 쿠싱증후군의 치료 원칙은 양쪽 부신전절제술이다. 그러나 경미한 쿠싱증후군 환자에서는 아전절제술이나 한쪽 부신절제술로 관해되는 경우도 있다. 케토코나졸로 과도한 코르티솔 생산을 억제할 수도 있다.

쿠싱증후군 중 PPNAD가 원인인 환자는 카니복합체의 다른 동반된 병변이 있는가 살펴보아야 한다.

2. 카니복합체의 진단

카니복합체의 진단기준은 거의 대부분의 카니복합체 연구에 관여하고 있는 Stratakis CA 등이 제시하고 있는데 2015년 최신 기준은 다음과 같으며, 11개의 주기준 중 2개 이상을 보이거나 1개의 주기준과 1개의 부기준을 만족할 때 내릴 수 있다.

- **주기준**
  ① 피부반점(입술, 결막, 눈구석, 외음부점막 등 특이한 장소)
  ② 점액종(피부, 점막 혹은 심장)
  ③ 유방 점액종증(myxomatosis)
  ④ PPNAD 혹은 덱사메타손억제검사에 대한 역행반응

⑤ 말단비대증(뇌하수체선종에 의한)
⑥ LCCSCT (large cell calcifying sertoli cell tumors) 혹은 고환초음파에서 특징적 석회화
⑦ 갑상선암 혹은 소아에서 갑상선의 다발성 저에코결절
⑧ PMS (psammomatous melanotic schwannomas)
⑨ 청색모반, 상피모양 청색모반(다발성)
⑩ 다발성 유방 도관선종(breast ductal adenoma, multiple)
⑪ 뼈연골점액종(osteochodromyxoma)

- **부기준**

① 직계 가족 중 카니복합체 환자
② *PRKAR1A* 유전자의 비활성 돌연변이
③ *PRKACA* 혹은 *PRKACB* 유전자의 활성 병적 변형(pathologic variants)

카니복합체 진단을 받은 환자는 심장초음파 검사를 매년 시행하고, 피부를 관찰하고, 말단비대증과 쿠싱증후군의 선별검사를 적절히 시행하고, 필요에 따라 갑상선 초음파검사나 부신 컴퓨터촬영, 뇌하수체 자기공명촬영, 또 PMS의 발견을 위한 뇌 혹은 척추 자기공명촬영을 시행하여야 하고, 남성은 고환 초음파검사를 매년 해야 하고, 여성도 주기적인 난소 초음파 검사를 해야 한다. 사춘기 전 아동은 키 성장 속도와 사춘기 발달 상태를 확인해야 한다.

3. 카니복합체의 유전학(Genetics)

2000년에 Kirschner 등이 카니복합체 환자에서 PRKAR1A (protein kinase A regulatory subunit type 1α)이라는 종양억제유전자의 비활성화 유전자변이를

발견하였고, 현재까지 125종 이상의 변이가 발견되었다. 카니복합체 환자의 60% 이상에서, 쿠싱증후군을 동반한 카니복합체 환자의 약 80%에서 이 유전자의 변이가 발견된다. PRKAR1A는 cyclic AMP-dependent protein kinase A의 regulatory subunit 1α를 부호화하는 유전자로 17번 염색체(17q23-24)에 11개의 엑손으로 되어 있으며 대부분의 돌연변이는 조기중지코돈(premature stop codon)을 형성하여 무의미 mRNA 붕괴(nonsense mRNA decay)가 일어나므로 변이단백질 없이 regulatory subunit 1α의 반부족(haploinsufficiency) 상태를 초래하여 cAMP에 의한 PKA의 catalytic subunit의 활성을 증가시킨다. 약 17%에서는 변형된 단백질이 형성된다고 하며 이 경우에는 카니복합체가 더 심한 임상양상으로 발현되는 경향이 있다. PRKAR1A 돌연변이가 있는 카니복합체의 질환발현(penetrance)은 50세까지 95%가 넘는다.

그 외 cAMP 신호전달경로를 비정상적으로 활성화시키는 다른 유전자 변이도 발견되었는데, PRKAR1A 돌연변이가 없는 단독 PPNAD 혹은 부신증식증에서 cAMP를 5'-AMP로 전환시키는 phosphodiesterase (PDE) 11A와 PDE8B의 돌연변이가 발견된 예가 있다.

최근에는 일측성 부신선종에 의한 쿠싱증후군 환자 59명 중 22명(35%)의 부신종양조직에서 PRKACA (protein kinase A catalytic subunit α)의 활성형 체세포 돌연변이가 발견되었고, 고티솔생성 부신증식증 환자 35명 중 5명에서 이 유전자 영역에서 생식선 유전자 중복(germline duplication)이 발견되었다. Protein kinase A의 catalytic subunit의 활성이 증가되는 변이이다.

또한 쿠싱증후군은 없으나 말단비대증이 있는 카니복합체 환자의 임파구에서 PRKACB (protein kinase A catalytic subunit β) 유전자가 있는 부위의 삼배 중복(triplication)을 보고한 예도 있다.

cAMP 신호전달경로를 비정상적으로 활성화시키는 다른 유전 질환으로는 McCune Albright syndrome이 있다. 이 질환은 G-protein coupled receptor (GPCR)의 stimulatory subunit α를 부호화하는 GNAS 유전자에 태아시기 활성

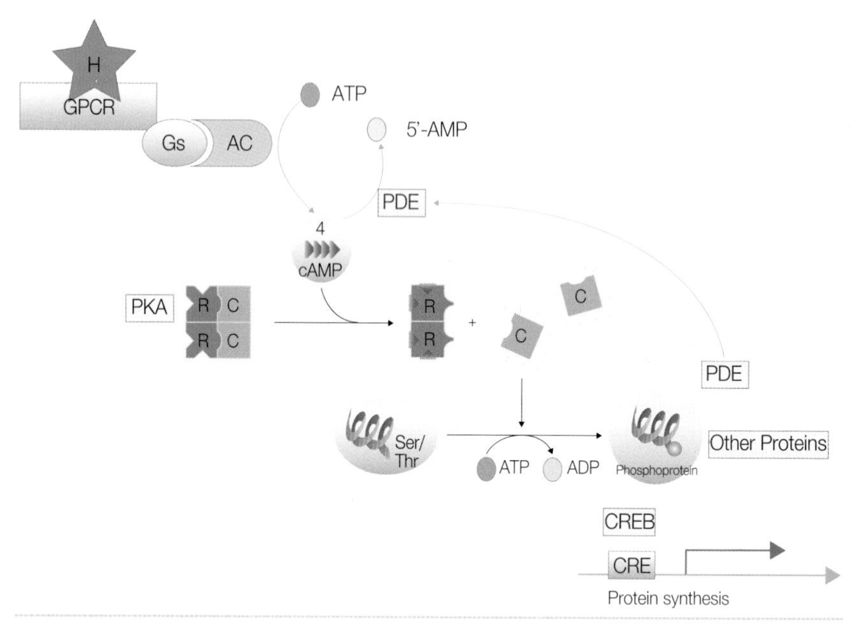

그림 20-3-1. cAMP 신호전달경로 중 PKA regulatory 및 catalytic subunit. 호르몬(H)이 GPCR (G-protein coupled receptor)에 결합하면 Gs (stimulatory G protein)과 AC (adenylate cyclase)이 연속적으로 활성화되면서 cAMP가 생산된다. 2R:2C 복합체인 PKA (protein kinase A)의 2R (regulatory subunit)에 4개의 cAMP가 붙으면 2C (catalytic subunit)가 유리되어 serine/threonine 계열의 단백질과 전사인자인 CREB (cAMP response element-binding protein)를 인산화시켜 활성화시키고, CREB는 유전자의 CRE (cAMP respone element)에 붙어 단백질 생산을 증가시킨다. 인산화된 단백질 중의 하나인 PDE (phosphodiesterase)는 cAMP를 분해하여 반응을 종식시킨다. 이 경로 중 cAMP의 신호전달을 증가시키는 유전자 이상이 많이 발견되는데 PKA의 regulatory subunit나 PDE를 비활성화시키거나 PKA의 catalytic subunit나 stimulatory G 단백을 활성화시키는 돌연변이 혹은 유전자 이상들이 카니복합체나 독립적 PPNAD, 부신선종 들에서 나타난다.

형 체세포성 돌연변이가 일어나는 질환으로 드물게 거대 혹은 미세결절성 부신증식으로 인한 쿠싱증후군을 유발할 수 있다(그림 20-3-1).

4. 증례

필자가 경험한 카니복합체에 동반된 PPNAD 증례를 소개한다. 22세 남자 환자가 쿠싱증후군 진단을 위해 내원했다. 과거력이 복잡했는데 10년 전 뇌종양으로 수술을 받았고, 피부결절 제거, 고환 조직검사 등 여러 기관에서 각각 시행한 적이 있는데 모두 올바른 조직진단은 받지 못하였다. 가족력은 부친과 형은 건강했으나, 모친이 32세의 젊은 나이로 갑자기 사망했다. 환자는 덱사메타손억제검사에서 역행반응을 보였고(표 20-3-1), 부신피질자극호르몬은 2.6 pg/mL 로 낮았다.

부신 컴퓨터촬영에서는 양쪽 부신에 모호한 작은 결절들이 여러 개 있으며 왼쪽 부신에 약 1.8 cm 의 큰 결절도 보였다. 치료는 양쪽 부신절제술을 시행하였으며 양쪽 부신에 5 mm 전후 크기의 갈색의 많은 미세결절들이 있었는데, 이는 조직검사상 색소침착이 있는 PPNAD로 확인되었고, 왼쪽 부신에 색소 침착이 없는 1.8 cm 크기의 부신선종도 동반되었다(그림 20-3-2).

이 환자의 귓바퀴와 두피, 얼굴, 목, 팔의 피부에 결절들이 있었고 조직검사 결과는 점액종이었으며, 카니복합체의 특이한 피부 반점은 없었지만 다리에 붉은 반점과 둥근 얼굴, 복부의 자색줄이 있었다. 고환초음파 검사에서 특징적 석회화가 양쪽에 있어서 LCCSCT로 진단이 가능하였고, 10년 전 수술로 완치된 오른쪽 소뇌다리뇌각의 뇌종양은 조직 슬라이드를 얻어 다시 검토한 결과 PMS로 진단하여 환자는 카니복합체 진단 기준을 충족하였다(그림 20-3-3). 심장과 갑상선초음파는 정상이었다. 환자의 임파구 및 부신 종양조직의 유전자 분석에서 PRKAR1A의 splice variant를 초래하는 새로운 치환돌연변이(c.441–2A>G)를 발견하였고 이는 조기

표 20-3-1. 덱사메타손억제검사의 역행반응결과

	기저치	저용량 덱사메타손검사	고용량 덱사메타손검사
혈청 코르티솔(μg/dL)	29.37	33.72	35.54
소변 유리코르티솔(μg/day)	287	579	938

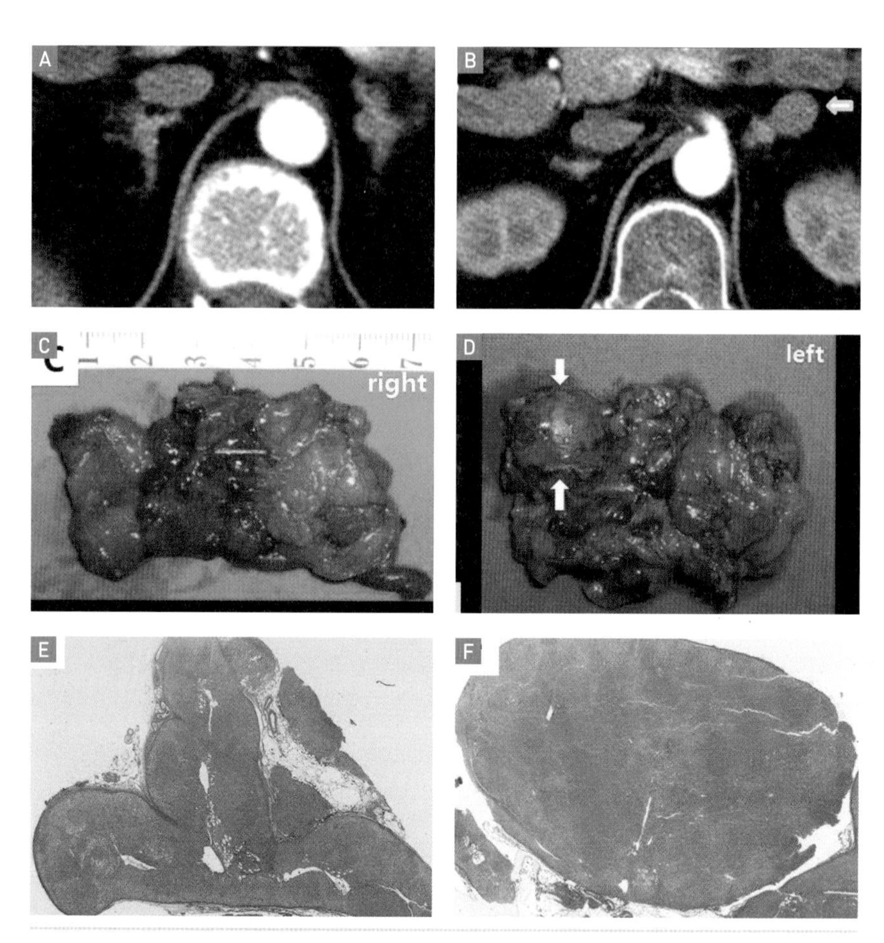

그림 20-3-2. 카니복합체 증례의 부신. (A) 부신 컴퓨터촬영에서 양쪽 부신에 작은 결절들이 여러 개 구슬처럼 보인다. (B) 부신 컴퓨터촬영 왼쪽 부신 끝에 1.8 cm의 큰 결절도 보인다(화살표). (C) 수술 후 육안검사에서 오른쪽 부신에 갈색의 작은 결절들이 부신 표면에 보인다. (D) 왼쪽 부신 육안검사에는 작은 결절과 함께 큰 결절도 보인다(화살표), (E) 조직검사에서 부신피질 내에 무수한 작은 결절들 보이고 일부는 피막 밖에도 있다. (F) 1.8 cm의 큰 결절은 부신선종으로 진단되었고 색소 침착도 없었다.

중지코돈을 형성하여 짧은 mRNA는 붕괴되는 것으로 확인하였다.

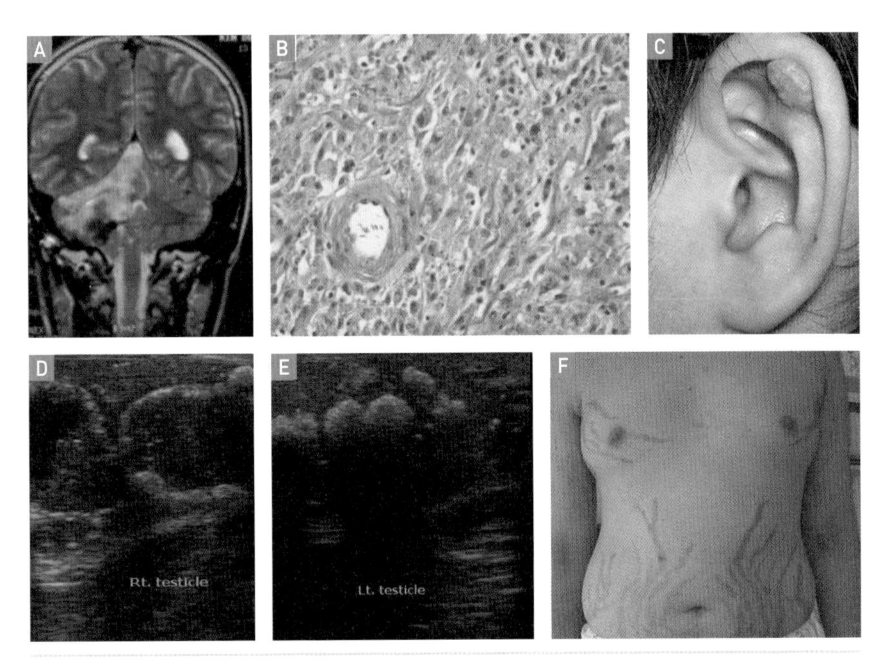

그림 20-3-3. 카니복합체 증례의 오른쪽 소뇌다리뇌각의 PMS로 확인된 (A) 뇌종양과 (B) 조직, (C) 귓바퀴의 점액종, (D,E) 양쪽 고환에서 특징적 석회화를 초음파 검사로 확인한 LCCSCT, (F) 전형적인 쿠싱증후군의 복부 자색줄.

참고문헌

1. Carney JA, Gordon H, Carpenter PC. The complex of myxomas, spotty pigmentation, and endocrine overactivity. Medicine(Baltimore) 1985;64:270-83
2. Correa R, Salpea P, Stratakis CA. Carney complex an update. Euro J Endocrinol 2015;173:85-97.
3. Jang YS, Moon SD, Kim JH, et al. A novel PRKAR1A mutation resulting in a splicing variant in a case of Carney complex. Korean J Intern Med 2015;30:730-5.
4. Kirschner LS, Carney JA, Pack SD, et al. Mutations of the gene encoding the protein kinase A type 1-alpha regulatory subunit in patients with the Carney complex. Nat Genet 2000;26:89-92.
5. Lowe KM, Young WF Jr, Lyssikatos C, et al. Cushing syndrome in Carney Complex. Am J Surg Pathol 2017;41:171-81.

20-4 쿠싱증후군을 동반한 부신암

홍은경, 최윤미
한림의대 내과학교실

1. 증례

28세 여자가 3개월 전부터 시작된 허리통증을 주소로 내원하였다. 수개월 전부터 체중증가(10 kg/6개월), 여드름이 발생하였으며, 전신위약감과 전신에 다발성 멍을 호소하였으나 특별히 진단 및 치료 없이 지냈으며, 1개월 전 고혈압을 진단받았다. 일주일 전부터 발생한 하지감각 저하로 이틀 전 정형외과 내원하여 시행한 흉추 요추 엑스선에서 병적골절(10번 흉추, 5번 요추) 발견되었고, 이에 시행한 복부전산화단층촬영에서 좌측 후복막 신장 상부에서 16 cm 의 거대한 덩이 발견되어 혈액종양내과로 내원하였다. 가족력으로 할머니가 대장암이 있었으며, 어머니가 고혈압, 당뇨가 있었다.

신체검진 시 170 cm/81 kg (체질량지수 28.03 kg/m^2)였으며, 하부복부, 넓적다리와 팔뚝에 선명한 자색 선조를 보였고, 얼굴 전반에 심한 여드름을 가지고 있었다. 또한 전형적인 월상안과 물소혹을 보였다. 좌상복부 비특이적 복부통증을 호소하였으나 압통은 없었으며, 복부가 굉장히 비만하였으며, 덩이가 촉진되지 않았다.

첫 기본적인 임상검사에서 온혈구계산은 정상이었고, 간기능 검사는 아스파르테이트아미노전달효소/알라닌아미노기전달효소 79/13 IU/L, 전해질 수치에서 저칼륨혈증(나트륨/칼륨/염화물 142/3.2/101 mmol/L)을 보였다.

신경학적 응급상황으로 덱사메타손 4 mg 매 6시간 간격 투여 중 시행한 부신피질자극호르몬(ACTH)과 코르티솔은 각각 <0.1 pg/mL, 25.4 μg/dL, 24시간 소변 코르티솔 2276.40 μg/day, 24시간 소변 크레아티닌 1.32 g/day 이었다. 디히드로에피안드로스테론황산염(DHEA-S)은 984.1 μg/dL(참고치 70.2~413.4 μg/dL)였

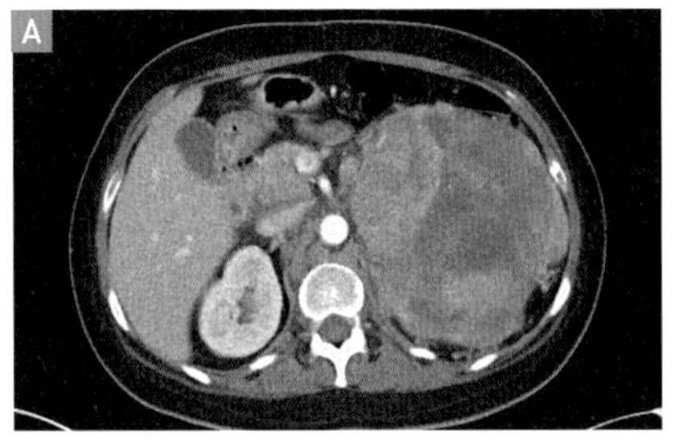

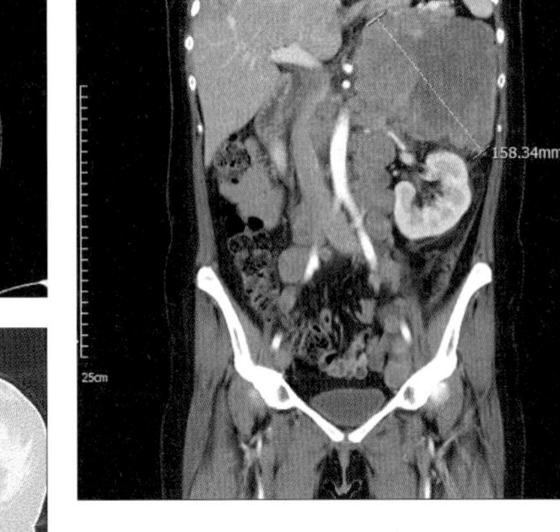

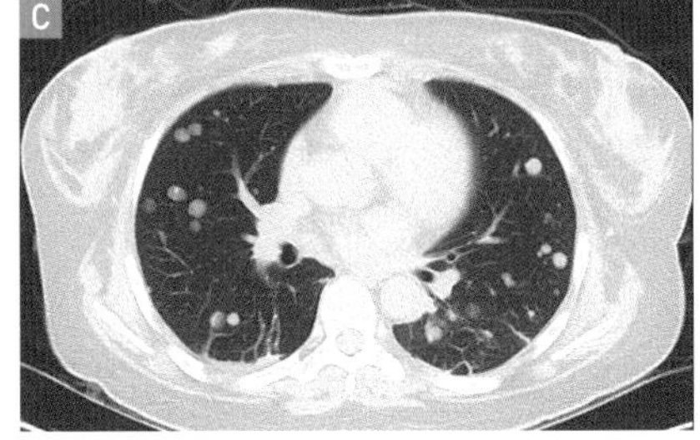

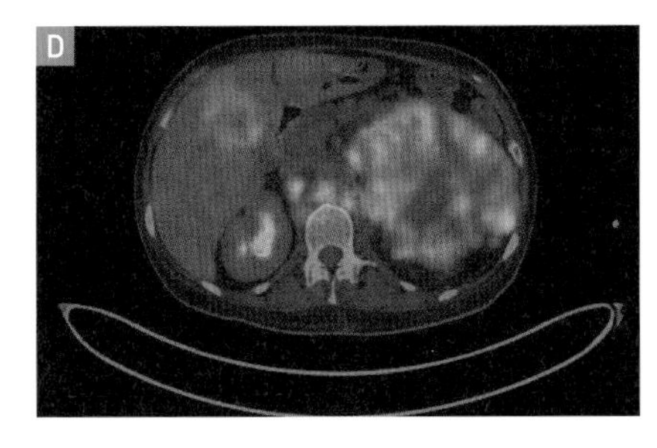

그림 20-4-1. 복부 전산화단층촬영(A, B)과 흉부 전산화단층촬영(C), 양전자방출단층촬영(D). **(A,B)** 복부 전산화단층촬영에서 16 cm 가량되는 매우 큰 덩이가 좌측 신장 위 발견되고, **(C)** 흉부촬영에서 다발성 전이병소가 발견된다. **(D)** 양전자방출촬영에서 역시 좌측 복부 종괴와 간전이 병소가 관찰된다.

다. 갈색세포종 감별을 위한 혈장 메타네프린/노르메타네프린 수치는 각각 0.11/0.20 nmol/L (참고치<0.5/<0.90 nmol/L), 24시간 소변 총메타네프린은 0.3 mg/day (참고치 0.0~0.8 mg/day)이었다.

흉부 및 복부 단층촬영과 양전자방출단층촬영에서 16 cm 에 달하는 거대종괴가 좌측 후복막에 관찰되었고, 다발성 폐, 간전이가 관찰되었다(그림 20-4-1).

골밀도 측정 결과는 그림 20-4-2와 같았다.

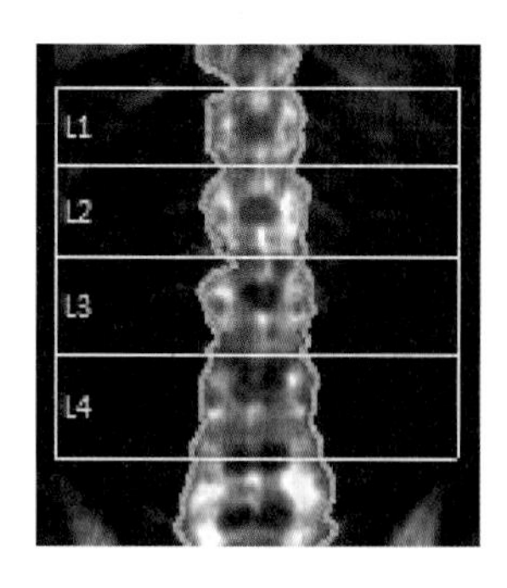

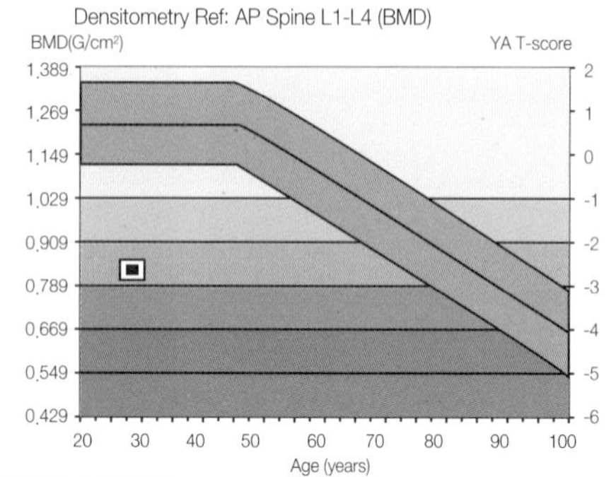

Region	BMD (g/cm²)	Young-Adult		Age-Matched	
		%	T-score	%	Z-score
L1	0.825	77	-2.0	71	-2.8
L2	0.896	79	-1.9	73	-2.7
L3	0.842	70	-3.0	65	-3.7
L4	0.776	66	-3.4	61	-4.2
L1-L2	0.864	79	-2.0	72	-2.7
L1-L3	0.855	75	-2.3	70	-3.1
L1-L4	0.830	72	-2.7	67	-3.4
L2-L3	0.867	75	-2.5	69	-3.2
L2-L4	0.831	71	-2.8	66	-3.6
L3-L4	0.806	68	-3.2	63	-4.0

Matched for Age, Weight (females 25-100 kg), Ethnic
Korea (ages 20-40) AP Spine Reference Population (v110)
Statistically 68% of repeat scans fall within 1SD (±0.010 g/cm2 for AP Spine l1-l4)

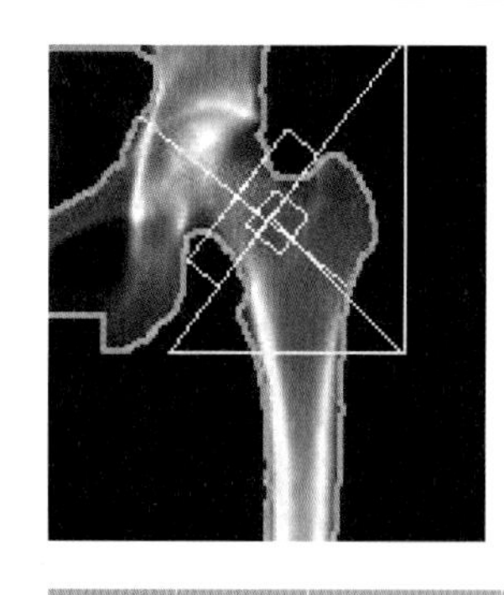

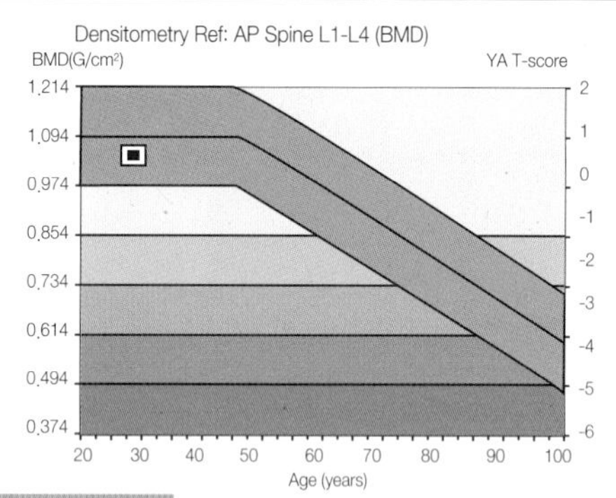

Region	BMD (g/cm²)	Young-Adult		Age-Matched	
		%	T-score	%	Z-score
Neck	1.085	115	1.2	105	0.4
Wards	0.918	109	0.5	103	0.2
Troch	0.810	110	0.7	95	-0.4
Shaft	1.217	-	-	-	-
Total	1.048	108	0.6	96	-0.3

Standardized BMD for Total is 995 mg/cm²
Matched for Age, Weight (females 25-100 kg), Ethnic
Korea (ages 20-40) AP Spine Reference Population (v110)
Statistically 68% of repeat scans fall within 1SD (±0.010 g/cm2 for AP Spine l1-l4)

그림 20-4-2. 골밀도. 골밀도 측정에서 허리척추에 골다공증 소견을 확인할 수 있다.

환자 입원 후 하지 운동신경 저하 및 소변 저류 소견으로 응급 후방나사고정(posterior Screw Fixation) 8-9-11-12 및 종양제거술 시행하였다. 수술시 제거된 전이부위 조직에서 최종조직학적 검사 결과 부신암으로 확인되었으며, 이외 양측 폐 다발성 전이 및 간전이가 동반되어 있었으며, 간에서 조직검사시에도 동일 암세포로 확인되었다.

환자는 수술 후 척추부위 고식적 방사선치료를 시행하였고, 세포독성항암치료와 함께 mitotane 치료를 시작하였다. 치료 2개월 후 아침코르티솔은 35.3 μg/dL 에서 18.9 μg/dL 로 감소, 디히드로에피안드로스테론황산염은 823.6 μg/dL 에서 374.7 μg/dL 까지 각각 감소하였으나, 환자는 스테로이드 보충에도 불구하고 mitotane 치료에 따른 부신기능부전 증상을 잘 견디지 못하여 중단하였다. 이후 4개월째 원발부위 및 전이암 모두 진행소견을 보였고, 이후로는 보존적치료와 호르몬 과잉에 대해 ketoconazole 치료만 시행 중이다.

2. 리뷰

부신암은 부신피질에서 발생하는 매우 드문 암으로서 종종 호르몬 분비 기능을 가지며, 매우 예후가 안 좋은 암이다. 본 증례를 통해 부신암에 대한 간단한 고찰을 하고자 한다.

1) 역학

부신암의 발생률은 백만명당 0.7~2건 정도로 추정되며, 모든 악성종양에 있어 0.05~2% 정도를 차지하는 것으로 알려져 있다. 나이에 따른 발생분포는 두 군데의 정점을 보이며, 첫째는 Li-Fraumeni와 Beckwith-Wiedemann 신드롬과 같이 유전적 신드롬과 관련되어 5세 미만의 이른 유아기에 흔하며, 둘째는 40~50대에 흔히 발생한다. 성별에 따른 분포는 남녀가 크게 다르지 않다는 보고와 여성에서 조금 더 흔하다는 보고가 혼재되어 있다. 평균 전체생존기간(overall survival)은 14.5개월로 알려져 있으며, 5년 사망률은 75~90%에 달한다.

2) 임상양상

부신암 환자의 40~60%가량은 호르몬 과잉과 연관된 증상과 징후가 주호소 증상으로 나타난다. 이외 30% 가량의 환자들은 국소적 종양성장에 따른 비특이적 증상들(복부통증, 옆구리 통증, 복부팽만감, 포만감 등)을 호소한다. 마지막으로 20~30% 가량은 부신우연종으로 발견된다. 국내 데이터에서도 비슷한 결과를 보이며, 부신우연종의 4.3%가량이 부신암으로 확인되었다.

부신암 중 45~70%는 부신피질호르몬 분비 종양으로, 코르티솔 분비가 50~80%로 가장 흔하고, 안드로겐(남성호르몬) 분비는 약 40~60%이며, 코르티솔과 안드로겐을 동시에 분비하는 부신암은 호르몬 분비 부신암의 절반가량을 차지한다. 고코르티솔증은 다혈색(plethora), 당뇨병, 근육약화/위축, 골다공증 등 전형적인 증상을 일으키고, 아주 높은 코르티솔 수치는 당질코르티코이드 매개 염류코르티코이드(mineralocorticoid) 작용으로 저칼륨혈증과 고혈압도 흔히 일으킨다. 안드로겐 호르몬은 빠르게 진행하는 남성형 대머리, 남성형다모증, 남성화, 그리고 여성에서 생리불순을 일으킨다. 진단 당시 대개의 부신암은 평균적으로 10~13 cm로 종양크기가 매우 크다. 뿐만 아니라 처음부터 원격전이를 갖는 경우가 많은데, 이전 연구에서는 40% 이상으로 보고되었고, 최근에는 25~30%가량이 진단 당시 원격전이를 보이는 것으로 나타난다. 가장 흔한 원격전이 장기는 폐이며(40~80%), 그 다음으로 간(40~90%), 뼈(5~20%) 순이다.

3) 진단

(1) 생화학적 진단

생화학적 평가 시 꼭 측정되어야 하는 호르몬은 표 20-4-1과 같다.

표 20-4-1. 진단검사의학적 검사

필수	혈액: 1mg 덱사메타손 억제검사, 오전 8시코르티솔/부신피질자극호르몬, 디히드로에피안드로스테론황산염, 테스토스테론, 레닌/알도스테론, 메타네프린/노르메타네프린 24시간소변: 유리코르티솔
선택	혈액: 17-수산화-프로게스테론, 17-수산화-pregnenolone, 11-deoxycorticosterone, 프로게스테론, 안드로스텐디온, 에스트라디올, 난포자극호르몬, 황체형성호르몬

코르티솔 분비 부신암 환자들은 오전 8시에 억제된 부신피질자극호르몬(<10 pg/mL) 수치를 보이며 증가된 코르티솔 수치를 보인다. 고코르티솔증의 진단은 1 mg 덱사메타손 억제검사, 자정 침샘 코르티솔, 24시간 소변 유리코르티솔 수치를 통해 이루어진다. 디히드로에피안드로스테론황산염과 남성호르몬의 측정은 꼭 필요하며, 증가된 값은 암표지자로서 유용하다. 스테로이드호르몬 측정 이외에 생화학적 갈색세포종의 배제는 매우 중요하다. 혈장 혹은 24시간 소변에서 메타네프린과 노르메타네프린 측정을 통해 배제할 수 있다.

(2) 영상진단

첫 영상진단 및 병기설정을 위해 조영증강전산화단층촬영 혹은 자기공명영상을 시행할 수 있다. 부신암은 내부 출혈, 괴사, 석회화 등으로 비균질한 증강을 보이며, 선종에 특징적인 낮은 음영(<10 HU) 및 조영증강배출율을 보이지 않는다. 양전자방출단층촬영에서 부신암은 크고, 비균질한 덩이로 보이며, 간 배경 대비 강렬한 FDG 섭취를 보인다. 한 연구에서 양성으로부터 악성병변의 감별에 간 대비 부신의 최대 SUV (standardized uptake value) 비를 1.45 초과를 사용하였을 때, 민감도 100%, 특이도 88%를 보였다. 하지만 양전자방출단층촬영을 통해 부신암을 전이암, 림프종, 갈색세포종과 구분하기는 어렵다.

4) 병리

부신암 진단에 있어 병리적 진단은 아주 중요하다. 부신선종으로부터 부신암 감별의 어려움으로, Weiss, Hough, van Slooten, modified Weiss 점수 체계 등이 사용되었고, 그 중 Weiss 점수가 가장 간단하고 믿을 만한 체계로 받아들여지고 있다. 총 9개 항목으로 이루어진 Wiess점수는 각각 세 항목씩 세포학적 특성(nuclear grade, mitoses, atypical mitoses), 종양구조(clear cells, diffuse architecture, confluent necrosis), 침범(venous invasion, sinusoidal invasion, capsular infiltration)을 나타내며, 이 중 3개 이상을 만족할 시 부신암으로 분류한다. 위와 같은 점수체계로 양성과 악성의 감별이 어려운 경우에 있어서, 보조적인 도구로서 조직화학적 기술로 부신암에서 레티쿨린 그물(reticulin network)의 파열을 확인하는 레티쿨린 염색방법과 면역조직화학염색법이 있다. 면역조직화학염색 중 Ki-67은 증식 면역표지자이며, 일반적으로 부신암은 Ki-67 표지 지수가 5%를 초과한다고 받아들여지고 있다.

흔치는 않지만 부신암은 조직학적 변형이 존재하며, 호산성세포(oncocytic), 점액모양(myxoid), 육종(sarcomatoid)변형부신암이있다.

5) 예후

부신암은 전반적으로 매우 불량한 예후를 보이지만, 개별적으로 매우 다양한 질병경과, 재발, 전체생존기간을 보이며 아직 결정적인 예후인자는 밝혀져 있지 않다. 환자 나이, 종양크기, 병기(표 20-4-2) 등이 예후와 연관되어 있고, Ki-67 표지지수, 높은 종양 등급(>20 유사분열/HPF) 또한 나쁜 예후인자로 알려져 있다. 호르몬 분비 기능과 예후의 연관성은 크게 관련 없다는 연구들도 있으나 최근 코르티솔 분비가 나쁜 예후와 연관된다는 연구들도 있다.

6) 치료

현재까지 유일한 치유적 접근은 완벽한 종양 절제술뿐이다. 보조치료들은 재발의 위험을 낮추는데 목적이 있다. 절제 불가능하거나 원격전이가 있는 경우의 치료는 모두 고식적 목적으로 접근해야 한다.

표 20-4-2. 부신암의 병기

	ENSAT*/TNM 8차		
Stage 1	T1	N0	M0
Stage 2	T2	N0	M0
Stage 3	T1/T2	N1	M0
	T3/T4	N0/N1	M0
Stage 4	Any T	Any N	M1

T1, ≤5 cm; T2, >5 cm; T3, 주변조직 침습; T4, 주변장기 침범; N0, 주변 임파선 전이 없음; N1, 임파선 전이; M0, 원격전이 없음; M1, 원격전이.

*European Network for the Study of Adrenal Tumors

(1) 수술적 치료

전이가 없는 부신암에서 수술적 치료는 일차선택치료이다. 수술은 적절한 영상검사와 생화학적 검사를 포함한 수술 전 진단 검사를 수행한 이후에 시행할 수 있으며, 영상검사에서 명백히 악성을 배제할 만한 특성을 보이지 않는다면 암수술에 준해서 절제술을 시행하여야 한다. 주변 침습이나 임파선 전이가 없는 1–2기에, 복강경을 통한 절제술이나 개복 절제술을 비교한 논문들은 국소재발과 복막전이에 있어서 차이가 없다는 결과와 복강경 절제술에서 더 흔하다는 결과가 혼재한다. 하지만 American Association of Clinical Endocrinologists/American Association of Endocrine Surgeons에서는 개복 부신절제술을 일차선택으로 권고한다. 코르티솔 분비 부신암에서는 근치적 부신절제술 이후에는 일시적인 코르티솔 부족이 발생하기 때문에 술 후 당질코르티코이드 보충이 필요하다.

한 보고에 따르면, 부신암으로 수술을 받은 환자 중 9%는 현미경적으로 경계침윤이 있고(R1), 10%는 육안적 경계침윤(R2)이 있다. 표면상 완전 절제를 하였다고 하여도 국소 재발의 위험은 19%에서 34%에 달한다. 따라서 국소 재발 위험이 높은 환자군에서 보조요법으로 방사선 치료와 mitotane 치료가 시행되고 있으나 이러한 보조치료의 효과에 관한 결론적 자료가 있지는 않다.

(2) 약물 치료

① Mitotane

Mitotane은 다수의 미토콘드리아 cytochrome P450 의존 효소의 억제와 연관되어 스테로이드호르몬 생성에 있어 중대한 영향력이 있는 것으로 잘 알려져 있다. 뿐만 아니라 mitotane은 직접적으로 부신피질에 세포독성을 보이나 이 억제 효과의 구체적인 기전에 대해서는 완벽히 이해되지는 않았다. 한 연구에 따르면, 미토콘드리아 손상이 세포자멸사 과정을 활성화시키는 것을 보였다.

수술 후 보조요법으로서 mitotane의 사용에 관한 연구는 모두 후향적이라는 한계가 있으나 의미 있게 무병생존기간을 늘리는 것으로 보고되며, 방사선치료와 함께 상승작용을 나타낸다는 보고도 있다. 반면 전체 생존기간에 있어서는 보고마다 결과가 상이하다. 현재 유일한 전향적 무작위배정 다기관 연구가 진행 중이다(ADIUVO, efficacy of adjuvant mitotane treatment).

전절제가 불가능한 진행된 부신암의 치료에 mitotane의 효능은 전반적으로 30% 가량의 환자가 부분관해 혹은 안정병변에 드는 것으로 여러 연구에서 보고하고 있다.

일반적으로 mitotane은 첫 시작 시 1 g 하루 2번으로 시작하고, 4~7일 간격으로 0.5~1 g 씩 증량하여, 5~7 g 까지 늘린다. 혈액 내 mitotane 수치의 적절한 모니터링이 중요하며, 14~20 mg/L 가 적당하다. Mitotane의 부작용은 주되게 오심, 설사와 같은 소화기계 부작용과 경한 정신지연, 조화운동불능, 심한 졸음 등과 같은 신경계 부작용, 간수치 상승과 같은 생화학적 이상을 일으킬 수 있다. 주된 내분비적 부작용은 부신기능부전과 생식샘저하증, 유리 T4 저하 등이 있다. 이외 스타틴, 아편제제, 와파린과 같은 약물과의 상호작용에 대한 고려도 필요하다.

② 항암치료

고식적 세포독성 항암치료는 진단 당시 이미 진행된 부신암이나 mitotane 치료 중 진행을 보이는 환자에서 mitotane과 병행하여 시행될 수 있다. 이전 여러 복합 항암요법에서 반응률은 30~50% 정도로 확인되지만 반응은 대개 오래가지 못한다

(6~18개월). 최근에는 EDPM 요법(etoposide, doxorubicin, cisplatin, mitotane)이 표준치료로 받아들여지고 있다.

(3) 방사선 치료

질병 치유의 목적과 진행된 상태에서 증상의 개선을 위하여 부신암의 국소조절은 중요하다. 모든 연구결과들이 일치하지는 않지만, 몇몇 연구들에서 보조요법 혹은 고식적요법에서 방사선 치료의 효능을 보여주고 있다.

7) 추적 관찰

부신암 환자들은 초치료 이후에 3개월 간격으로, 철저한 신체검진과 재발 혹은 호르몬과잉과 관련된 문진 및 검사를 받아야 한다. 정기검사에는 가슴, 배, 골반을 포함하는 단층촬영영상과 종양표지자로 역할을 할 수 있는 디히드로에피안드로스테론황산염과 남성호르몬과 같은 스테로이드 호르몬의 측정이 포함되어야 한다.

참고문헌

1. Abiven G, Coste J, Groussin L, et al. Clinical and biological features in the prognosis of adrenocortical cancer: poor outcome of cortisol-secreting tumors in a series of 202 consecutive patients. The Journal of Clinical Endocrinology & Metabolism 2006;91:2650-5.
2. Allolio B, Hahner S, Weismann D, Fassnacht M. Management of adrenocortical carcinoma. Clinical endocrinology 2004;60:273-87.
3. Assié G, Antoni G, Tissier Fdr, et al. Prognostic parameters of metastatic adrenocortical carcinoma. The Journal of Clinical Endocrinology & Metabolism 2007;92:148-54.
4. Bharwani N, Rockall AG, Sahdev A, et al. Adrenocortical carcinoma: the range of appearances on CT and MRI. American journal of roentgenology 2011;196:W706-W714.
5. Choi YM, Kwon H, Jeon MJ, et al. Clinicopathological Features Associated With the Prognosis of Patients With Adrenal Cortical Carcinoma: Usefulness of the Ki-67 Index. Medicine 2016;95:e3736.
6. Duregon E, Fassina A, Volante M, et al. The reticulin algorithm for adrenocortical tumor diagnosis: a multicentric validation study on 245 unpublished cases. The American journal of surgical pathology 2013;37:1433-40.

7. Else T, Kim AC, Sabolch A, et al. Adrenocortical Carcinoma. Endocrine Reviews 2014;35:282-326.
8. Else T, Williams AR, Sabolch A, Jolly S, Miller BS, Hammer GD. Adjuvant therapies and patient and tumor characteristics associated with survival of adult patients with adrenocortical carcinoma. The Journal of Clinical Endocrinology & Metabolism 2014;99:455-61.
9. Fassnacht M, Kroiss M, Allolio B. Update in adrenocortical carcinoma. The Journal of Clinical Endocrinology & Metabolism 2013;98:4551-64.
10. Groussin L, Bonardel G, Silvéra S, et al. 18F-Fluorodeoxyglucose positron emission tomography for the diagnosis of adrenocortical tumors: a prospective study in 77 operated patients. The Journal of Clinical Endocrinology & Metabolism 2009;94:1713-22.
11. Kim J, Bae KH, Choi YK, et al. Clinical characteristics for 348 patients with adrenal incidentaloma. Endocrinology and Metabolism 2013;28:20-5.
12. Morimoto R, Satoh F, Murakami O, et al. Immunohistochemistry of a proliferation marker Ki67/MIB1 in adrenocortical carcinomas: Ki67/MIB1 labeling index is a predictor for recurrence of adrenocortical carcinomas. Endocrine journal 2008;55:49-55.
13. Nakamura Y, Yamazaki Y, Felizola SJ, et al. Adrenocortical Carcinoma. Endocrinology and Metabolism Clinics 2015;44:399-410.
14. Papotti M, Libè R, Duregon E, Volante M, Bertherat J, Tissier F. The Weiss score and beyond—histopathology for adrenocortical carcinoma. Hormones and Cancer 2011;2:333-40.
15. Polat B, Fassnacht M, Pfreundner L, et al. Radiotherapy in adrenocortical carcinoma. Cancer 2009;115:2816-23.
16. Puglisi S, Perotti P, Pia A, Reimondo G, Terzolo M. Adrenocortical Carcinoma with Hypercortisolism. Endocrinology and Metabolism Clinics 2018;47:395-407.
17. Sturgeon C, Shen WT, Clark OH, Duh Q-Y, Kebebew E. Risk assessment in 457 adrenal cortical carcinomas: how much does tumor size predict the likelihood of malignancy? Journal of the American College of Surgeons 2006;202:423-30.
18. Sung T-Y, Choi YM, Kim WG, et al. Myxoid and Sarcomatoid Variants of Adrenocortical Carcinoma: Analysis of Rare Variants in Single Tertiary Care Center. Journal of Korean medical science 2017;32:764-71.
19. Terzolo M, Zaggia B, Allasino B, De Francia S. Practical treatment using mitotane for adrenocortical carcinoma. Current Opinion in Endocrinology, Diabetes and Obesity 2014;21:159-65.
20. Zeiger M, Thompson G, Duh Q-Y, et al. American Association of Clinical Endocrinologists and American Association of Endocrine Surgeons medical guidelines for the management of adrenal incidentalomas. Endocrine Practice 2009;15:1-20.

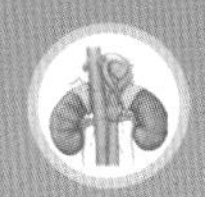

CHAPTER 21

코르티솔 검사방법

김종호, 김상수
부산의대 내과학교실

1. 검사와 관련하여 알아둘 코르티솔의 생리

코르티솔은 부신 피질(속상대와 망상대)에서 분비되는 가장 중요한 당질코르티코이드 호르몬이다. 일반적으로 기저 상태에 대부분 혈장 단백인 코르티코스테로이드 결합글로불린(corticosteroid binding globulin, CBG)과 알부민에 결합하여 혈액 내를 순환한다. 이 결합을 통해 코르티솔이 조직 세포막을 투과하는 것을 막아준다. 총 혈장 코르티솔의 3~5%만이 활성화된 형태인 유리 형태로써 혈액을 순환한다. 이런 유리 코르티솔은 지방친화성이 있어, 단순 확산에 의해 모세혈관을 통해 조직으로 들어가게 된다. 따라서, 타액 속에서 측정한 농도는 혈액의 유리 코르티솔을 반영하는 것이라 볼 수 있다. 또한 이하선에서는 11-베타-하이드록시스테로이드 탈수소효소-2의 활성화로 인해서 실제 혈액의 약 50% 정도가 존재하게 된다. 결합되지 않은 유리 코르티솔은 콩팥의 사구체에서 여과되어 배설되는데, 이런 유리 코르티솔은 소변 코르티솔 대사물의 2~3%만을 차지한다. 나머지는 주로 글루쿠로니드화 또는 술폰화된 결합체로 소변으로 배설되고, 이것이 소변 코르티솔 배설의 95%를 차지하고 있다.

체액 내에서 코르티솔 농도는 특징적인 일중 리듬을 보인다. 코르티솔은 일중 또는 계절에 따른 생물학적 주기를 가지는 대표적인 호르몬으로 알려져 있다. 혈장 코르티솔은 대개 하루 10~15번의 박동성을 가진 일중 변동을 보인다. 다양한 진폭을 보이면서, 아침에 최고치를 보이고, 낮 동안 점점 감소하여, 자정경에 낮은 기간을 걸쳐 잠이 들고 난 몇 시간 후부터 상승을 보인다. 이런 일중 변동은 수면 각성 주기 또는 밤낮(어둠과 빛)의 주기와 연관성이 있다. 이런 일중 변동은 소변과 타액보다는 혈장에서 저명하게 관찰된다. 다양한 스트레스 원인과 더불어 이런 요인들을 여러 검체를 이용하여 코르티솔을 측정할 때 고려해야 할 것이다. 코르티솔의 일중 변동 리듬을 고려하여, 프로토콜을 벗어나서 채혈한 혈액 검체는 부정확한 정보를 제공할 수 있기 때문에, 프로토콜에 따른 정확한 검체를 얻기 위한 노력이 매우 중요하다.

2. 코르티솔 검사방법

병적인 상태의 부신질환을 진단하기 위해서는 적절한 자극 또는 억제 검사를 시행하여 코르티솔의 반응을 확인하여 진단할 필요가 있다. 쿠싱증후군을 진단하기 위해 덱사메타손을 투여한 후에는 일차적으로 총 혈장 코르티솔의 농도를 측정한다. 24시간 유리 코르티솔의 농도를 측정하기도 하는데, 이는 누적된 결합되지 않은 코르티솔의 농도를 반영하는 것이다. 코르티솔이 과다한 상태에서 소변의 유리 코르티솔은 혈장 코르티솔과 좋은 연관성을 보인다. 최근에는 타액의 유리 코르티솔이 또한 유용한 지표로써 인정받고 있다. 세 가지 검체로부터 코르티솔을 측정하는 분석 방법은 검사를 수행하는 신체 매트릭스와 관련하여 다른 특징을 가진 크로마토그래피 및 면역측정기법 등을 사용하게 된다.

1) 기존 코르티솔 검사법

소변으로 배설되는 코르티솔의 일부는 다이하이드록시아테톤기를 가진 17-하이드록시코르티코스테로이드(17-OH-CS)의 형태로 배설된다. 과거에는 비색 또는 형광측정법을 통해 17-하이드록시코르티코스테로이드를 측정하는 간접적인 방법으로 통해 부신기능을 평가하는데 이용하기도 하였다. 코르티솔 추출 이후 에탄올 황산을 이용하여 형광을 발생하는 물질로 변환시키는 형광측정법을 이용하여 혈청 코르티솔을 측정하는 방법이 고안되어 이용되었다. 이런 검사법들은 특이도가 떨어지고 많은 양의 검체가 필요하였으며 또한 검사를 위해 많은 인력이 필요하였다. 결국, 면역측정법이 등장함에 따라 더 이상 사용하지 않는 검사법이 되었다. 또한 여러 경합단백질결합방사측정법들이 고안되었으나, 이 또한 보다 특이적인 면역측정법들의 사용으로 인해 더 이상 사용되지 않고 있다.

2) 면역측정법(Immunoassay)

현재 실제 임상 검사실에서는 면역측정법을 통해 측정하고자 하는 검체에서의 코르티솔 농도를 예측하는 방법을 대부분 이용하고 있다. 이는 검체 안의 코르티솔이 시약 안의 라벨이 붙은 코르티솔과 코르티솔항체를 두고 경쟁적으로 결합하는 것을 이용하는 방법이다. 라벨로써 비동위 원소를 사용하는 비방사성면역측정법과 동위 원소를 이용하는 방사성면역측정법으로 나눌 수 있다. 요즘은 대부분의 면역측정법이 자동화되어 있거나, 반자동화 또는 자동화된 분석 장치를 이용하여 측정할 수 있다. 면역측정법은 또한 코르티코스테로이드결합글로불린등과 결합된 분획을 결합되지 않는 분획과 분리하는 과정을 필요로 하는 불균질(heterogenous) 면역측정법과 둘을 분리할 필요가 없는 균질(homogenous) 면역측정법으로 크게 나누기도 한다. 면역측정법의 특이도는 대개 항체의 특성에 의존하게 된다. 면역측정법에 사용되는 항체는 다클론과 단일클론 항체를 모두 사용할 수 있다. 항체를 만들기 위한 일반직인 물질은 cortisol-21-hemisuccinate와 cortisol-3-carboxyl methloxime 결합체이다. 비방사성면역측정법으로는 효소, 발광, 화학발광, 형광 등의 비동위 원소를 이용하는 방법들이 소개되어 이용되고 있다.

실제 임상 검사실에서 흔히 이용되고 있는 자동화된 면역측정법들은 허용할 만한 검사 수행능력을 가지고 있는 것으로 보인다. 하지만, 이런 자동화 면역측정법들이 비교적 용이하여 널리 사용된다 할지라도, 주의해야 할 여러 문제점들을 내포하고 있다. 상용화된 면역측정법들은 표준 검사법으로 인정받고 있는 동위원소 희석 질량분석법(mass spectrometry, MS) 또는 가스 크로마토그래피-질량분석법(gas chromatography-MS) 등과 비교하여 검사치가 높게 나오는 경향이 있다. Murphy 등은 크로마토그래피로 정제하지 않았을 때, 모든 검사법에서 소변에 존재하는 코르티솔의 양이 높게 나온다고 보고한 바가 있다. 면역측정법은 정상 혈청 단백질 수치를 가진 환자에서는 대개 신뢰할 수 있으나, 중환자실 치료와 같이 낮은 단백질 수치를 보이는 환자에서는 검사 오류가 발생할 수 있음을 염두에 둘 필요가 있다. 실제 일부 상용화된 면역측정법에서는 일정 혈청 알부민 수치 이하에서 지속적으로 낮게 측정된다는 보고가 있다. 또한 면역측정법에서 사용되는 항체는 프레드니솔론, 11-데옥시코르티솔 및 21-데옥시코르티솔 등과 같은 여러 연관 스테로이드와 다양한 정도의 교차 반응을 보인다. 따라서 프레드니손/프레드니솔론을 복용하는 환자, 메티라폰 검사를 수행하는 환자, 21-수산화효소 결핍환자 등에서는 이런 검사법은 문제를 야기할 수 있다. 또한 급성 병적 상태처럼 시상하부-뇌하수체-부신의 축이 활성화되어 있는 상태의 환자에서 이런 검사법은 불일치된 결과를 초래할 수 있다. 이런 환자에서 축의 급성적인 활성화에 따라 코르티솔의 여러 전조체들이 만들어지게 되고, 이들이 면역측정법에서 코르티솔과 교차 반응을 하여 검사법의 오류를 유발하게 된다. 급성 병적 상황에서 급성 부신피질자극호르몬 자극 검사에 따른 코르티솔 반응을 확인하는데 있어 3가지 면역측정법이 고성능액체크로마토그래피(high performance liquid chromatography, HPLC)법에 비해 높게 측정되는 경향이 있었다. 소변 코르티솔 측정을 위해서도 여러 면역측정법이 이용되고 있는데, 일부는 디클로로메탄(dichloromethane)을 이용하여 소변으로부터 추출을 하고 난 후 측정하나 일부는 추출없이 검사를 수행하는 경우도 있다. 연구에 따르면, 추출없이 검사를 시행하는 것은 고성능액체크로마토그래피법과 비교하여 거의 2배 정도 높게 측정되었다.

로버츠 등은 최근 널리 이용되는 5가지 자동화 혈청 코르티솔 면역측정법을 비교한 바 있다. 각 검사법들을 비교하였을 때, 면역측정법들의 결과 보정과 정확성을 확인하기 위해 크로마토그래피-질량분석법과 같은 기준 방법으로 추가적인 표준화의 필요성을 확인하였다. 따라서, 면역측정법을 이용하여 얻은 혈장 코르티솔의 농도는 검사법에 따라 달라지기 때문에, 다른 검사법에 의해 얻어 결과들을 직접 비교해서는 안 될 것이다. 즉, 각 검사법에 의해 정의된 정상 범위에 따라 결과를 해석하고 비교해야 할 것이다.

그럼에도 불구하고 코르티솔을 위한 면역측정법이 결과를 비교적 빨리 확인할 수 있으며, 전반적으로 수용할 만한 민간도, 특이도 및 정확도를 보이는 검사법으로 실제 임상에서 가장 널리 사용되고 있다.

(1) 화학발광 면역측정법(Chemiluminescence immunoassay)

검체 내에서 코르티솔이 시약내의 라벨이 붙은 코르티솔과 항체를 두고 경쟁적으로 결합하는 것을 이용한 주로 경쟁적결합측정법 중에 화학발광체를 이용하는 방법이다. 방사 면역측정법에 비해 방사성물질을 사용하지 않아도 되는 큰 장점이 있어 많이 이용되고 있다. 8-anilino-1-naphthalene sulfonic acid (ANS), 살리실산염 및 열처리 등을 통한 코르티코스테로이드결합글로불린으로부터 코르티솔을 분리하기 위해 과정이 필요하다. 상품화된 시약을 사용하고 자동화된 검사를 통해 동시에 다수의 검체를 동시를 시행하고 짧은 검사 시간을 필요로 하는 큰 장점이 있다.

(2) 방사 면역측정법(Radioimmunoassay)

폴리에틸렌 튜브에 피복된 항체에 방사성 동원원소, 대개는 ^{125}I에 표지된 항원과 검체의 항원이 경쟁적으로 반응하는 고형상법으로 결합형과 유리형을 분리하는 방법이다. 항체의 높은 특이도로 추출이나 크로마토그래피를 시행하지 않고 측정할 수 있는 장점이 있다. 방사 면역측정법은 좋은 민감도, 정확도 및 정밀도를 갖고 있어 코르티솔과 같은 미량의 성분을 측정하는 데 장점을 지니고 있으나, 사용하는 방사성 동위원소의 짧은 반감기와 안전관리의 문제점 그리고 폐기물의 환경 오염 등과 같은 문제점이 극복해야 할 과제이다.

3) 크로마토그래피법–질량분석법

코르티솔 측정에 있어 면역측정법을 대체할 수 있는 방법으로 크로마토그래피 방법이 있다. 이런 방법들은 다른 물질들에 의한 간섭이 적다는 장점이 있으나, 검사에 많은 시간과 노력이 필요하여 일상 검사에 적용하기에 어려움이 따른다. 이외에 가스를 이용한 가스 크로마토그래피를 이용하여 코르티솔을 추출하는 방법도 소개되고 있다. 최근에는 액체 또는 가스 크로마토그래피를 이용하여 추출한 후 질량분석기를 이용하는 가스 크로마토그래피–질량분석법 또는 액체 크토마토그래피–질량분석법 등도 이용되고 있다. 요즘은 질량분석을 위해 모세관전기이동법(capillary electrophoresis, CE)를 이용하기도 한다.

(1) 질량 분석법(Mass spectrometry)

가스 크로마토그래프(gas chromatography, GC–MS), 액체 크로마토그래피(liquid chromatography, LC–MS) 및 텐덤 질량분석기(tandem mass spectrometry, MS/MS) 등의 다양한 방법을 이용하여 측정할 수 있다. 교차 반응이 적어 높은 특이도를 보이며, 여러 유사 물질을 동시에 측정 가능하며, 시약 유지비가 적게 드는 장점이 있다. 반면, 높은 초기 비용과 함께, 어려운 검사 측정 방법, 수동으로 전처치를 수행해야 하는 단점이 있다. 전처리에는 고체상 추출 칼럼 또는 액체–액체 추출 방법 등이 이용된다. 동위원소 희석 액체 크로마토그래피–질량분석법(Isotope dilution GC–MS)이 코르티솔 측정을 위한 표준 검사법으로 제안된 바 있다. 이는 디클로로메탄에 의한 추출 과정과 정화와 파생물로 전환하는 과정을 필요로 하고, Deutrium이 라벨된 내부 표준물질의 사용을 필요로 한다. 요즘은 액체 크로마토그래피-템덤 질량분석기(LC-MS/MS)의 사용이 흔해지고 있다.

코르티솔을 측정하는 확정 검사법(definitive method)은 동위원소 희석 가스 크로마토그래피-질량분석법이다. 혈장 코르티솔을 위한 참고 검사(reference method)는 액체 크로마토그래피-질량분석법을 이용하는 것이다. 한편, 훌륭한 정확도와 정밀도를 갖고 있어 선호되는 검사(preferred method)로는 고성능액체크로마토그래피법이다. 하지만, 이 검사법은 숙련이 필요하고 시간과 노력이 많이 필요한 단점이 있다.

3. 검체 종류에 따른 코르티솔 검사

1) 혈액 코르티솔 측정

(1) 혈청 총 코르티솔 측정

혈장 코르티솔의 95% 이상이 결합된 형태로 존재하기 때문에, 검사를 수행하기에 앞서 결합 분획을 정량적으로 대체할 수 있도록 준비를 해야 한다. 그런 물질로 8-anilino-1-naphthalene sulfonic acid (ANS), 다나졸, 살리실산염 등과 같은 물질을 이용하여 대체물질로 사용된다. 이런 물질들로 대체할 수 있는 능력은 코르티솔결합글로불린의 농도에 의존적인 것으로 알려져 있다. 임신과 같은 코르티솔결합글로불린의 농도가 높은 상태가 되면, 이런 물질들로 대체가 충분히 않을 수 있다. 한편, 이런 대체 물질들의 양이 많아지면 코르티솔이 항체에 붙는 것에 영향을 미칠 수 있다. 열처리를 하거나 pH를 낮추는 것도 코르티솔이 결합되어 있는 것을 분리시키는데 유용한 방법으로 이용된다. 자외선이나 액체 크로마토그래피법은 검체 안에 다른 스테로이드나 대사물이 섞여 있다 하더라도, 혈장/혈청 총 코르티솔을 분리하고 정량화하는데 사용할 수 있기 때문에, 면역측정법보다 혈장 총 코르티솔을 보다 정확하게 측정할 수 있다. 하지만 시간과 인력이 많이 소모되고 비용이 많이 들기 때문에 일상에서 사용하기에 무리가 있다.

(2) 혈청 유리 코르티솔 측정

혈청으로부터 유리 코르티솔을 측정하는 방법은 초미세여과, 평형 투석, 정상 상태 젤 여과 등의 여과 과정이 필요한 복잡하고 시간을 많이 필요로 하는 검사법이다. 따라서, 유리 코르티솔은 대개 Coolens법에 의해 총 코르티솔과 혈장 코르티솔결합글로불린 농도 또는 총 코르티솔과 혈장 코르티솔결합글로불린의 결합능을 측정하여 간접적으로 계산하는 것을 종종 이용한다. 연구에 따르면, Coolens법에 의해 계산된 혈청 유리 코르티솔은 표준 검사법으로 알려진 평형 투석법을 이용한 직접 검사법과 잘 일치한다고 보고하고 있다. 또한 총 코르티솔과 비교하여 급성 질환 상태에서 질환의 심한 상태를 보다 잘 반영하는 것으로 여겨진다. 하지만, 유리 코르티솔의 측정에서 극복해야할 제한점이 있다. 코르티코스테로이드결합글로불린의 면역반응성 농도뿐 아니라, 코르티코스테로이드결합글로불린의 3차원적 구조의 개인별 다양성에 의해 코르티솔 결합이 결정되는 문제점이 있다. 또한 코르티코스테로이드결합글로불린을 측정을 위한 자동화된 검사법이 아직 없는 것도 문제점으로 제기된다. 다른 보고에 따르면 초미세여과 또는 평형 투석법을 적용하여 유리 코르티솔을 직접 측정하는 것이 병적 상태에서 부신피질호르몬의 기능을 평가하는데 보다 정확하고, 실제 수시간 내에서 결과를 얻을 수 있기 때문에, 일상적인 검사에서의 적용 가능성을 제안하기도 한다.

(3) 혈액 검체 보관 및 운반에서 주의할 점

혈청, 헤파린을 이용한 혈장, EDTA를 이용한 혈장 검체 등을 모두 이용 가능하지만, 몇몇 검사방법에서는 간섭효과의 문제로 EDTA를 사용하는 것을 피할 것을 권고하기도 한다. 혈청, 혈장 코르티솔은 상온에서 7일, 냉동 시에는 3개월 이상 안정한 것으로 되어 있다. 냉장에서 2일 안정한 것으로 보고하고 있다. 냉동과 해동에 따른 특별한 영향은 없는 것으로 보고하고 있다.

2) 소변 유리 코르티솔 측정

오랜 기간 동안, 소변 유리 코르티솔은 쿠싱 증후군을 선별을 위한 표준검사로 자리잡아 오고 있다. 혈장에서 단백질 등에 결합되지 않은 유리 형태의 코르티솔만이 신장에서 사구체에서 여과된다. 여과된 유리 코르티솔은 신세뇨관에서의 재흡수가 거의 일어나지 않고 소변으로 배설된다. 소변의 코르티솔 측정은 혈액에서처럼 코르티솔이 결합단백질에 결합한 형태가 아닌 유리된 형태를 측정하는 것이라 보다 이로운 측면이 있다. 24시간 동안 소변에 모인 유리 코르티솔의 농도는 일중 변동에 영향을 받지 않으며 하루 동안 말초를 순환하는 유리 코르티솔의 농도를 상대적으로 반영해 주는데 유용하다. 혈액은 코르티솔에 대한 일중 변동 리듬에 대한 정보를 제공해주는 반면, 소변 검체는 일정 기간 동안 코르티솔의 총 생산량을 반영해 준다. 혈액보다는 정보를 적게 내포하는 결과이지만, 누적된 지표로써 혈액보다 더욱 신뢰성 있는 측정법이 될 수 있다.

소변 안에는 코르티솔과 구조가 유사하여 면역측정법에서 확인되지 않는 상호작용을 일으킬 수 있는 다른 여러 스테로이드 대사물들이 존재한다. 여러 합성 스테로이드(프레드니솔론, 플루드로코티손, 덱사메타손, 스피로노락톤, 페노파이브레이트, 카바마제핀)와 다양한 글루크론산화 결합체(프레드니솔론, 5α-테트라하이드로코르티손, 코르티손, 11-데옥시코르티솔)들로 인해 사용하는 키트마다 서로 다른 결과를 초래하는 주요 원인이 된다. 대부분의 검사실에서는 주로 혈장에서 측정하는 것과 같은 방법을 이용하여 자동화된 면역측정법을 이용하여 측정하고 있다. 소변 유리 코르티솔의 정상 범위는 검사법에 따라 다양하다. 일반적으로 추출 없이 시행하는 방법은 보다 높은 수치를 가진다. 추출 방법을 수행한 고성능액체크로마토그래피법에서 정상 범위는 상대적으로 낮았으며, 이는 액체크로마토그래피-질량분석법을 이용하여 측정한 방법과 유사한 결과를 보였다. 한편, 여러 연구에서 소변으로 코르티솔의 배설율에서 남녀 차이가 있음을 보고하고 있다. 코르티솔을 코르티손으로 불활성화시키는 11-베타-하이드록시스테로이드 탈수소효소 2형의 활성도의 다양성이 신장으로부터 배설된 코르티솔에 큰 영향을 미친다. 따라서 소변의 코르티솔과 코르티손의 양을 같이 측정하는 것이 도움이 된다는 연구도 있다.

(1) 소변 검체의 전처치

소변 검체를 전처치를 하지 않고 직접 측정하게 되면, 앞서 언급한 소변 내 고농도로 존재하는 다른 스테로이드와 그 결합체들에 의해 검사에 방해를 받게 된다. 완전하게 제거할 수는 없다 하더라도, 소변에서 유리 코르티솔을 측정하기 전, 유기용매 추출을 이용하여 검사에 방해를 줄 수 있는 상당수의 물질을 제거할 수 있다. 따라서 상용화된 면역측정법 키트를 사용할 때는 검체 전처치를 할 것을 권고한다. 반면, 면역측정법을 시행하기 전 에틸 아세테이트와 같은 유기 용매를 이용한 전처치가 시간만 더 소유되고 추가적인 변동성을 유발할 수 있기 때문에 권고하지 않는 의견도 역시 존재한다.

(2) 소변 검체 보관, 운반 및 결과 해석에서 주의할 점

일반적으로 단회뇨에서 코르티솔의 측정은 부정확한 것으로 여겨지기 때문에 24시간 소변을 모을 것을 권고하고 있다. 24시간 동안 소변을 모을 때는 사전에 용기에 1 L 당 붕산(boric acid) 또는 7 mL 아세트산(acetic acid)을 넣어 두어 pH가 7.5 이하로 유지되도록 해야 한다. 모으는 동안 냉장 상태 유지해야 하며, 당일 측정되지 않는 경우에는 냉동을 할 것을 권고한다. 24시간 소변을 모우는 경우에 시간에 맞춰 잘 채취되었는지, 소변을 빠짐없이 잘 모았는지 확인할 필요가 있다. 어린이에서 검사할 때는 이를 특히 주의할 필요가 있다. 소변의 크레아티닌 배설을 같이 측정함으로써, 24시간 동안 소변 검체를 제대로 모았는지를 점검할 수 있겠고, 제지방량(lean body mass, LBM)과 같은 인자들을 보정하기 위해 사용할 수 있다. 즉, 24시간 소변 코르티솔 단독보다는 24시간 소변 코르티솔/크레아티닌 비를 이용하는 것이 보다 정확한 진단적 결과를 얻을 수 있다.

3) 타액 유리 코르티솔 측정

최근에 타액 검체는 혈장을 대체할 수 있는 비침습적 검사법으로 인정받고 있다. 여러 보고에서 타액과 혈장 코르티솔 사이에 강한 상관관계가 있음을 보여주고 있다. 또한 혈액 채취보다는 상대적으로 비침습적인 방법으로, 주사침에 대한 스트레스로 인해 검사 결과에 오류를 보일 수 있는 것을 피할 수 있다. 다양한 방법으로 타액을 자극하고 모으는 방법이 소개되어 있다. 다양한 장치를 이용하여 자극을 주기도 하고 수동적으로 타액이 흐르도록 하여 모으기도 한다. Salivette는 타액을 모으기 위해 많이 이용되는 것으로써, 의료진의 도움 없이 환자 스스로 검체를 모을 수 있다. 보다 적은 양의 코르티솔이 측정된다고 하더라도, 수동적으로 흘린 타액을 플라스틱 튜브에 담아 측정하는 것보다 코르티솔 농도를 보다 잘 예측하는 것으로 알려져 있다. 타액을 모으는 방법이 타액으로부터 코르티솔 측정하는 데 중요한 요소이다.

참고 문헌

1. Barnes SC, Swaminathan R. Effect of albumin concentration on serum cortisol measured by the Bayer Advia Centaur assay. Ann Clin Biochem 2007;44:79-82.
2. Barsano CP, Baumann G. Simple algebraic and graphic methods for the apportionment of hormone (and receptor) into bound and free fractions in binding equilibria; or how to calculate bound and free hormone? Endocrinology 1989;124:1101-6.
3. Ching SY, Lim EM, Beilby J, Bhagat C, Rossi E, Walsh JP, Pullan P. Urine free cortisol analysis by automated immunoassay and high-performance liquid chromatography for the investigation of Cushing's syndrome. Ann Clin Biochem 2006;43:402-7.
4. Cohen J, Ward G, Prins J, Jones M, Venkatesh B. Variability of cortisol assays can confound the diagnosis of adrenal insufficiency in the critically ill population. Intensive Care Med 2006;32:1901-5.
5. Coolens JL, Van Baelen H, Heyns W. Clinical use of unbound plasma cortisol as calculated from total cortisol and corticosteroid-binding globulin. J Steroid Biochem 1987;26:197-202.
6. Gatti R, Antonelli G, Prearo M, Spinella P, Cappellin E, De Palo EF. Cortisol assays and diagnostic

laboratory procedures in human biological fluids. Clin Biochem 2009;42:1205-17.
7. Gröschl M. Current status of salivary hormone analysis. Clin Chem 2008;54:1759-69.
8. Horie H, Kidowaki T, Koyama Y, Endo T, Homma K, Kambegawa A, Aoki N. Specificity assessment of immunoassay kits for determination of urinary free cortisol concentrations.Clin Chim Acta 2007;378:66-70.
9. Jacobson L. Hypothalamic-pituitary-adrenocortical axis regulation. Endocrinol Metab Clin North Am 2005;34:271-92.
10. le Roux CW, Chapman GA, Kong WM, Dhillo WS, Jones J, Alaghband-Zadeh J. Free cortisol index is better than serum total cortisol in determining hypothalamic-pituitary-adrenal status in patients undergoing surgery. J Clin Endocrinol Metab 2003;88:2045-8.
11. le Roux CW, Sivakumaran S, Alaghband-Zadeh J, Dhillo W, Kong WM, Wheeler MJ. Free cortisol index as a surrogate marker for serum free cortisol. Ann Clin Biochem 2002;39:406-8.
12. Lin CL, Wu TJ, Machacek DA, Jiang NS, Kao PC. Urinary free cortisol and cortisone determined by high performance liquid chromatography in the diagnosis of Cushing's syndrome. J Clin Endocrinol Metab 1997;82:151-5.
13. McCann SJ, Gillingwater S, Keevil BG. Measurement of urinary free cortisol using liquid chromatography-tandem mass spectrometry: comparison with the urine adapted ACS:180 serum cortisol chemiluminescent immunoassay and development of a new reference range. Ann Clin Biochem 2005;42:112-8.
14. Murphy BE. How much "UFC" is really cortisol? Clin Chem 2000;46:793-42.
15. Reimondo G, Pia A, Bovio S, Allasino B, Daffara F, Paccotti P, Borretta G, Angeli A, Terzolo M. Laboratory differentiation of Cushing's syndrome. Clin Chim Acta 2008;388:5-14.
16. Roberts RF, Roberts WL. Performance characteristics of five automated serum cortisol immunoassays. Clin Biochem 2004;37:489-93.
17. Tai SS, Welch MJ. Development and evaluation of a candidate reference method for the determination of total cortisol in human serum using isotope dilution liquid chromatography/mass spectrometry and liquid chromatography/tandem mass spectrometry. Anal Chem 2004;76:1008-14.
18. Viardot A, Huber P, Puder JJ, Zulewski H, Keller U, Müller B. Reproducibility of nighttime salivary cortisol and its use in the diagnosis of hypercortisolism compared with urinary free cortisol and overnight dexamethasone suppression test. J Clin Endocrinol Metab 2005;90:5730-6.

CHAPTER 22

각종 검사 프로토콜

고관표
제주의대 내과학교실

1. 하룻밤(Overnight) 덱사메타손 억제검사

1) 목적

쿠싱증후군의 선별

2) 방법

오후 11시~자정에 덱사메타손 1 mg 을 경구 복용하고, 다음 날 오전 8~9시에 채혈하여 혈청 코르티솔을 측정한다.

3) 판정

혈청 코르티솔이 50 nmol/L (1.8 μg/dL) 이상이면 쿠싱증후군을 의심한다.

4) 참고사항

- 민감도 95% 이상, 특이도 80% –기준치를 140 nmol/L (5 μg/dL)로 할 경우 특이도가 95%로 상승함.
- 위음성 8% (쿠싱병), 위양성 30% (만성질환, 비만, 정신질환, 정상인)
- 알코올중독은 2주간 금주 후 검사한다.
- 시토크롬 P-450 CYP3A4 효소를 유도하는 알코올, 리팜핀, 페니토인, 페노바르비탈 등은 덱사메타손 대사를 증가시키므로 위양성을 초래할 수 있다.
- 경구피임제는 cortisol-binding globulin (CBG)과 총 코르티솔을 증가시켜 위양성(50%)을 초래할 수 있으므로, 에스트로겐 중단 6주 후 검사한다.
- 임산부에서는 덱사메타손 억제검사보다는 소변유리코르티솔 측정이 권고된다.
- 수치가 현저히 상승된 경우를 제외하고 이 검사만으로 쿠싱증후군을 진단해서는 안 된다.

2. 소변 유리 코르티솔

1) 목적

쿠싱증후군의 선별 및 진단

2) 방법

당일 아침 첫 소변은 버린 후 수집을 시작하여, 익일 아침 첫 소변까지 수집한다. 수집 도중 검체는 냉장보관한다.

3) 판정

소변 유리 코르티솔이 참고치 이상이면 쿠싱증후군을 의심한다.

4) 참고사항

- 적절히 수집됐는지 확인하기 위해 소변 크레아티닌을 같이 측정한다.
- 정확도를 높이기 위해 서로 다른 날에 2~3회 반복 검사한다.
- 검사방법에 따라 참고치가 다르다.: 항체를 이용한 방법(방사선면역측정법, 효소면역측정법)보다는 고작위액체크로마토그래피(high-performance liquid chromatography), 이중질량분석법(tandem mass spectrometry)이 더 정확하다.
- 우울, 불안, 강박장애 등의 정신과질환, 만성통증, 과도한 운동, 알코올중독, 조절되지 않는 당뇨병 그리고 고도비만 등의 거짓쿠싱증후군(pseudo-Cushing syndrome)에서 위양성을 보일 수 있다.
- 부신우연종에서 하룻밤 덱사메타손 억제검사에 비해 예민도가 낮다.
- 만성콩팥질환에서 위음성을 보일 수 있다.

3. 저용량 덱사메타손 억제검사

1) 목적

쿠싱증후군의 진단

2) 방법

덱사메타손 0.5 mg 을 이틀 동안 6시간 간격으로(오전 9시, 오후 3시, 오후 9시, 오전 3시) 총 8회 경구 복용한다. 여덟 번째 덱사메타손 복용하고 6시간 경과 후(3일째 오전 9시) 채혈하여 혈청 코르티솔을 측정한다.

3) 판정

혈청 코르티솔이 50 nmol/L (1.8 μg/dL) 이상이면 쿠싱증후군을 의심한다.

4) 참고사항

- 민감도 95% 이상, 진양성(true-positive rate) 97~100%, 위음성 1% 이하
- 알코올중독은 2주간 금주 후 검사한다.
- 수치가 현저히 상승된 경우를 제외하고 이 검사만으로 쿠싱증후군을 진단해서는 안 된다.
- 시토크롬 P-450 CYP3A4 효소를 유도하는 알코올, 리팜핀, 페니토인, 페노바르비탈 등은 덱사메타손 대사를 증가시키므로 위양성을 초래할 수 있다.
- 경구피임제는 코르티코스테로이드 결합단백질과 총코르티솔을 증가시켜 위양성(50%)을 초래할 수 있으므로, 에스트로겐 중단 6주 후 검사한다.
- 정확한 진단을 위해 이 검사에서 양성을 보이더라도 한 가지 이상의 다른 검사에서 양성을 보여야 한다.

4. 고용량 덱사메타손 억제검사

1) 목적

쿠싱증후군의 병형구분

2) 방법

- 제1일: 24시간 소변 유리 코르티솔 기저치 수집을 시작한다(아침 첫 소변은 버린다).
- 제2일: 24시간 소변 유리 코르티솔 기저치 수집을 종료한다(아침 첫 소변까지 수집한다). 오전 9시 혈청 코르티솔 기저치를 측정한다.
- 제3일: 경구 덱사메타손 2 mg 을 6시간 간격으로 4회 복용한다(오전 9시, 오후 3시, 오후 9시, 익일 오전 3시).
- 제4일: 경구 덱사메타손 2 mg 을 6시간 간격으로 4회 복용한다(오전 9시, 오

후 3시, 오후 9시, 익일 오전 3시). 24시간 소변 유리 코르티솔 억제치 수집을 시작한다(아침 첫 소변은 버린다).

- 제5일: 24시간 소변 유리 코르티솔 억제치 수집을 종료한다(아침 첫 소변까지 수집한다). 오전 9시 혈청 코르티솔 억제치를 측정한다.

3) 판정

뇌하수체종양으로 인한 쿠싱증후군(쿠싱병): 혈청 코르티솔 또는 소변 유리 코르티솔 자극치가 기저치보다 50% 이상 억제

부신성 쿠싱증후군, 이소 ACTH 생산종양: 억제되지 않음.

4) 참고사항

- 과거에는 24시간 소변 17-hydroxycorticosteroid로 평가하였으나, 현재는 정확도가 높은 소변유리코르티솔 또는 혈청 코르티솔을 이용한다.
- 24시간 소변이 적절히 수집됐는지 확인하기 위해 소변 크레아티닌을 같이 측정한다.
- 쿠싱병의 90%, 이소성 부신피질자극호르몬(adrenocorticotropic hormone, ACTH) 생산종양의 10%가 양성을 보인다.
- 판정 기준을 90% 억제로 할 경우 쿠싱병 진단특이도가 100%로 상승한다.
- 무증상 기관지카르시노이드는 50% 이상 억제될 수 있으며, 큰 침윤성 ACTH 분비 뇌하수체종양은 억제되지 않을 수 있다.

5. 저용량 및 고용량 덱사메타손 억제검사(Liddle's test)

1) 목적

쿠싱증후군의 진단 및 병형구분

2) 방법

- 제1일: 24시간 소변 유리 코르티솔 기저치 수집을 시작한다(아침 첫 소변은 버린다).
- 제2일: 24시간 소변 유리 코르티솔 기저치 수집을 종료한다(아침 첫 소변까지 수집한다). 오전 9시 혈청 코르티솔 기저치를 측정한다.
- 제3일: 경구 덱사메타손 0.5 mg 을 6시간 간격으로 4회 복용한다(오전 9시, 오후 3시, 오후 9시, 익일 오전 3시).
- 제4일: 경구 덱사메타손 0.5 mg 을 6시간 간격으로 4회 복용한다. 오전 9시, 오후 3시, 오후 9시, 익일 오전 3시). 24시간 소변 유리 코르티솔 저용량 억제치 수집을 시작한다(아침 첫 소변은 버린다).
- 제5일: 24시간 소변 유리 코르티솔 저용량 억제치 수집을 종료한다(아침 첫 소변까지 수집한다). 오전 9시 혈청 코르티솔 저용량 억제치를 측정한다. 경구 덱사메타손 2 mg 을 6시간 간격으로 4회 복용한다(오전 9시, 오후 3시, 오후 9시, 익일 오전 3시).
- 제6일: 경구 덱사메타손 2 mg 을 6시간 간격으로 4회 복용한다(오전 9시, 오후 3시, 오후 9시, 익일 오전 3시). 24시간 소변 유리 코르티솔 고용량 억제치 수집을 시작한다(아침 첫 소변은 버린다).
- 제7일: 24시간 소변 유리 코르티솔 고용량 억제치 수집을 종료한다(아침 첫 소변까지 수집한다). 오전 9시 혈청 코르티솔 고용량 억제치를 측정한다.

3) 판정

3. 저용량 덱사메타손 억제검사와 4. 고용량 덱사메타손 억제검사 참조.

4) 참고사항

저용량 덱사메타손 억제검사와 고용량 덱사메타손 억제검사를 연속으로 진행

3. 저용량 덱사메타손 억제검사와 4. 고용량 덱사메타손 억제검사 참조.

6. 8 mg 하룻밤 덱사메타손 억제검사

1) 목적

쿠싱증후군의 병형구분

2) 방법

오후 11시에 덱사메타손 8 mg 을 경구 복용하고, 다음 날 오전 8시에 채혈하여 코르티솔을 측정한다.

3) 판정

- 쿠싱병: 혈청 코르티솔이 기저치보다 50% 이상 억제
- 부신성 쿠싱증후군, 이소 ACTH 생산종양: 50% 이하 억제.

4) 참고사항

- 고용량 덱사메타손 억제검사보다 민감도는 높고(90~100%), 특이도는 비슷하다(92~100%).
- 상기 검사와 고용량 덱사메타손 억제검사 모두 쿠싱증후군 병형구분에 유용하나, 아주 정확하지는 않다.

7. 메티라폰 검사

1) 목적

쿠싱증후군의 병형구분

2) 방법

메티라폰 750 mg 을 24시간 동안 4시간 간격으로 경구 투여하고, 다음날 오전 8시에 채혈하여 11-deoxycortisol을 측정한다.

3) 판정

- 쿠싱병: 11-deoxycortisol >1,000 nmol/L (35 μg/dL), 혈장 ACTH의 과도한 증가.
- 이소 ACTH 생산종양: 반응 저하

4) 참고사항

ACTH와 CRH를 동시에 분비하는 이소성 종양은 쿠싱병과 비슷한 반응을 보일 수 있다. 최근 가치가 하락되어 다른 검사들로 대치되고 있다.

8. 코르티코트로핀분비호르몬(Corticotropin-releasing hormone, CRH) 자극검사

1) 목적

쿠싱증후군의 병형구분

2) 방법

- 오전과 오후 상관없이 4시간 금식 후 시행.
- 100 μg 또는 체중 kg 당 1 μg 의 양(ovine) 또는 인간 CRH를 일시에 정맥주사한다.
- CRH 주사 전과 15, 30, 45, 60, 90, 120분 후 혈중 ACTH와 코르티솔을 측정한다.

3) 판정

- 쿠싱병: ACTH가 기저치에 비해 50% 이상 증가하고, 코르티솔이 기저치에 비해 20% 이상 증가함.
- 정상: ACTH와 코르티솔이 기저치에 비해 15~20% 증가함.
- 부신성 쿠싱증후군, 이소 ACTH 생산종양: 무반응.

4) 참고사항

- 양 CRH가 인간 CRH보다 ACTH 분비를 강하게 자극한다.
- 쿠싱병과 이소 ACTH 증후군 구분-민감도 90%, 특이도 90%.
- ACTH 분비 기관지기관지카르시노이드는 CRH 자극에 대해 반응할 수 있다.
- 뇌하수체기능저하증에서 CRH 자극에 대한 ACTH 반응이 감소된다.
- 시상하부성 뇌하수체기능저하증과 일차성 부신피질기능부전은 CRH 자극에 대해 과도한 ACTH 반응과 저하된 코르티솔 반응을 보인다.

9. 한밤중(Midnight) 혈청 코르티솔 측정

1) 목적

쿠싱증후군의 선별

2) 방법

오후 9시부터 금식하고 자정(밤 12시)에 채혈하여 혈청 코르티솔을 측정한다.

3) 판정

7.5 μg/dL (207 nmol/L) 이상이면 쿠싱증후군을 의심한다.

4) 참고사항

- 진단 정확도 95%
- 입원하여 시행하면 정확도가 높다.
- 기준치를 1.8 μg/dL (50 nmol/L)로 내릴 경우 민감도는 상승(100%)하나 특이도는 20.2%로 하락한다.
- 수면 중과 각성 시 수치가 서로 상이하다. 수면 중 수치는 잠에서 깬 후 5~10분 내 채혈해야 한다.

10. 한밤중(Midnight) 침샘 코르티솔 측정

1) 목적

쿠싱증후군의 선별 및 진단

2) 방법

- 오후 9시부터 자정(밤 12시)까지 금식하고 신체활동을 자제한다.
- 밤 11~12시에 침을 모아 5 mL 플라스틱 용기에 담는다.
- 4℃에서 10시간까지 보관할 수 있으며, 그 이상은 −20℃에 보관한다.

3) 판정

침샘 코르티솔이 2.0 ng/mL (5.5 nmol/L) 이상이면 쿠싱증후군으로 판정한다.

4) 참고사항

- 혈중 코르티솔의 변화는 수 분 내 침샘 코르티솔 수치에 반영된다.
- 민감도 92~100%, 특이도 93~100%
- 정확도를 높이기 위해 서로 다른 날에 2회 이상 검사한다.

- 간헐적 고코르티솔증을 보이는 주기적 쿠싱증후군의 진단은 덱사메타손 억제 검사보다 소변유리코르티솔이나 침샘 코르티솔이 정확하다.

11. 하추체정맥동채혈(Inferior petrosal sinus sampling, IPSS)

1) 목적

쿠싱증후군의 병형구분

2) 방법

- 경정맥 또는 대퇴정맥을 통해 양측 하추체정맥(inferior petrosal veins)까지 도관을 삽입한다.
- 100 μg 또는 체중 kg 당 1 μg 의 양 CRH를 정맥주사하기 전과 주사 3, 5, 10분 후 양측 하추체정맥동과 말초정맥 또는 엉덩정맥(iliac vein)에서 동시에 채혈한다.
- 검체에서 혈장 ACTH를 측정한다.

3) 판정

- CRH 정주 전 하추체정맥동과 말초정맥의 혈장 ACTH 비가 1.4 이하이면 이소 쿠싱증후군, 2.0 이상이면 쿠싱병으로 판정한다.
- CRH 정주 후 혈장 ACTH 비가 3.0 이상이면 쿠싱병으로 판정한다.
- 좌우 하추체정맥동의 혈장 ACTH 비가 1.4~1.5 이상이면 ACTH분비 뇌하수체종양의 편측화(lateralization)를 시사하지만 정확도는 70%에 불과하다.

4) 참고사항

- 쿠싱병과 이소 쿠싱증후군을 구분하는 가장 정확한 방법이다–민감도 95%,

특이도 93%.

- 혈전증, 뇌졸중 등 심각한 합병증이 동반될 수 있는 침습적 검사이므로 숙련된 전문가에 의해 시행돼야 한다.
- 주기성(episodic) 쿠싱병 또는 하추체정맥동 정맥환류이상(aberrant venous drainage)에서 위음성이 나타날 수 있다.
- ACTH분비 뇌하수체종양의 편측화(lateralization)에는 유용하지 않다.
- 일반적으로 두 가지 쿠싱증후군 병형구분검사(CRH 자극검사, 덱사메타손 억제검사)가 쿠싱병을 시사할 경우 본 검사는 권고되지 않는다.

참고문헌

1. 대한내분비학회 보험위원회. 내분비 기능검사의 수행과 판독 및 보험규정. 서울: 군자출판사; 2008;125-82.
2. Arlt W. Disorders of the Adrenal Cortex. Harrison's Principles of Internal Medicine. 19th ed. United States of America: McGraw-Hill Education; 2015;2309-29.
3. Cavagnini F, Giraldi FP. Adrenal Causes of Hypercortisolism. Endocrinology: ADULT AND PEDIATRIC. 6th ed. Philadelphia: Saunders; 2010;1864-96.
4. Chan KC, Lit LC, Law EL, et al. Diminished urinary free cortisol excretion in patients with moderate and severe renal impairment. Clin Chem 2004;50:757-9.
5. Findling JW, Doppman JL. Biochemical and radiologic diagnosis of Cushing's syndrome. Endocrinol Metab Clin North Am 1994;23:511-37.
6. Flack MR, Oldfield EH, Cutler GB, Jr., et al. Urine free cortisol in the high-dose dexamethasone suppression test for the differential diagnosis of the Cushing syndrome. Ann Intern Med 1992;116:211-7.
7. Khan A, Ciraulo DA, Nelson WH, et al. Dexamethasone suppression test in recently detoxified alcoholics: clinical implications. J Clin Psychopharmacol 1984;4:94-7.
8. Kyriazopoulou V, Vagenakis AG. Abnormal overnight dexamethasone suppression test in subjects receiving rifampicin therapy. J Clin Endocrinol Metab 1992;75:315-7.
9. Liddle GW. Tests of pituitary-adrenal suppressibility in the diagnosis of Cushing's syndrome. J Clin Endocrinol Metab 1960;20:1539-60.
10. Lin CL, Wu TJ, Machacek DA, et al. Urinary free cortisol and cortisone determined by high perfor-

mance liquid chromatography in the diagnosis of Cushing's syndrome. J Clin Endocrinol Metab 1997;82:151-5.

11. Loriaux DL. Diagnosis and Differential Diagnosis of Cushing's Syndrome. N Engl J Med 2017;376:1451-9.
12. Lynnette KN. Adrenal Cortex. Goldman-Cecil Medicine. 25th ed. Philadelphia: Saunders; 2016;1514-20.
13. Nakamoto J, Salameh WA, Carlton E. Endocrine Testing. Endocrinology: ADULT AND PEDIATRIC. 6th ed. Philadelphia: Saunders; 2010;2802-32.
14. Nickelsen T, Lissner W, Schoffling K. The dexamethasone suppression test and long-term contraceptive treatment: measurement of ACTH or salivary cortisol does not improve the reliability of the test. Exp Clin Endocrinol 1989;94:275-80.
15. Nieman LK, Biller BM, Findling JW, et al. The diagnosis of Cushing's syndrome: an Endocrine Society Clinical Practice Guideline. J Clin Endocrinol Metab 2008;93:1526-40.
16. Orth DN. Cushing's syndrome. N Engl J Med 1995;332:791-803.
17. Papanicolaou DA, Mullen N, Kyrou I, et al. Nighttime salivary cortisol: a useful test for the diagnosis of Cushing's syndrome. J Clin Endocrinol Metab 2002;87:4515-21.
18. Papanicolaou DA, Yanovski JA, Cutler GB, Jr., et al. A single midnight serum cortisol measurement distinguishes Cushing's syndrome from pseudo-Cushing states. J Clin Endocrinol Metab 1998;83:1163-7.
19. Pecori Giraldi F, Pivonello R, Ambrogio AG, et al. The dexamethasone-suppressed corticotropin-releasing hormone stimulation test and the desmopressin test to distinguish Cushing's syndrome from pseudo-Cushing's states. Clin Endocrinol (Oxf) 2007;66:251-7.
20. Putignano P, Toja P, Dubini A, et al. Midnight salivary cortisol versus urinary free and midnight serum cortisol as screening tests for Cushing's syndrome. J Clin Endocrinol Metab 2003;88:4153-7.
21. Qureshi AC, Bahri A, Breen LA, et al. The influence of the route of oestrogen administration on serum levels of cortisol-binding globulin and total cortisol. Clin Endocrinol (Oxf) 2007;66:632-5.
22. Stewart PM, Krone NP. The Adrenal Cortex. Williams Textbook of Endocrinology. 12th ed. Philadelphia: Saunders; 2011;479-544.
23. Stewart PM. The Adrenal Cortex. Williams Textbook of Endocrinology. Philadelphia: Saunders; 2003;491-551.
24. Trainer PJ, Faria M, Newell-Price J, et al. A comparison of the effects of human and ovine corticotropin-releasing hormone on the pituitary-adrenal axis. J Clin Endocrinol Metab 1995;80:412-7.
25. Tyrrell JB, Findling JW, Aron DC, et al. An overnight high-dose dexamethasone suppression test for rapid differential diagnosis of Cushing's syndrome. Ann Intern Med 1986;104:180-6.
26. Wood PJ, Barth JH, Freedman DB, et al. Evidence for the low dose dexamethasone suppression test to

screen for Cushing's syndrome--recommendations for a protocol for biochemistry laboratories. Ann Clin Biochem 1997;34:222-9.

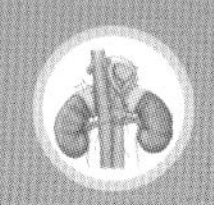

Index

한국어

ㅌ

ㅍ

ㅎ

기호

번호

로마자

A

B

U

V

W

Z